À JMR, un ami, qui savait que
« deux vies valent mieux qu'une ».

À un père, une mère, une sœur,
qui ne le savaient pas.

E. P.

À toi,
et à l'amitié qui rend nos vies plus belles.

C. L.

« Se va el barco de papel
por el mar de la esperanza
...
Se va, se va, se va y no volverá
Se va, se va, se va la libertad. »

Teo Saavedra, « Barco de papel »

On me prendra pour une folle, une exaltée, une sale ambitieuse, une fille fragile. On me dira : « Tu ne peux pas faire ça », « Ça ne s'est jamais vu », ou seulement, d'une voix teintée d'inquiétude : « Tu es sûre de toi ? » Bien sûr que non, je ne le suis pas. Comment pourrais-je l'être ? Tout est allé si vite. Je n'ai rien maîtrisé ; plus exactement, *je n'ai rien voulu maîtriser*. Évelyne était là. Cela suffisait.

16 septembre 2016. Ce devait être un rendez-vous professionnel, un simple rendez-vous, comme j'en ai si souvent. Rencontrer un auteur que je veux publier, partager l'urgence brûlante, formidable, que son texte a suscitée en moi. Puis donner des indications précises : creuser ici, resserrer là, incarner, restructurer, approfondir, épurer.

Certains éditeurs sont des contemplatifs. Doigts longs et fins de sélénite ; esprit apaisé ; jardin zen et râteau miniature. J'appartenais à l'autre famille, celle des éditeurs garagistes, heureux de plonger leurs mains dans le ventre des moteurs, de les sortir tachées d'huile et de cambouis, d'y retourner voir avec la caisse à outils. Mais là, ce n'était pas n'importe quel texte, et encore moins n'importe quel auteur.

Sur mon bureau encombré de documents et de stylos était posé le manuscrit annoté. Pour une fois, ce n'étaient ni le style ni la construction qui avaient retenu mon attention mais bien la femme que j'avais vue derrière. En refermant l'ouvrage, une sensation étrange s'était mise à ondoyer en moi, de mon cœur à ma tête, de ma tête à mon cœur ; boule de feu aux contours bleutés. L'intuition de la rencontre à venir, sans doute. J'ai ramassé mon courage pour l'appeler, « Allô ? », répondu sans respirer : « Allô bonjour madame Pisier ? »

Sa voix rauque était chaude, enveloppante. Plus je lui parlais, plus ma peur se déliait, se détendait, comme on le dit d'un tissu trop raide ; devenait adrénaline. Son récit m'avait bouleversée. Elle était étonnée, n'y croyait vraiment pas, « ah bon ? ah bon ? », j'avais l'impression de voir ses doutes se matérialiser devant moi et étrangement, chacun d'entre eux renforçait ma détermination. Il fallait faire de cette histoire un livre. Nous nous sommes donné rendez-vous pour le vendredi suivant. Avant de raccrocher, j'ai senti qu'elle souriait au bout du fil.

L'air s'était chargé d'une pluie étonnamment froide pour cette fin d'été ; quais de Seine floutés au pastel ; Notre-Dame dans la brume. Je n'avais pas de parapluie. Des sandalettes aux pieds. Dans mon sac, le manuscrit pesait lourd. Le moment était arrivé. J'ai respiré fort et sonné.

Une fée minuscule. C'est ce que j'ai pensé en découvrant sa silhouette dans le rectangle de la porte. Elle était d'une délicatesse d'oiseau. J'ai tout de suite aimé ses yeux, clairs comme le ciel de Provence, autour desquels les rides dessinaient des sourires. Elle m'a saluée et j'ai aimé aussi mon prénom dans sa bouche, grainé par ses accents graves de fumeuse. Je suis entrée dans le studio, un rez-de-chaussée donnant sur une cour arborée. « Mais vous êtes gelée ! Vous ne voulez pas un pull ? » J'ai refusé, par pudeur. Des mois plus tard, c'est moi qui lui enverrais une étole qu'elle n'aurait pas le temps de porter.

Nous nous sommes assises en face l'une de l'autre. Devant moi, un café brûlant, sorti d'une machine Nespresso. J'avais dû l'aider, attendez, ici la capsule, voilà – d'habitude, c'est son mari qui s'en occupait. « Quand Olivier n'est pas là, je ne bois rien, je ne mange rien. Je m'en fous. » J'ai dû paraître surprise parce qu'elle a ajouté : « Je ne sais rien faire en cuisine. Ma mère m'a toujours interdit d'y toucher. Mais ça, vous le savez. » Et du menton, elle avait indiqué le manuscrit posé sur la table. J'ai souri. J'ai bu mon café.

La pluie battait la baie vitrée. À l'intérieur, il faisait bon, lumières chaudes et couleurs douces. Évelyne a allumé une cigarette. « Ça ne vous gêne pas ? » Le « vous » disparaîtrait vite. Et non, ça ne me gênait pas. Je ne fume pas, mais j'aime les fumeurs. Elle a ri. Ses mains ont commencé à feuilleter les notes que j'avais prises sur le manuscrit. Elle a eu un petit geste de la tête. « Vous avez bossé. »

J'ai observé les taches brunes sur ses doigts, constellation discrète du temps. Elle portait son âge comme un vêtement ample. Il ne la gênait pas. Derrière ses presque soixante-quinze ans, il y avait toujours les cheveux blond de sable, la peau de neige ensoleillée, l'espièglerie – une empreinte éternelle de jeunesse.

Nous avons parlé trois heures durant. De son manuscrit, de sa mère, de la place des femmes dans la société, du mal que nous font les religions, des hommes, du sexe, de la littérature. Une ombre passait sur son sourire, son regard se perdait une seconde puis il me revenait, et moi, je la trouvais belle. D'un accord tacite, nous nous étions dispensées de préambule. Peut-être avions-nous senti l'une et l'autre que le temps manquerait, ou bien n'était-ce là qu'une forme mystérieuse et belle de reconnaissance : un goût partagé pour les choses essentielles, sans doute aussi l'impossibilité de faire autrement. Certaines rencontres nous précèdent, suspendues au fil de nos vies ; elles sont, j'hésite à écrire le mot car ni elle ni moi ne croyions plus en Dieu, *inscrites* quelque part. Notre moment était venu, celui d'une transmission dont le souvenir me porterait toujours vers la joie, et d'une amitié aussi brève que puissante, totale, qui se foutait bien que quarante-sept ans nous séparent.

Évelyne voulait raconter l'histoire de sa mère, et à travers elle, la sienne. Une histoire fascinante qui couvrait soixante ans de vie politique, de combats, d'amour et de drames – le portrait d'une certaine France aussi, celle des colonies et des révolutions, de la libération des femmes. Son texte oscillait encore entre le témoignage et le récit autobiographique. Nous étions toutes deux d'accord : il fallait en faire un roman. Non pas chercher l'exactitude biographique mais la vérité romanesque d'un destin. S'autoriser à changer les noms, laisser respirer l'imaginaire, explorer les sentiments profonds. Faire œuvre universelle. Évelyne battait des mains. Ensemble, nous y arriverions.

Nous nous sommes écrit presque chaque jour. Elle vivait dans le Sud, mais ce n'était pas si loin. Lorsqu'elle venait à Paris, on se retrouvait dans le petit appartement-cocon, on travaillait au milieu des bouteilles et des cendriers, je l'écoutais, souriais à ses sourires, m'indignais à ses indignations, riais avec elle – puis c'était l'heure de dîner et au restaurant la conversation se prolongeait, ininterrompue, et d'autres verres, et d'autres clopes. J'étais heureuse.

Tout s'est arrêté un jeudi de février. Elle se trouvait à l'hôpital depuis plusieurs jours, dans un état préoccupant – une épreuve de plus pour elle, qui en avait surmonté tant. « Tu es la plus forte » : les derniers mots que je lui ai écrits. Et c'était vrai. Mais quand j'ai vu le prénom d'Olivier s'afficher sur l'écran de mon téléphone, j'ai su. La catastrophe. J'ai raccroché en pleurs.

Autour de moi, dans mon bureau de la place d'Italie, la vie continuait, et c'était un scandale d'une brutalité insensée. Je ne voulais pas voir ces gens pressés dans la rue, ces voitures aux klaxons abrutissants, les mails qui gonflaient ma messagerie. Les mots d'un ami écrivain me sont revenus : « La mort, cette salope sans talent. » Pas mieux. La colère se déversait dans ma tête comme une vague rouge ; revenir en arrière. Que cela ne soit pas.

Le reste n'intéressera personne : mon chagrin, mes mains affolées, la gentillesse des collègues et de mon patron ému lui aussi, le vide. Je suis rentrée chez moi, sonnée. Il n'y avait personne à l'appartement. Mon compagnon était en déplacement, ma mère en province. J'ai mis une cantate de Bach, pour le cliché, les clichés font du bien parfois, et allumé une bougie. Dans ma tasse de thé ont défilé tous les souvenirs, ceux qui nous unissaient directement, elle et moi, notre rencontre, nos échanges, nos dîners, mais aussi tous les autres, ceux qui lui appartenaient et qui, par un acte aussi troublant que merveilleux, étaient devenus les miens : l'histoire de sa famille, de sa vie, dont elle m'avait fait cadeau en choisissant la fiction.

La cantate s'est enfoncée dans le silence. J'ai rangé le CD, éteint la chaîne. Quelque chose de lourd et très calme venait de se déposer en moi. J'ai allumé mon ordinateur, ouvert le fichier du manuscrit. J'ai écrit.

Les derniers mots d'Évelyne, qu'Olivier m'avait confiés comme un trésor, brûlaient en moi. « S'il m'arrive quoi que ce soit, promets-moi de terminer le livre avec Caroline. » Elle m'avait tout donné avant Noël : la trame, les informations manquantes, les anecdotes, les épisodes clés. Il ne restait qu'à mettre en forme cette matière. Nous l'aurions fait ensemble. Il y aurait eu des rires, du vin blanc tiédi, des questions à n'en plus finir. Faut-il raconter cette scène ? Ce détail présente-t-il le moindre intérêt ? Tu crois que ça va intéresser les gens ? Il y aurait eu des tendresses folles et des folies tendres. On projetait une grande fête pour l'été.

Dans la nuit qui commençait à envelopper Paris, j'ai vu ses yeux bleus, son sourire et sa main se tendre vers moi. « À ton tour » semblait-elle me dire. Je lui ai fait un clin d'œil. J'étais son éditrice. Son amie de vingt-huit ans. Elle était mon histoire la plus folle. J'ai promis.

Je terminerai le livre.

Elle riait comme seuls rient les enfants quand le soleil se mêle aux odeurs de sucre et de fête. Dans la cuisine, les casseroles, les poêles, les woks de toutes tailles s'empilaient, et seule face à cette armée domestique, attendant que revienne sa nourrice, Lucie dans ses rêves dansait. Un dimanche à Saigon. La vie semblait si douce encore. Depuis l'aube, l'appartement s'égayait de fleurs. Un vent chaud filtrait des fenêtres protégées par les grilles, porteur de nouveauté. Il était donc arrivé, ce jour qu'on lui promettait depuis des mois et qui transformerait tout – prendre son bain seule, choisir ses vêtements dans l'armoire, apprendre à lire et à écrire. Elle devenait *grande*, et ce mot contenait des promesses aux contours magiques. Autour d'elle, le cercle de l'enfance s'élargissait. Elle était prête. Lorsque le curé avait dit le matin même : « Je vous laisse la paix, je vous donne ma paix ! Dans l'amour du Christ, donnons-nous un signe de paix », elle avait devancé ses parents et tendu une main raide devant elle – les baisers de messe n'étaient plus de son âge. « La paix du Christ » avait-elle chuchoté. Ainsi faisaient les adultes. Il suffisait de les imiter.

La porte de la cuisine grinça et Tibaï apparut. Lucie aimait sa peau sans rides, ses yeux d'amande fatigués, sa bouche plus fine qu'un trait de crayon. La servante s'essuya les pieds pour ôter la poussière de la cour et posa sur la table un plat couvert d'un torchon. « C'est mon cadeau ? » La nourrice hocha la tête. Lucie applaudit avec excitation. « Qu'est-ce que c'est, qu'est-ce que c'est ? » Elle voulut retirer le torchon mais d'un geste vif, Tibaï l'en empêcha. « Tu me promets de ne rien dire à Monsieur… ni à Madame, n'est-ce pas ? » Lucie promit. Au loin, les cloches de la cathédrale sonnèrent douze fois. On se serait cru en France. On était en France.

D'un coup sec, la magicienne découvrit l'assiette.

Lucie eut d'abord une moue de surprise. C'était jaunâtre, blanc par endroits, parfumé comme le miel. Tibaï huma le plat en fermant les yeux, et piocha d'un coup dans les friandises. « Goûte. » Lucie plongea la main à son tour. Sous la dent, c'était croustillant, juteux, sucré et salé à la fois. Un délice. Elle se resservit avec gourmandise, pas de fourchette, la colle imprégnait ses doigts qu'elle entreprit de sucer un à un. Très vite, il ne resta plus rien dans l'assiette.

La servante se laissa tomber sur une chaise et Lucie s'assit sur ses genoux. « C'était quoi, Tibaï ? – Tu n'as pas deviné ? » Elle sourit. « Des larves de guêpes ! »

Lucie pouffa dans sa main. C'était la première fois qu'elle mangeait des insectes, jamais ses parents ne l'y auraient autorisée, pas même un jour de fête. La nourrice insista : « Tu ne diras rien, n'est-ce pas ? » Puis elle débarrassa la table, passa un coup d'éponge et prépara une papaye bien mûre. Les graines noires en paquets ressemblaient à des billes – « Si tu les laves, tu pourrais jouer avec » dit Tibaï. Elle découpa le fruit en tranches, sortit le sucre, la vanille ; fit fondre du beurre au fond de la casserole. Un colibri s'arrêta devant la fenêtre. « Si on jouait, alors ! » La nourrice ne répondit rien, ramena ses longs cheveux noirs en arrière.

« Mais c'est mon anniversaire !

— J'ai déjà jeté les graines, Lucie.

— Pas ça. On joue au gendarme et au voleur.

— Qui joue le gendarme, et qui jouera le voleur ?

— Comme d'habitude. Tu fais le voleur. »

Les tranches orangées commençaient à caraméliser. Tibaï remua la préparation. Indifférente au parfum de cannelle qui embaumait la pièce, Lucie restait sur le qui-vive. Sa nourrice procédait toujours de la sorte : vaquant à ses occupations l'air de rien, elle attaquait au dernier moment. Lucie scruta son dos plein de silence. Bientôt ? Maintenant ? Quand Tibaï fit volte-face, elle sursauta malgré elle.

Ce fut une flèche blonde qui déchira l'air. Elle avait les cheveux en bataille, la jupe virevoltante et sept ans depuis quelques heures. « Au voleur ! » hurla-t-elle en riant. Dans le couloir s'entrechoquèrent les stridences, les pieds nus affolés – il fallait que Tibaï la suive, « Tu ne m'attraperas pas ! », et la porte du salon claqua.

« Lucie ! » La voix grave la pétrifia. « Papa… – Tais-toi. » Il se leva de son fauteuil, posa le journal sur le guéridon. « Et vous, là ? » Tibaï baissa la tête. Elle se confondit en excuses, avant de disparaître à reculons. Lucie eut un mouvement pour la rejoindre.

« Attends une minute, veux-tu. » Les doigts longs et maigres lui labourèrent la nuque. « Mona ? » lança-t-il en direction de la chambre. Une voix légère lui répondit : « Oui, chéri, qu'est-ce qu'il y a ? » André haussa les épaules : « Ta fille. »

Roses comme des coquillages, minutieusement laqués, les ongles de Mona brillaient dans la lumière de midi. De ses yeux bleus elle fixait sa fille, étonnée secrètement de la voir là, entière, debout, détachée d'elle, avec un corps et un esprit qui, pendant tous ces mois, avaient été son propre corps et son propre esprit, extension de sa chair, prolongement de son sang – ne comprenant toujours pas, en somme, comment un tel mystère pouvait l'avoir traversée elle aussi.

Assise à côté de son mari, elle écoutait. Depuis qu'elle le connaissait, elle écoutait. Sanglé dans son costume trois-pièces, d'une beauté implacable, de celles qu'affichent les officiers en uniforme, ce qu'il n'était pas, André tendait l'index. « Il faut. » Mona eut un sourire. C'est ainsi que devaient parler les hommes – avec autorité. « Il faut que tu comprennes, Lucie. » D'un geste, il désigna la table et sa nappe de percale, le bouquet d'orchidées, la porcelaine chinoise, les verres en cristal, l'argenterie. Lucie se tenait droite. Petit soldat doux et sérieux.

« Aujourd'hui… – Je sais, le coupa-t-elle. Aujourd'hui j'ai l'âge de raison. » Il manqua s'étouffer, se renfonça dans le fauteuil en tournant la tête ; Mona sentit son cœur palpiter. Dans les yeux de son mari tremblait le ciel parisien d'hiver. Ce ciel gris étal qui l'avait séduite un soir de novembre, huit ans plus tôt.

La Banque d'Indochine donnait un cocktail près du Louvre, arrosé de champagne et de gin. Yvon Magalas, son père, qui dirigeait la banque depuis plusieurs années, avait invité la famille Desforêt – Henri était un collègue qu'il appréciait. Les présentations n'avaient guère tardé. Les cocktails servent aussi à cela : marier sa fille, caser son fils. La première chose qu'avait vue Mona, du haut de ses dix-sept ans, quand ce jeune homme plus âgé qu'elle s'était avancé, c'étaient ces grands yeux de brume.

« L'âge de raison… » répétait André.

Il ignorait que depuis des semaines sa femme préparait Lucie à l'événement : sept ans, sept ans ma chérie ! L'âge des robes à smocks et de la conscience douce des choses. La petite ne parlait plus que de ce 21 octobre.

« L'âge de raison ? Et toi tu cours partout comme une sauvage ? D'ailleurs, où sont tes chaussures ? » Il resserra ses doigts sur le bras d'un rose tendre. « Tu te comportes encore plus mal que la bonne ! »

Mona savait ce qui allait suivre. André s'enflammerait, les veines à ses tempes enfleraient puis se mettraient à cogner – minuscules anguilles mauves.

« Tu entends ça, Lucie ? Plus mal qu'une Niakouée ! » Elle posa la main sur celle de son mari. « André, s'il te plaît… – Tais-toi, c'est moi qui parle. » La sévérité aiguisait son visage, assombrissait ses yeux, redessinait les lignes de ses lèvres. Mona aimait ces moments de tempête ; elle seule savait, d'un sourire ou d'un battement de cils, calmer André. Elle chercha à nouveau son regard ; allongea ses jambes nues, les décroisa une fois, deux fois ; en vain. Il n'y en avait que pour la petite. Une pointe d'amertume lui effleura le cœur. Comme elle aurait aimé être, à ce moment-là, non pas la mère mais l'enfant disputée…

Une odeur de brûlé emplit l'appartement. « Qu'est-ce que c'est encore ? » Mona avait une vague idée. « Reste là, mon amour. Je vais voir. » Elle se leva, commença à courir dans le couloir, se ravisa – il ne fallait pas.

Dans la cuisine enfumée, Tibaï jetait la compote de papaye brûlée et en préparait une nouvelle. Ses mains étaient moins rapides, moins assurées que d'ordinaire. « Dépêchez-vous, il sera bientôt une heure… » La domestique lui répondit par un sourire si triste qu'elle eut de la peine pour elle. « Ça va aller, l'encouragea-t-elle, mais par pitié, aérez cette cuisine ! »

Tibaï s'exécuta et Mona laissa échapper un petit cri de surprise. Elle fit un pas vers la fenêtre. Derrière les grilles, un colibri la regardait, qui s'enfuit aussitôt.

Dans le salon, l'explication continuait. « Tu n'as pas à être gentille avec les domestiques, disait André. Seulement polie. » Mona s'assit près de lui et commença à lui caresser le bras. Un jour il lui avait confié : « J'adore quand tu fais ça. » Au fil des années – en vérité une seule avait suffi –, elle s'était constitué un répertoire mental de ce qu'il adorait ou n'adorait pas. Le corps n'est pas un terrain de jeu infini, il a ses limites et ses habitudes. Ses zones de confort. Plus encore ses dégoûts.

Mona ne prétendait pas savoir grand-chose ; ses études de médecine s'étaient arrêtées trop vite après le mariage, l'université n'avait duré qu'un an, mais ce qu'elle savait c'était ça, le pouvoir d'un corps – pouvoir labile, infidèle, toujours menacé par le Temps.

La petite voix de Lucie la ramena sur terre.

« Je ne comprends pas. Gentille et polie, papa, ce n'est pas la même chose ? – Ça n'a rien à voir. » Un rai de lumière balaya les cheveux d'une blondeur de sable. « Pourquoi ? » Mona pensa : moi aussi, j'aurais voulu naître blonde. « Parce qu'il s'agit de domestiques ! » Elle se teignait les cheveux depuis son mariage, avait essayé des nuances plus claires, blond cendré, blond doré, mais un coup d'œil suffisait à crever la supercherie. André se méfiait des brunes, ces aventurières érotiques ; il s'était d'ailleurs méfié d'elle. « Mademoiselle, lui avait-il déclaré ce soir éternel de novembre, vous êtes plus ravissante qu'une gravure de mode. Mais les hommes peuvent-ils se fier à vous ? » Le jour de leurs fiançailles, elle lui avait promis de devenir blonde ; il y avait vu une marque d'obéissance naturelle.

« Les domestiques sont des gens de couleur. Toi tu es blanche. Tu ne peux pas être amie avec eux. »

Lucie se dandinait sur sa chaise, visiblement lassée par la remontrance. Mona sentit l'agacement monter chez André, tout ça finirait mal, et le déjeuner d'anniversaire qu'on n'avait pas encore servi… Elle tenta d'intervenir : « Promets à ton père de ne plus recommencer, ma chérie… » André la coupa une fois de plus. « Il faut qu'elle comprenne ! Lucie, écoute-moi bien. Si tu es *gentille* avec les domestiques, en fait tu les trompes. Tu leur fais croire qu'ils sont nos égaux. Ce ne sont pas nos égaux. »

Mona savait exactement ce qu'il allait dire. Mue par un élan incontrôlable, elle cracha les mots à sa place : *« Car nous vivons dans une société qui est, et sera toujours, naturellement hiérarchique. »* La veille encore, il s'était emporté contre les initiatives diplomatiques de la France auprès du Viêt-minh. Phrases martelées, vissées dans son crâne. Les Blancs n'ont pas à se soumettre. Les Jaunes sont inférieurs. Notre société est, et sera toujours…

Sur le visage d'André, un sourire immense, inattendu, fit battre plus vite son cœur. Il répéta avec délectation, *Une société qui est, et sera toujours, naturellement hiérarchique*, en écartant légèrement les jambes. Défit le bouton de sa veste : « Lucie, ta mère est la femme la plus intelligente que je connaisse. » Mais en disant ces mots, c'est Mona qu'il regardait.

Dans l'encadrement de la porte, Tibaï s'inclina. Le déjeuner était prêt… André la congédia d'un geste. Quant à la petite, elle ne bougeait plus, consciente inconsciente de cet air plus épais, plus chaud, qui les enveloppait à présent. Mona lui fit signe de partir. Elle disparut aussitôt. Ils se retrouvèrent seuls dans le salon, rouge et moite comme une bouche immense. Elle croisa et décroisa les jambes dans sa direction, le fixa du regard avec gravité. Un vent léger faisait trembler les mèches qui lui tombaient sur les yeux. Quand elle lui sourit, il sut que c'était le moment. Il se pencha vers elle, promena ses lèvres sur son cou, ses joues, sa nuque, s'attarda dans un souffle. Elle ferma les paupières quand le parfum racé, mêlé d'ambre et de santal, s'arrêta pile sur son cœur.

Un soir, Évelyne m'a demandé de choisir les prénoms de fiction. « Moi je ne peux pas, je n'ai pas assez d'imagination. » C'était faux, évidemment. Ce mot, « imagination », la réjouissait tant, c'était beau à voir, une véritable gourmandise.

Mona s'est imposé très vite. Je recopie ici les premières lignes du prologue initial :

Il faudrait tout raconter.

Retracer le destin d'une épouse, d'une mère, d'une femme devenue libre, et qu'on appelait Mona.

Religieusement, nous exhumerions les carnets vieux de cinquante ans, les photos où pose en noir et blanc la famille endimanchée, les lettres à l'odeur de bois sec, les archives.

Mais de cette épouse, de cette mère, de cette femme devenue libre, il ne reste pas un mot, pas une image – Mona a tout emporté avec elle.

Son suicide exigeait des réponses. Il n'y en avait pas. La seule, peut-être, tenait dans les syllabes chaudes de son prénom. Mona. Comme la Joconde, elle était un sourire et une énigme.

Ce prologue n'est plus d'actualité. Par la force des choses, Évelyne a pris la place de sa mère. Elle est devenue le sujet du livre, son point de départ et son horizon. Mais de *Mona*, il reste le sourire et l'énigme.

Que se passe-t-il en vous le jour où vous apprenez que la femme que vous aimez le plus au monde, votre mère, s'est suicidée ? Quelle part de vous s'effondre pour toujours à cet instant ? En écrivant ces mots, je ne peux m'empêcher de penser à Delphine de Vigan et à son livre *Rien ne s'oppose à la nuit*. « L'idée ne pouvait pas m'atteindre, c'était inacceptable, c'était impossible, c'était non. » Et pourtant.

La scène se déploie devant moi : Évelyne rentre de week-end avec ses enfants, elle appelle sa mère, pas de réponse, essaie à nouveau, rien, contacte son frère, il ne sait pas, l'inquiétude monte, pourquoi ne répond-elle pas, elle répond toujours d'ordinaire, il faut y aller, ils accourent, pas de bruit à l'intérieur, « maman ! », rien, personne, que faire, « maman ! » et les voix se crispent, ils trouvent ses clés dans la boîte aux lettres, ouvrent la porte, mains fébriles, conscience bloquée – ils entrent.

Face à moi, Évelyne fume sa troisième cigarette. Peut-on bâtir un roman comme une enquête ? Tenter d'élucider, en remontant une vie, le geste absolu ? Le suicide a ses raisons que la raison ne connaît point. Celui de *Mona* restait un mystère, non parce qu'Évelyne en ignorait les causes, mais au contraire parce qu'elle ne les savait que trop. Sa mère refusait de vieillir. Elle ne perdrait ni sa beauté ni son pouvoir de séduction. Là où, sans doute, se retrouvait une motivation tragiquement banale, chez *Mona* étaient toutefois passés trente ans de combats féministes. Elle, la révoltée, la militante du droit à la libération sexuelle, à la contraception et à l'avortement, n'avait pas su s'affranchir de son corps. « À cinquante, cinquante-cinq ans, aucune femme n'est plus désirable. » Évelyne avait bondi : « C'est toi qui dis ça ? Toi la féministe ? » *Mona* n'en démordait pas. Une femme qui ne suscite plus le désir des hommes est perdue. Évelyne s'était indignée puis était partie dans un grand éclat de rire. « Ne ris pas. Si tu vis un jour avec un mec plus jeune que toi, je te préviens, ils t'appelleront tous *la vieille.* » Ce n'était pas sérieux. Sa mère ne pouvait pas penser ça. Évelyne écrase sa cigarette et lève les yeux vers moi : « Elle le pensait vraiment. »

Un labyrinthe d'eau et de pierre. La rivière s'enroulait autour de Saigon et lançait des reflets qui faisaient plisser les yeux. Le dimanche, les promenades avaient la fadeur douce du temps libre. « Le Paris de l'Extrême-Orient ! » Avec de grands gestes, André décrivait à Lucie la structure de la cité, son architecture, la richesse de la rue Catinat, la plus belle bien sûr, puisque c'était là où ils vivaient. Bordée de tamariniers, parcourue par les calèches et les tilburys, c'était l'une des artères principales de la ville. La cathédrale Notre-Dame, en brique rouge de Toulouse, y dressait deux tourelles surmontées de flèches en ardoise, lui donnant un petit air de village français. Les meilleurs restaurants s'y faisaient concurrence. Il y avait aussi le théâtre municipal, dont la façade reproduisait celle du Petit Palais. À l'hôtel Continental, où les terrasses en forme de pont de paquebot laissaient deviner des suites au luxe moelleux, Malraux et sa femme avaient passé dix mois. « Bravo les Soviets, on crache sur le colonialisme mais on veut bien ronfler dans des draps en soie ! » Un peu plus loin, rue La Grandière, le Cercle sportif réunissait les plus grosses fortunes.

On y travaillait son corps, son âme et ses plaisirs – danse, billard, bridge, cocktails, concerts. C'était un quartier propre, tenu, plus blanc que l'élite blanche qui y vivait. André ne se montrait méfiant qu'à l'égard de la banque. Là-bas, disait-il en baissant la voix, on y faisait du trafic de piastres. « Oh… » murmurait Lucie effrayée. Il la rassurait. C'était la faute des Blancs de passage, médiocres et sans valeur – pas des colons comme eux.

Pour Mona, rien ne valait le spectacle des pousse-pousse aux couleurs criardes ; des marchés grouillant de bêtes et de légumes ; des vendeurs de beignets qui jetaient leur friture dans du papier journal sur le trottoir ; des bicyclettes croulant sous les poules, les cages ou les grenouilles dépecées, funambules qui dansaient sur le fil des voies. C'était l'Indochine des rêves et de l'imagerie d'Épinal – la colonie des pauvres.

Quand elle s'ennuyait, mais c'était rare, ou que ses amies du Cercle étaient prises, elle accompagnait Tibaï jusqu'à l'école Saint-Louis. Tous les enfants des hauts fonctionnaires s'y trouvaient – de la rue Catinat, c'était à peine dix minutes à pied. Le bâtiment était vaste et clair, ouvert sur une cour protégée du soleil par un banian centenaire. Sur le trottoir, la servante patientait au côté d'autres tibaïs, discrètes et sans âge. Mona admirait les traits fins de l'une, les cheveux soyeux d'une autre, notait la vilaine étoffe d'une jupe, les pieds râpeux, la délicatesse d'une attache de poignet. Les Asiatiques parlaient peu. On eût dit qu'elles avaient un code : les battements de cils, les inclinaisons de tête, les doigts froissés racontaient leurs journées chez les Blancs, les soucis à la maison, le mari, les enfants. Qui allait chercher leurs petits à l'école pendant qu'elles s'occupaient de ceux des autres ? Et puis elle se rappelait ; ces enfants-là n'allaient pas à l'école.

Le grand portail s'ouvrit, déversant un torrent de têtes blondes. Le chahut couvrait les voix des adultes. Au bout d'une minute, Lucie sortit à son tour, radieuse dans sa petite robe à volants. Son sourire était celui des enfants sans problèmes. « Ma chérie… » dit Mona en s'avançant. Son cœur fit un bond ; sa fille s'était d'abord jetée au cou de la servante.

Sur le chemin du retour, la petite récitait les tables de multiplication d'une voix monotone, « Deux fois deux, quatre. Deux fois trois, six. Deux fois… », jusqu'au moment où elle buta dans une mangue. Les trottoirs en étaient jonchés depuis quelques jours. Lucie prit son élan, courut à pas serrés et tira fort devant elle. Une autre mangue s'envola et s'écrasa dans un bruit mat qui la fit éclater de rire. « Mais enfin ! – C'est son nouveau jeu, madame » expliqua Tibaï gênée.

Elle n'eut pas le temps d'en dire plus que Lucie tirait dans une autre mangue encore, cette fois en direction de la rue. Un paysan à bicyclette passait par là ; le fruit l'atteignit au visage. Il eut un mouvement brusque du guidon, sa roue se bloqua, et toutes ses tomates se renversèrent. « Lucie ! » Au milieu des klaxons, le paysan vietnamien se releva en hurlant. Il regarda ses tomates. La plupart étaient crevées. Invendables. Le visage de Tibaï, si lumineux d'ordinaire, se ternit. Mona se tourna vers sa fille : « Tu vois ce que tu as fait ? » Lucie baissa la tête. Silencieuse, la bonne contemplait le désastre : cet homme sur la route, plus maigre qu'une liane, qui en une seconde avait tout perdu. Il lui ressemblait tant.

Doucement, Lucie s'approcha de sa nourrice, glissa sa toute petite main dans la sienne. « Tibaï » souffla-t-elle, et ce nom était un « pardon ». Mona en eut les yeux brûlants. Sur la route, les tomates formaient une flaque rouge sang. Le paysan leur jeta un regard lourd de reproches et cria des choses que personne ne comprit à part la servante.

« Qu'est-ce qu'il dit ? »

Autour d'eux, le vacarme mécanique avait repris comme si de rien n'était. Les roues des calèches, des vélos, des pousse-pousse enfonceraient bientôt le sang dans le bitume, et de cette pâte triste il ne resterait plus rien avant la fin de la journée. Le paysan remonta sur sa bicyclette. Il eut un dernier mot, glacial.

« Mais qu'est-ce qu'il dit ? » répéta Mona.

Tibaï baissa les yeux et garda le silence. Si à ce moment-là elle avait plongé dans le regard de sa maîtresse, elle aurait pu saisir une lueur vacillante, mélange de tristesse, d'angoisse et de colère, dans laquelle elle aurait été étonnée de reconnaître, pour la première fois, de la culpabilité.

Évelyne a fêté ses soixante-quinze ans quelques semaines après notre rencontre. Elle avait choisi d'aimer ses rides, ses cheveux blancs, ses nombreux petits-enfants – la vie. *Mona*, elle, s'était donné la mort à la veille de ses soixante-six ans.

« Ce qu'il faudrait, c'est montrer dans le roman comment vous vous êtes construites l'une l'autre, mais aussi déconstruites, peut-être. » On pouvait résumer les choses d'une phrase : Évelyne Pisier n'était pas devenue Évelyne Pisier par hasard. Sa mère était à la fois un modèle et un contre-modèle, une alliée et un contradicteur, une confidente et une femme de secrets – un grand chaos d'ombre et de lumière. Évelyne s'était bâtie sur elle, cela ne faisait aucun doute, mais *Mona* aussi s'était inspirée de sa fille. Toutes deux devaient exister face aux lecteurs.

La pluie battait toujours la vitre. Quelle fin d'été étrange, et ce ciel couleur ardoise… Je n'ai pas osé redemander un café. Évelyne a réfléchi une seconde puis acquiescé. « Je te fais confiance de toute façon. »

Ses yeux se sont posés sur mes bras nus. Elle s'est levée. Dix petits pas jusqu'à la baie vitrée, qu'elle a fermée soigneusement. « Je ne veux pas que tu prennes froid. »

L'année 1949 apporta de nouvelles inquiétudes. Des soldats venus de métropole débarquaient continuellement sur le port de Saigon, accueillis par la fanfare militaire, avant d'être envoyés sur le terrain où, non contents d'affronter le Viêt-minh, ils devraient faire face aux serpents, aux moustiques, à la dysenterie et aux dartres annamites, ces petits champignons que l'humidité fait pousser sur la peau. En février, le 2e bataillon étranger de parachutistes, créé à Sétif un an plus tôt, vint renforcer le régiment du Tonkin. L'Indochine comptait dorénavant deux unités paras de la Légion étrangère, dont on disait le plus grand bien – des gars solides qui sauraient mettre un coup d'arrêt à l'expansion rouge.

Malgré les tensions, la population se préparait à la Nouvelle Année en prenant d'assaut les marchés et en brûlant de l'encens devant les temples. Dans les rues, les dragons aux mille clochettes dansaient pour demander santé et protection.

« Ta fille a une nouvelle lubie. » André était entré dans la chambre sans frapper. Assise à sa coiffeuse, Mona se préparait pour la soirée au Cercle. Après avoir brossé cent fois ses cheveux, comme sa mère le lui avait appris, elle avait vérifié son rouge à lèvres, assorti ses bijoux à sa tenue. D'un mouvement des sourcils, elle invita son mari à poursuivre.

« Elle veut, tiens-toi bien, que nous fêtions le Têt ! » Dans le miroir, un grand éclat de rire lui répondit, qui fit tinter les boucles d'oreilles. « Tu trouves ça drôle ? Enfin Mona, c'est inacceptable ! Je refuse que l'école propage de pareilles inepties. »

Elle se leva et s'approcha de lui. La robe était en satin vert, merveilleusement cintrée à la taille ; dans les premières lumières de la nuit elle paraissait quinze ans, et le savait. « Ne t'inquiète pas. Je parlerai à Lucie. Mais demain. » De ses lèvres elle effleura la bouche rose de son homme, avant de le guider au salon.

Le tenait-elle de sa mère ? D'une imagerie secrète et convenue que les femmes se transmettent de génération en génération ? De la Nature même ? La séduction, chez elle, relevait du don. Très jeune, elle avait perçu la duplicité du désir, soit qu'on le suscite, soit qu'on l'éprouve. En amour, les lois étaient simples. On pouvait, tremblant, s'agenouiller devant celle qu'on humiliait en public si le rêve de la toucher devenait brutalement accessible. André ordonnait ; il savait également obéir, dans le silence de l'alcôve. Mona l'avait compris. Un homme est à la fois un maître et un chien.

« Tu es prêt ? » Les boucles d'oreilles encadraient ses pommettes dorées, faisant ressortir ses yeux de lapis-lazuli. « On y va. »

Au Cercle sportif, on parlerait longtemps de la robe verte de la jeune épouse Desforêt, de ce sourire impénétrable et rayonnant. D'elle on dirait, comme de ces femmes dont on finit par nier l'existence : c'est une fée échappée des livres d'enfants, une amoureuse impossible.

Le lendemain matin, tandis que Lucie buvait son bol de chocolat, Mona attaqua : « Alors comme ça, tu veux qu'on fasse le Têt, il paraît ? » Sa fille écarquilla les yeux de joie. « Oh oui, maman, s'il te plaît ! – Et peut-on savoir pourquoi ? » La petite s'arrêta un instant, réfléchit. « Mais parce que le jour du Têt, la maîtresse a dit qu'on mangeait des nems. »

Au même moment, André les rejoignit dans la cuisine, les cheveux fleurant la brillantine. « De quoi parliez-vous ? – Du Têt, justement… » Il fronça les sourcils. « Ah ! J'aimerais que tu dises à ta maîtresse qu'on ne t'envoie pas à Saint-Louis pour que tu apprennes la religion des Niaks ! » Mona retint un sourire. « Lucie a de bonnes raisons… » Le couteau à beurre se suspendit au-dessus de la tartine. Lucie courut vers lui et se jeta à son cou : « Oh oui, papa, de très bonnes raisons ! » Il la souleva et l'embrassa sur la joue. « Hum… Je serais curieux d'apprendre ça… – Mais papa, ce jour-là il faut manger des nems. Et les nems, tu adores ça ! »

Tibaï, deux jours plus tard, prépara quatre-vingts rouleaux frits au bœuf et au porc, qu'elle distribua à ses maîtres ainsi qu'à leurs nombreux amis, au milieu du champagne et des thés verts fumants. Mona et André attiraient tous les regards. « Servez-vous, servez-vous » disait-elle. Les mains couvertes de bagues lourdes et de chevalières piochaient dans le plateau. « La bonne prépare merveilleusement ces cochonneries » reconnaissait André en s'essuyant la bouche. Tibaï dansait dans la foule, portant ici à boire, là à manger, tourbillonnant entre les nappes et les serviettes, cependant que les pétards accueillaient avec une joie teintée d'inquiétude l'année du Buffle, cet animal au comportement si imprévisible.

Le dernier invité partit à minuit. Lucie dormait depuis longtemps. André et Mona s'enfermèrent dans leur chambre. Dans le silence de la cuisine, seule enfin, après qu'elle eut rangé les tables et fait la vaisselle, Tibaï avala tout froid le dernier rouleau frit, figé sur le plateau comme un doigt coupé.

Les « nounous » ont eu beaucoup d'importance dans la vie d'Évelyne, d'abord durant son enfance, ensuite lorsqu'elle a été mère. La bourgeoisie de milieu de siècle avait ses codes : la femme de haut fonctionnaire ne travaillait pas ; de même, il était hors de question qu'elle se charge des enfants. Les années révolutionnaires ont eu les leurs : la femme moderne fait des études et travaille ; elle n'est plus à la maison pour s'occuper des petits. Les nourrices sont des personnages de tragédie. Je pense à l'Antigone d'Anouilh et à son désespoir tendre : « Nounou plus forte que la fièvre, nounou plus forte que le cauchemar, plus forte que l'ombre de l'armoire qui ricane et se transforme d'heure en heure sur le mur, plus forte que les mille insectes du silence qui rongent quelque chose, quelque part dans la nuit, plus forte que la nuit elle-même avec son hululement de folle qu'on n'entend pas ; nounou plus forte que la mort. » Elles sont les messagères indirectes de la catastrophe à venir.

Enfant, Évelyne était très attachée à ses nourrices. « Tibaï », « nounou » en vietnamien, a été sa première amie. Plus tard, en Nouvelle-Calédonie, ce serait Rosalie. Des femmes de l'ombre, souvent malmenées et peu considérées – par ailleurs, des *indigènes*. Je crois qu'elles ont composé les premiers paysages qu'a observés et aimés Évelyne, des paysages humains, mouvants, émouvants, dans lesquels elle puisera toute sa vie. Tibaï et Rosalie pourraient expliquer à elles seules ses combats futurs en faveur de la décolonisation.

Devenue mère à son tour, Évelyne renouera avec les nourrices. Après avoir été reçue brillamment à l'agrégation de droit public, à une époque où les femmes ne passaient pas ce concours, Évelyne obtient un poste d'enseignante à l'université de Reims. Son premier mari, médecin engagé, ne cesse de sillonner la planète. Leurs trois enfants sont petits, et les nounous se succèdent. Évelyne a besoin d'elles, même si elle regrette de ne pouvoir être plus présente. Mais voilà que son mari trouve la perle : une Cambodgienne qui a réussi à fuir le génocide des Khmers rouges. Liberté ! À elle comme aux autres, Évelyne fait confiance. Elle continue ses allers-retours entre Paris et Reims, travaille comme une damnée. Un jour qu'elle fouille dans l'armoire des enfants, elle tombe entre les paquets de couches sur un revolver. Ni politique ni cause du peuple ne tiendront face à ça. La Cambodgienne repartira dare-dare avec ses armes et ses secrets.

Peu après les obsèques, Olivier m'a fait suivre la lettre d'une Polonaise très liée à Évelyne, qui fut la nounou de ses enfants. Ursula, c'est son nom, y écrit :

Soudain surgissent des images disparates d'époques différentes lors de mon séjour chez vous :

Sa petite main délicate se pose sur ton épaule, Olivier
Ses cheveux ébouriffés après la douche matinale, comme les poils d'Ouzo, cachent brièvement son visage
Sa silhouette menue se profile derrière son pull trop long et trop large
Son pyjama rose pâle dépareillé et ses grosses chaussettes en laine la rendent presque gamine
La recherche quotidienne de sa voiture ou des clés de sa voiture – elle ne se souvient que rarement où elle l'a garée la veille – ravive les matinées pressées
La boule de santal posée sur son bureau m'évoque son parfum.

Je ne connais pas Ursula, mais j'ai envie de l'embrasser, de la remercier. Les clés, le pyjama rose, le pull trop grand, tout y est. Portrait sensible. Plus loin, je lis avec bonheur ce court paragraphe :

Pour m'encourager, dans mes moments de chagrin, elle me répétait sans cesse : « Il faut se battre », et quand je m'embourbais dans la négativité (le dénigrement – mon activité favorite), elle me disait : « On ne naît pas imbécile, on le devient. »

Il faudra qu'Ursula apparaisse dans le livre.

La rue Catinat était de moins en moins sûre. Les commerçants qui n'avaient pas souscrit au soutien du Viêt-minh étaient souvent la cible de représailles : grenades, cocktails Molotov, agressions. Les dancings aussi étaient visés, comme celui du Dragon d'Or, boulevard de la Somme, où deux musiciens s'étaient retrouvés criblés de balles. Les officiers de l'armée française, leurs femmes, les hauts fonctionnaires de l'administration continuaient néanmoins à sortir. Le Chalet Catinat, au numéro 69 de la rue, ne désemplissait pas. C'était un club protégé car de gros commerçants chinois venaient s'y détendre au cours de séjours « amicaux », durant lesquels ils livraient armes et liquide à leurs alliés communistes. Dans la salle obscure, enfumée, sur les airs de jazz ou les chants de Tino Rossi, la guerre s'estompait. On s'enivrait du parfum des dames ; on voulait croire que les gars y arriveraient, une bonne fois pour toutes, au Tonkin comme dans le delta du Mékong.

En vérité, André se tenait aux aguets. Mona le sentait. Il lui avait demandé de limiter les déplacements avec Lucie. « Profitez de la résidence, ne sortez pas. »

Dans ce Saigon blanc, protégé par des murs blancs que des hommes blancs, armés jusqu'aux dents, surveillaient en permanence, la vie passait, paisible et lente.

Mona goûtait le calme de l'enclave, la langueur des transats en bord de piscine. Tous les samedis, elle tendait à Lucie son petit maillot de bain et lui apprenait à nager dans une eau bleue à vingt-huit degrés. Quand sa fille dormait, elle faisait des longueurs, se sculptait un corps de sirène, veillait à parfaire son bronzage. Au dehors, la ville se déchirait, découpée selon un schéma tacite que personne ne s'avisait de transgresser et dont la peau était l'unique frontière. Les Blancs rue Catinat, les Jaunes ailleurs, loin, plus loin, le plus loin possible. Surtout, préserver le calme ; la résidence était si agréable. Un jour, Lucie s'était inquiétée du hâle doré de sa mère : ne devenait-elle pas jaune elle aussi ? Que se passerait-il quand son père s'en apercevrait ? Mona avait ri et rassuré la petite. André n'avait pas ce genre de faiblesses. Il lui embrassait l'épaule à l'endroit même où la peau, protégée par la bretelle du maillot, laissait une marque blanche, pareille à un ruban. Et la vie passait, paisible et lente, voluptueuse. Saigon serait un paradis. L'Indochine entière, un paradis.

Quel mensonge.

Depuis 1945, Mona tolérait l'Indochine par amour pour André. Jadis, avant le coup de force des Japonais, elle adorait ce pays, oui. Mais la guerre avait tout ravagé. Si elle avait pu, elle aurait fui – l'Afrique, par exemple, voilà qui l'attirait. L'Indochine les avait rattrapés. À son mari, elle avait fait promettre une chose : ne jamais retourner à Hanoi, cette ville où elle avait cru mourir cent fois, cru le perdre cent fois. Il avait promis. Parfois, allongée sur son transat, elle observait sa fille. Lucie tourbillonnait, riait comme une folle, sautait dans l'eau en l'éclaboussant. À son âge, il ne s'agissait de rien d'autre : courir à perdre haleine dans le jardin, croquer un nougat puis compter ses quenottes pour être sûre de n'en avoir pas cassé une, caresser les chats du quartier, faire la sieste dans la touffeur de l'été. Les morts ne l'auraient pas ; l'enfance est un bouclier. Les images du camp s'effaçaient déjà de sa mémoire. C'était bien. Mais l'oubli terrorisait Mona.

Un soir, ce fut plus fort qu'elle. Alors qu'elle bordait Lucie, elle s'installa sur le lit. La petite la regardait avec de grands yeux interrogateurs, aussi bleus que les siens. C'était la première chose qu'avait notée André à la maternité, dans un élan mêlé de joie et de soulagement : « Elle a tes yeux ! » ; après quoi il avait ajouté, un large sourire aux lèvres : « On a fait une jolie blonde, à défaut d'un garçon. » Lundi 21 octobre 1941, 11 h 15. Lucie était née presque deux mois avant l'attaque de Pearl Harbor. La guerre, dès le berceau. Mona caressa les cheveux d'or de sa fille. Elle s'était juré qu'elle ne relaterait pas ce cauchemar bien réel, cependant une force inexplicable l'y contraignait, peut-être la peur d'autres drames, d'autres souffrances à venir, ou alors, tout simplement, le besoin de se rappeler qu'elle n'avait pas traversé seule cet enfer.

Le camp d'Hanoi était noir. Une sueur grasse coulait des murs et se collait à elles comme une seconde peau qu'il aurait fallu arracher et brûler. Sa fille blottie contre elle dans un coin de la cellule, Mona écoutait la pluie battre la toiture. Les cafards pressaient leurs petites pattes, tic-tac, tic-tac, sur leurs jambes avec la régularité d'une horloge de cauchemar. Une odeur âcre, mélange d'humidité et d'urine, les prenait à la gorge. Tout autour d'elles, d'autres femmes, avec d'autres enfants, pleuraient en silence. Un mot, un mouvement brusque, et les gardes levaient leurs matraques.

Le premier jour, une Vietnamienne avait tenté de s'opposer à eux ; son œil gauche était désormais enclos dans une gangue violacée, de laquelle s'échappait un pus visqueux. Mona avait tenté de la soigner. « Laissez-moi faire, j'ai étudié la médecine… » Mais la femme avait tourné la tête. Elle savait d'instinct qu'on ne pourrait rien pour elle. À l'autre bout de la pièce, une Blanche dont la chevelure rousse projetait un peu de soleil dans l'obscurité se balançait d'avant en arrière en répétant en boucle : « Philippe,

Philippe… » Mona serrait sa fille contre son ventre pour chasser la peur.

« Soto ni ! » hurla un homme. « Dehors ! » Les seuls hommes du camp, c'étaient eux, les soldats japonais, en faction devant les portes des cellules – certaines murmuraient « des cages ». L'heure de la promenade était arrivée et les prisonnières se mirent en colonne. La cour était noire elle aussi, ceinte de hauts murs, et sous les pieds, la boue faisait un bruit de succion. Le premier jour, Lucie avait trouvé cela drôle. Une enfant de quatre ans s'amuse de ce genre de choses. Mais depuis une semaine qu'elle était enfermée, elle riait déjà moins.

La marche commença. Sous la pluie qui lavait leurs têtes sales, elles longèrent les murs une première fois, une deuxième fois, une troisième fois. À la quatrième – il y en aurait cinq en tout –, Mona pressa le bras de sa petite. « Dépêche-toi ! » Dans un coin tremblait une tache verte. « Ramasse de l'herbe et mange-la ! » Lucie ne posa pas de questions. Elle arracha quelques brins qu'elle porta à sa bouche. La ronde continua.

Tout avait commencé le 9 mars 1945. Alors que depuis des mois Paris s'était libéré des Allemands, la France continuait à se battre en Indochine contre l'empire du Japon. En tant que haut fonctionnaire colonial, André avait un rôle de première importance dans les décisions stratégiques. Il se levait à l'aube et travaillait jusque tard, discutait chaque jour avec le gouverneur Jean Decoux, rendait compte de la situation au Gouvernement provisoire de la République, comme il l’avait fait auparavant, mais plus volontiers, avec les hommes de Vichy. Jamais il n’aurait imaginé ce qui l’attendait.

La nuit sur Hanoi s’illuminait. L’heure était venue de se coucher pour les enfants de bonne famille, pourtant ce soir-là, Lucie avait enchaîné caprice sur caprice. Ses nouilles baignaient encore dans leur sauce, sa poupée désarticulée gisait sous la table. Mona l’avait forcée à manger, « allez, la moitié au moins ». Rien n’y faisait. Lassée, elle avait fini par lui tourner le dos. Elle vérifiait la liste des tâches des domestiques, pressée qu’André rentre du travail pour mettre bon ordre dans la maisonnée, quand un courant d’air traversa la pièce, pâle comme un fantôme. C’était Dinh, le jardinier.

« Les Japonais ! »

Mona se figea.

« Ils ont attaqué ! Ils vont venir vous chercher… » Elle enroula une main sur le dossier d’une chaise, porta l’autre à sa poitrine. « Mais André ? – Je ne sais pas, madame, je n’ai pas de nouvelles. Croyez-moi, partez tout de suite… »

Son esprit erra un instant entre la maison et la citadelle de Quang Yen, où travaillait son mari. Elle se ressaisit, poussa Lucie dans la chambre. « Tes chaussures ! » De l’armoire en teck, elle sortit une valise qu’elle bourra d’affaires au hasard, attrapa la petite main de sa fille. Elle était glacée. « Viens ma chérie. » Elle s’arrêta aussitôt. Dans la cour, quatre soldats venaient d’entrer. Dinh hurla et courut se cacher. Il y eut des coups de feu, des cris, la petite se mit à pleurer, et déjà, les ennemis les encerclaient. Mona se laissa tomber sur le sol pour se faire plus lourde. Elle eut une pensée absurde. Sa robe – sa jolie robe neuve à pois qu'André venait de lui offrir et qu'elle allait abîmer. Un ennemi lui cracha dessus. Sur le tissu, la glaire fit un pois plus clair.

« Je n'ai pas de souvenirs d'enfance » disait Georges Perec, dont la famille a été déportée à Auschwitz. Le camp de concentration d'Hanoi, dans lequel Évelyne et sa mère avaient été enfermées, appartenait à une mémoire irrattrapable. Combien de temps avaient-elles véritablement passé à l'intérieur ? Aucune idée. À quoi ressemblait leur cellule ? À combien y étaient-elles entassées ? Les seuls éléments dont disposait Évelyne lui venaient du récit de sa mère, qu'on peut imaginer recomposé, édulcoré – triché. Parler du camp dans le roman, c'était faire appel à la fiction, seule à même de nourrir le trou noir du passé.

Ce qui restait le plus net dans son esprit, c'était sa mère lui répétant la phrase incroyable : « Ramasse un peu d'herbe et mange-la », au point d'ailleurs qu'Évelyne en avait parlé dans une ou deux interviews. Je voulais qu'elle creuse cet épisode. On ne grandit pas avec sa mère dans une prison sans que cela oriente votre vie. Cet enfermement inaugural résonnait lourdement avec leur quête de liberté.

Évelyne avait pris des notes sur le document que je lui avais donné lors de notre première rencontre. J'ai pu le récupérer. Les feuilles sont à présent cornées, il y a des taches et ça sent le tabac mêlé au papier. Ma gorge se serre. Tout en haut, les mots « pistes de travail » que j'avais tapés à l'ordinateur. Je retrouve mes propres indications (« Traiter ici le mythe du père héros de la guerre »), et en face l'encre bleue de sa main. Ici ou là, elle a écrit : « Romancer personnages père/mère. » « Clarifier. » « Insister. » « Corps des femmes. » Et au milieu de la page 2, ce mot improbable, souligné d'un trait net, qui m'arrache un sourire : « Nem. »

J'ai rangé les notes avec beaucoup de précaution. Elles se trouvent dans un petit tiroir chez moi, juste au-dessus des photos anciennes de ma famille de l'île Maurice – dans ma précieuse boîte à secrets.

Le camp d'Hanoi, donc. J'ai fait des recherches et suis tombée sur des témoignages édifiants, un pan de l'histoire de France dont j'ignorais tout. Jusqu'à ce jour, l'Indochine se résumait dans ma tête à quelques flashs qui, d'ailleurs, ne me disaient pas grand-chose non plus, à l'exception de Diên Biên Phu et de *L'Amant* de Duras. Un paragraphe, reproduit je crois dans tous les manuels de 3e, m'avait fascinée : « L'homme élégant est descendu de la limousine, il fume une cigarette anglaise. Il regarde la jeune fille au feutre d'homme et aux chaussures d'or. Il vient vers elle lentement. C'est visible, il est intimidé. Il ne sourit pas tout d'abord. Tout d'abord il lui offre une cigarette. Sa main tremble. Il y a cette différence de race, il n'est pas blanc, il doit la surmonter, c'est pourquoi il tremble », paragraphe qui se mariait si bien à l'affiche d'un film célèbre (*Indochine*), sur laquelle on voyait une femme de dos, chaussure à la main (Catherine Deneuve), appuyée au balcon dominant une baie noyée d'or (*nappée* serait le mot juste). Mais en ce qui concerne l'affrontement direct entre Français et Japonais sur cette langue de terre, rien. Qui fait l'histoire ? La mémoire collective ? Les soldats, les gouvernants, les historiens, les professeurs ? Sans doute. Le premier producteur d'histoire, toutefois, c'est le présent. Pour des raisons qui m'échappent, les années 2000 n'avaient pas besoin de l'Indochine. On m'avait appris la Shoah, le stalinisme, la guerre d'Algérie. La guerre du *Viêtnam* – pas celle d'Indochine. J'admets que c'était déjà beaucoup. Évelyne m'apprenait autre chose. La grande leçon de Lévi-Strauss : « Porte ton regard au loin. »

« Philippe, Philippe... » continuait la rousse dans la cellule. Les semaines avaient passé, la chaleur et l'humidité mêlaient leurs miasmes ; la faim, la soif, le manque d'hygiène les accablaient. Et toujours aucune nouvelle d'André.

« Philippe... » Cette folle avait un nom, chuchoté de bouche en bouche comme une malédiction : Isabelle Chapelier. Mona connaissait, cela lui rappelait quelque chose, un ami d'André peut-être, ou un collègue, mais c'était flou, tout était flou. D'Isabelle elle aimait les cheveux d'incendie qui, depuis quelques jours, tombaient par plaques, fatigués de lutter.

« Philippe... » Cela la reprenait après chaque promenade. La sensation de l'air sur la peau, le rappel d'un ailleurs, l'espoir de retrouvailles – tout cela aiguisait ses nerfs et déclenchait, sitôt de retour en cage, des crises d'angoisse terribles. Un uniforme vert s'approcha de la grille et la menaça en claquant son fusil sur le sol. Une femme lui fit signe de se taire. Les mauvais traitements se partageaient, les punitions aussi. Mais elle continuait à gémir. D'autres soldats rappliquèrent. Mona sentit la panique la gagner, elle tendit le cou vers la folle, lui murmura : « Philippe s'en sortira. Les hommes sont forts, bien plus forts que nous... » À ces mots, Isabelle leva des yeux opaques vers elle, non pas vides mais pleins, et tellement pleins qu'ils semblaient gonflés de terre. Elle allait répondre quand un garde ouvrit la grille de la cellule, s'y enfonça en écrasant les pieds, les ventres, les têtes des femmes et des enfants allongés sur son passage, saisit Isabelle par ses derniers cheveux et la jeta dehors. Les uniformes verts l'emportèrent.

Le mois de mai apporta son lot de peines : une chaleur accablante qui asphyxiait les poumons, des pluies diluviennes, la dysenterie. Le pire, cependant – et Mona gardait en tête l'image de cette fillette de l'âge de Lucie, qui avait fini en sang tant elle se grattait –, c'étaient les moustiques. Leur bourdonnement diffus, la sensation invisible de leurs pattes sur les corps rouges de boutons... Des démangeaisons à crever. Même les soldats semblaient incommodés. Il fallait tenir. Arracher chaque jour à la mort et à la folie.

La maigreur des femmes devenait effrayante. Les os perçaient la peau. Lucie était triste. La veille, elle avait cueilli encore quelques brins d'herbe à la demande de sa mère, vite. Mona ne l'avait pas vu, mais au lieu de les manger, Lucie les avait tenus serrés dans sa paume, petit trésor d'amour et de douleur. De retour dans la cage, une fois les soldats éloignés, elle avait chuchoté, « maman », et lui avait tendu les brins macérés par la chaleur. « Pour te guérir. »

Le temps ne passait pas.

Quand elle en trouvait la force, Mona répétait à Lucie : « Ton père est un héros. » C'est bien connu, les héros ne meurent pas. « Le maréchal Pétain, son chef, l'aime beaucoup. Tu peux être fière de lui. » Pour lui faire plaisir, la petite hochait la tête. Mais qui était Pétain, elle n'en avait pas la moindre idée.

Isabelle ne revenait pas. Les jours avaient coulé et son absence – l'incendie de sa chevelure, son murmure sans fin – lui creusait le ventre. Mona s'était promis que le retour de la folle se doublerait du retour d'André. Hélas, personne. Régulièrement, les soldats ouvraient les grilles. Elle guettait son visage de rousse fatiguée, en vain ; les Japonais désignaient telle ou telle prisonnière, la plus jeune, la plus jolie, ou alors la plus vieille et malade, et ils l'emmenaient avec eux. Les femmes revenaient toujours. La mine défaite, les traits tirés. Mais elles revenaient. Isabelle non.

Un jour, un garde pointa le doigt vers Mona. Malgré sa maigreur, elle gardait la peau fine de ses vingt ans, sa bouche rose « de cerisier en fleur », comme disait André. Lucie hurla. Une voisine lui colla sa main sur la bouche, « tais-toi, tais-toi idiote ». Mona eut le temps de glisser un sourire rassurant à sa fille, puis elle s'avança vers le garde.

Ce qui se passa durant cette heure, poisseuse, épaisse comme de la colle, elle ne le raconta pas. Mais ce que l'on peut faire de pire à une femme, on le lui fit. Une heure, ça avait duré.

Puis elle était revenue.

Avec cette scène, Évelyne et moi commencions à entrevoir les enjeux profonds du livre. Parler du camp importait à deux titres : d'abord pour nourrir l'opposition thématique prison/liberté qui traversait le roman, mais surtout parce que se jouait là l'apprentissage du silence.

Mona a alors vingt-deux ans. C'est une enfant qui protège une enfant. Dix-huit ans seulement séparent la mère et la fille. Alors elle observe, elle analyse les faits et tire ses conclusions. *Isabelle* a payé cher ses cris et ses protestations. *Mona* fera le choix du silence.

On s'habitue au silence. On finit par y trouver une forme de plaisir, d'orgueil et de paix. C'est ainsi que *Mona* n'informera Évelyne de son cancer du sein qu'après en avoir guéri. L'opération, la chimiothérapie, les soins, la douleur : motus. Elle fait semblant d'être en vacances pour ne pas gâcher celles de sa fille. Elle lui envoie même de fausses cartes postales d'Italie et l'appelle pour lui vanter les délices de Venise. Mais après le silence, le panache ! Suite à son ablation mammaire, elle décide de se faire opérer et montrera ses nouveaux seins avec fierté.

D'une certaine manière, le roman tout entier est contenu dans cette quête-là : la libération de la parole. *Mona* s'est cherché une voix ; Évelyne m'a transmis la sienne.

La ronde rythmait les journées des prisonnières. Un jour, une femme doubla Mona en chuchotant : « Votre mari est vivant », avant de reprendre la marche l'air de rien. C'était une Tonkinoise aux cheveux longs qu'elle avait croisée lors d'un cocktail chez le gouverneur, autant dire dans une autre vie. Ành avait épousé un Français, Louis Joris, qui travaillait sous les ordres d'André à la citadelle de Quang Yen. Elle se sentit vaciller.

Elle dut attendre la nuit pour l'interroger plus avant, mais si bas qu'il lui fallait répéter sans cesse ses questions. « Vous êtes sûre ? André est en vie ? Il va bien ? » Ành avait des réponses laconiques. M. Desforêt a échappé au massacre de la citadelle. Quand ? Le soir de l'assaut japonais. Comment ? Elle ne savait pas. Qui lui avait communiqué la nouvelle ? Son cousin, un domestique. Il avait jeté un mot pardessus les hauts murs. Comment en être sûr ? Il avait vu deux Blancs, Louis Joris et M. Desforêt. Mais où ? Elle ne savait pas, sans doute en prison. Et comment allaient-ils ? Elle ne savait pas ! Ils étaient vivants, c'est tout.

Les semaines s'ajoutaient aux semaines. La mousson rendait la cohabitation plus difficile. Des enfants mouraient de déshydratation, de gale, de scorbut. La faim étendait son royaume et le camp n'était plus qu'un territoire d'ombres. Mona avait oublié Hanoi, la vie au-dehors, ses amies du club. Mais à présent qu'elle avait la certitude, fallait-il dire la foi ?, qu'André n'était pas mort, elle se prenait à rêver. Derrière l'infime ration de riz journalière se cachaient des plats de banquet, des viandes juteuses, des gâteaux à étages ; elle donnait chaque jour à sa fille un bol de nouilles sautées qui fleuraient bon l'huile ; en secret, elle se gardait des fromages blancs et gras.

La fièvre ne la quittait plus. Ses forces diminuaient. Elle caressait la joue de Lucie doucement ; si elle n'avait pas été aussi mal, elle aurait pu sentir l'inquiétude presser jusqu'à la pulpe de ses doigts.

Puis un jour, le miracle. Juillet et ses pluies torrentielles avaient arraché des branches qui jonchaient la cour. Les rondes devenaient de plus en plus difficiles et parfois, les gardes surveillaient les femmes de loin pour éviter la boue épaisse et gluante. Un jour qu'elles affrontaient le déluge, Mona pressa le bras de Lucie, exactement comme la première fois. À leurs pieds, jetée à travers les branchages, étincelait une boîte de lait. Elle leva les yeux une seconde vers le mur, juste à temps pour reconnaître le visage de Dinh. Elle cacha aussitôt la boîte dans la manche trop large de sa veste, puis lança un long regard à sa fille. La petite avait compris. Garder à tout prix le silence.

L'après-midi s'étira en longueur. Les femmes dormaient beaucoup. Les enfants aussi, quand ils ne restaient pas immobiles, les yeux écarquillés, flottant dans un lieu qui n'était ni celui-ci ni un autre. Mais ce jour-là, seule persistait la sensation de ce secret merveilleux que les autres ne les empêcheraient bientôt plus de goûter. Faire preuve de patience.

Au milieu de la nuit, alors que tout était silencieux, Mona réveilla Lucie doucement, l'index sur sa bouche. Avec précaution, elle ouvrit la boîte que Dinh avait jetée par-dessus le mur et la lui tendit. Une odeur de ferme, puissante, bovine, s'en échappa. La petite attrapa la boîte et Mona crut défaillir tant cela lui faisait envie. Elle pouvait presque sentir le lait glisser dans la gorge de sa fille, onctueux, miraculeux. Lucie avala le nectar d'une traite – sa première ivresse, éclatante comme une lumière trop vive. Lorsqu'elle lui rendit la boîte, Mona eut envie de pleurer. Lucie n'avait rien laissé. Vide. Elle promena un doigt sur le carton, lécha le liquide collé aux parois, recommença jusqu'à ce qu'il ne reste plus une goutte. Puis elle le cacha sous la natte de sa paillasse, et ce fut à nouveau la cellule, le noir, les cafards, la nuit infinie que rien ne semblait vouloir interrompre.

[illegible]

[illegible] à [illegible] la prison [illegible] comme [illegible]

[illegible] étaient collées aux grilles [illegible] de comprendre. Il se passait vraiment [illegible] de la rue. Des voix graves [illegible] par les murs de la prison [illegible]

Le camp avait ses lois, ses codes et ses rituels. Tous les matins, les gardes forçaient les prisonnières à réciter la prière. Une femme était désignée par le soldat en faction, se mettait à genoux et énumérait les règles de bonne conduite : obéir scrupuleusement aux ordres, ne pas parler sans y avoir été autorisée, ne pas se plaindre, ne pas se déplacer dans la cellule, remercier avant et après chaque « repas ».

Un matin, le 9 août 1945, les soldats oublièrent la prière. Ils étaient nerveux. Ành fit un signe de la main que Mona ne sut interpréter – quelque chose de grave s'était passé, assurément, mais les gardes en furie faisaient pleuvoir les coups sur celles qui n'observaient pas le calme le plus strict. Ành se composa un masque de cire et s'isola.

Peu de temps après, une rumeur terrible enfla autour du camp. Les soldats s'étaient éclipsés dans l'après-midi et toutes les femmes étaient collées aux grilles pour essayer de comprendre. Il se passait vraiment quelque chose. Cela venait de la rue. Des voix graves leur parvenaient, filtrées par les murs de la prison. Ành et d'autres Vietnamiennes finirent par saisir quelques mots au vol qu'elles s'empressèrent de leur traduire : « Les Japonais sont battus ! » Un cri immense, comme poussé par une seule femme, par un seul ventre, emplit la cage puis le camp tout entier. Le français se mêlait au vietnamien, les rires aux larmes et les larmes aux prières. Mona chantait. « On va retrouver papa, ma chérie… » Lucie battait des mains, contaminée par la liesse générale. Personne ne prononçait encore les noms d'Hiroshima et de Nagasaki ; lorsque cela viendrait, quelques jours plus tard, toutes, absolument toutes, applaudiraient dans un délire de joie. À ce moment-là, personne n'imaginait les femmes, les enfants, les civils qui leur ressemblaient tant, massacrés sous la brûlure vive des bombes.

En attendant, les heures défilaient mais Mona était toujours sous les verrous. Petit à petit, les sourires s'évanouissaient. Et si c'était faux ? Si les Japonais avaient contre-attaqué ? La crainte de l'espoir déçu la dévorait. Elle chuchota : « André, par pitié, viens nous chercher… » Lucie se lova contre sa poitrine.

L'attente continua, une journée morte et cette fois, ni riz ni herbe ni lait. Rien. Les soldats étaient plus brutaux que jamais. La tension extrême. On leur avait promis la délivrance. Rien ne venait.

Au beau milieu de la nuit, un vacarme épouvantable s'éleva de la cour. Des coups de feu. Enfermées dans les cellules, les détenues ne voyaient que des ombres décuplées par les ténèbres et la fatigue. Des gens finirent par ouvrir en grand les portes de la prison. Des hommes, français et asiatiques, armés de pioches, de fourches, de fusils. « Vous êtes libres ! » hurla un Blanc. D'un seul bloc, elles sortirent toutes en courant, puisant dans des forces qu'elles ne pensaient plus avoir. Mona tenait la main de sa fille. Dehors, une marée humaine se croisait. Des larmes, des embrassades. Les hautes portes de la cour laissaient enfin passer l'air. À la lueur des torches que les libérateurs portaient haut, Mona cherchait son homme.

« Vous n'avez pas vu André Desforêt ? Vous savez, le résident de France, M. Desforêt ? » Personne ne l'entendait. Elle courait, hagarde, Lucie à son côté.

« Mona ! »

Elle se retourna. Ành pleurait dans l'uniforme d'un Blanc au corps décharné. Louis Joris.

« Mona, les nouvelles sont bonnes… » balbutia-t-elle. Le militaire français hochait la tête. Son visage de roche se découpait en arêtes.

« André est en vie. Il va bien. Enfin… Autant que possible. Il vous retrouvera tout à l'heure sur le port, vous rentrez en France. – Tout à l'heure ? » Oui, à l'aube. Ành souriait. Elle serra Mona contre elle puis se pencha sur Lucie pour l'embrasser. Joris lui tapota la joue : « Ma petite, ton père est un héros. »

Mona les regardait partir quand elle fut rattrapée par le souvenir de la folle. « Louis ! » L'homme au visage de roche s'arrêta. « S'il vous plaît… Chapelier ? Philippe Chapelier. Ça vous dit quelque chose ? » Une ombre passa sur sa face émaciée. « Jacques, vous voulez dire ? Jacques Chapelier était un ami. Il travaillait avec nous à la résidence du gouverneur. Le pauvre est mort à Hòa Bình. Quant à Philippe… »

Mona se sentit mal.

« Philippe n'était pas le mari d'Isabelle ? » Louis Joris leva des yeux d'encre, plus tristes que le chant des morts. « Non. Philippe était son fils. »

Sa bouche dessina un sourire désolé et se laissa engloutir par la nuit.

Les minutes qui suivirent seraient floues à jamais.

La maison avait été éventrée. Ouverte aux quatre vents, elle ressemblait à un taudis. Le sol était jonché de débris, de meubles cassés, de documents éparpillés.

Mona commença par donner de l'eau à sa fille, enfin de l'eau, dont elle avala elle-même un bon litre. Puis elle prépara une bassine, déshabilla la petite et la frotta énergiquement avec un torchon qui traînait dans la cuisine. L'eau vira au noir. À la surface, une matière brune, épaisse, formait une croûte vivante – des poux. Elle changea cinq fois l'eau du bain jusqu'à ce qu'elle devienne claire, puis sécha Lucie avec le drap resté dans la chambre. Au fond d'un tiroir, elle dénicha l'un de ses vieux chemisiers en crêpe qu'André aimait la voir porter. Elle le passa sur le corps frêle de sa fille ; le tissu flotta autour d'elle comme une voile de bateau. « On va retrouver papa, ma chérie, tu te rends compte… Je vais me laver, moi aussi. Tu m'attends dans la chambre ? »

Au bout d'un moment, dix minutes, une demi-heure ?, des petits pas feutrés approchèrent de la cuisine. Assise sur un tabouret, prostrée, Mona contemplait la bassine à ses pieds. Elle n'avait toujours pas retiré ses habits de prisonnière.

Le quai, dominé par la silhouette d'un bateau immense, détachait ses ombres dans les premières lueurs de l'aube. Mona fit trottiner Lucie jusqu'au port. Elle avait préparé une valise avec ce qui lui était tombé sous la main. Tout se mêlait dans sa tête : elle ne reconnaissait pas la ville plongée dans les ténèbres, et pourtant les lieux lui paraissaient familiers. La faim creusait l'estomac. Elle avait peur. Peur que la promesse qui lui avait été faite, revoir André, ne soit pas tenue ; peur que ne s'effondre sa petite de quatre ans. Peur qu'André ne la trouve plus assez bien – les héros ont leurs exigences.

Lucie pesait lourd malgré ses dix petits kilos et Mona n'arrivait plus à la soutenir. « Assieds-toi là. » Elle la posa sur un des sacs de riz qui jonchaient le quai. « Tu ne parles à personne, et tu ne bouges pas, d'accord ? Je reviens vite. » Elle s'approcha du navire pour interroger les hommes qui commençaient à charger les denrées. Des pousse-pousse se croisaient en klaxonnant, une charrette s'arrêta devant elle pour décharger d'autres sacs, et soudain, sa fille avait disparu. Mona courut.

« Lucie ! »

Une voix grave, cassée, avait crié en même temps qu'elle le prénom. Son cœur se mit à trembler. « Lucie ! » répéta la voix.

Mona se précipita, trébucha, se redressa, fila vers une autre montagne de jute. La fillette était recroquevillée entre les sacs de riz, face à un homme aux yeux gris. « Maman ! » pleura la petite. Et encore, « maman, maman… », entre deux sanglots. Sa bouche à elle cria un seul mot : « André ! »

Les souvenirs sont des fantômes, ils traversent nos peaux et nos rêves. Tandis que Mona, assise sur le lit de sa fille dans la nuit de Saigon, entendait les lézards et les chauves-souris mêler leurs stridences ; tandis qu'elle lui racontait cette histoire, ajoutant, retranchant un détail de ce qu'elles avaient vécu ; tandis que la guerre revenait la hanter encore et encore, elle pouvait, chose étrange, comme une caresse de la mémoire, sentir sur sa langue le goût de l'herbe et du lait mélangés.

Dans un très joli livre intitulé *Comment construire une cathédrale*, Mark Greene distingue « les écrivains des plans et les écrivains des phrases ». J'ai l'impression que cela scelle pour de bon, et définitivement, les deux voix du roman. La grande histoire de *Mona* et *Lucie* relève du plan. Elle est construite, progresse, se nourrit d'actions. Le second récit appartient à la famille des phrases. Il tâtonne, cherche à faire éclater une autre vérité, celle peut-être d'Évelyne Pisier et, en creux, de notre amitié. C'est mon enquête personnelle. J'aimerais comprendre pourquoi cette rencontre a été un tel bouleversement, et ce qu'elle dit, ou plutôt chuchote, de notre rapport à l'écrit.

Je ne suis pas devenue éditrice par hasard. De hasard il n'y a de toute façon pas, Éluard l'a suffisamment répété. Je me revois dans le bureau du proviseur du collège. J'ai dix ans, je vais faire mon entrée en sixième et dois me plier, comme tous mes futurs camarades, à un rendez-vous préparatoire. Ma mère est à côté de moi. De quoi avons-nous parlé ? Aucune idée – enfin si, mes résultats scolaires, les matières que j'aime, mes loisirs. Le proviseur s'est arrêté un moment, puis m'a demandé en se penchant au-dessus du bureau : « Que veux-tu faire quand tu seras grande ? » Avec calme, j'ai répondu : « Écrivain. » Il a écarquillé les yeux, s'est enfoncé dans son fauteuil. Il n'a pas ri, ne s'est pas moqué. Il y a eu un blanc. Ma mère ne bougeait pas. Puis le proviseur a chaussé ses lunettes et écrit sur mon dossier : « Écrivain. » Je me souviens de ce mot entouré deux fois au stylo comme de mon premier pas dans la vie adulte.

Ces phrases sont difficiles à poser sur la feuille. Elles sont impudiques, et me voilà nue. Seulement je les crois honnêtes et nécessaires. Non pas pour parler de moi – cela n'aurait aucun intérêt. Mais pour qu'Évelyne sache le cadeau magnifique qu'elle m'a fait. Écrire serait ma liberté à moi.

En France, les écrivains sont fréquemment enseignants, responsables culturels, scénaristes, médecins, journalistes, éditeurs. Les éditeurs, toutefois, sont rarement coauteurs de leurs auteurs.

Ou alors.

Ou alors ils le sont toujours. Fantomatique, l'éditeur fait planer son ombre sur le texte, joue à cache-cache avec le lecteur, généralement sans rien en dire car la lumière de celui qui signe l'ouvrage suffit à le combler. Moi qui ne connaissais rien à l'édition, j'étais stupéfaite, lors de mon premier stage : Comment ! Quelqu'un est là qui ose toucher l'Œuvre ! Puis j'ai compris. Nous sommes tous le fruit de toutes les sèves et de toutes les terres. L'écrivain lui-même est pétri de ses lectures, de ses inspirations littéraires. L'éditeur y ajoute les siennes et densifie le tissu. Les discussions nourrissent l'ouvrage. Et tout fusionne, et tout se confond, jusqu'à ce que paraisse un jour le livre d'un auteur. La phrase célèbre de Lacan me revient tout à coup : « Il n'y a pas de rapport sexuel. » On pourrait dire de même : « Il n'y a pas d'auteur. »

Talent d'Évelyne. Elle qui bataillait avec la psychanalyse m'aura amenée à citer Lacan.

Hanoi lavait ses rues et ses prisons dans un boucan qui ne couvrait pas le silence des morts. Mona avait cherché à revoir Dinh ; en vain. Peut-être avait-il été fusillé, elle ne le saurait jamais. André, lui, était dévasté par le procès de Pétain : le Maréchal était condamné à mort, cependant la sentence ne serait pas exécutée en raison de son grand âge. Un sursis de la honte, jugeait-il, absolument infamant. Elle était désolée pour lui mais ne voulait plus entendre parler de politique. Se reconstruire était déjà assez difficile.

Ils embarquèrent sur le paquebot en septembre 1945, le jour même de la capitulation du Japon et, ils l'apprendraient assez tôt, de la proclamation d'indépendance du Viêtnam. André oscillait entre la rage et l'épuisement. L'épuisement l'emporta. Il dormit comme une masse les trois premiers jours de la traversée d'un sommeil sans rêves.

Sur le bateau, ça sentait le mazout, le sel et la liberté. Mona était fascinée par l'infini du bleu qui les encerclait. Le soleil faisait miroiter la mer comme un bijou. Elle avait retrouvé son mari, et c'était une renaissance. La cabine minuscule servait d'écrin à leurs étreintes – des os qui s'embrassaient. Petit à petit, cependant, chacun reprenait des forces. Il fallait manger de tout, tout le temps, par petites quantités. Réhabituer l'estomac. Lucie buvait du lait, qui l'écœurait un peu.

La deuxième semaine, voyant sa fille flirter avec le bastingage, Mona lui passa une corde autour de la taille, qu'elle attacha solidement à un bollard d'amarrage. Elle s'en voulait de lui infliger une laisse nouvelle, mais un accident est si vite arrivé. Comme elle, la petite aimait le soleil, celui-là même qui, les premiers jours, lui avait brûlé la rétine et dont elle cherchait à présent la douceur. Mona restait souvent auprès d'elle, à contempler le paysage.

La mer, la mer dont elle aimait l'absolu et la permanence, cette mer qui l'accueillait comme un second ciel, était son unique confidente.

André aussi avait été emprisonné. Il n'en parlait pas. Hòa Bình, à soixante kilomètres d'Hanoi. Des camps de travaux forcés où se mêlaient soldats, officiers et civils contraints de creuser des tranchées, percer des tunnels, construire des routes, des ponts et des fosses. Les prisonniers étaient répartis en « triades » : qu'un seul tente de s'échapper et les deux autres étaient exécutés.

Dans une revue de guerre, des années plus tard, Mona lut le témoignage d'un rescapé français. Soupçonné d'avoir voulu fuir Hòa Bình, son meilleur ami, Gontran, avait été ligoté par les chevilles à un arbre. Après des heures de supplice, on l'avait détaché et jeté sur le trottoir. Les Japonais le croyaient mort, il était simplement évanoui. Surpris par son réveil, les soldats le matraquèrent, faisant éclater sa peau à coups de bâton, puis le déshabillèrent intégralement et le menottèrent. Il resta exposé au soleil de midi pendant trois jours. Juste à côté, des prisonniers malades creusaient une fosse profonde de plusieurs mètres. Un matin, les Japonais conduisirent Gontran près du bord, le forcèrent à s'agenouiller. « Baisse les yeux. » Le sabre se leva et lui trancha la tête, qui roula directement dans le trou.

Le soir, dans la cabine, à cette heure fabuleuse où les adultes croient les enfants endormis, Lucie essayait de comprendre les mots secrets que ses parents échangeaient. « Qu'est-ce qui s'est passé, exactement ? chuchotait Mona. – Les Jaunes ont présenté un ultimatum à Decoux : soit on signait pour accepter de passer sous domination japonaise, soit ils lançaient l'assaut. Je devais transmettre l'information à Paris. Mais à peine communiquait-on la nouvelle que la vermine nous tombait dessus. Ils n'ont jamais attendu notre réponse. Une attaque surprise… On n'a rien pu faire ! Soixante mille Jap' d'un côté, moitié moins de Français de l'autre… Les hommes n'ont pas démérité, malheureusement le rapport de forces était inégal. J'ai été obligé de leur demander de se rendre.

— Tu as bien fait. C'est ce qui t'a sauvé.

— Si tous ces gaullistes en avaient fait autant, on aurait limité la boucherie.

— Je sais, chéri. »

Un ange passa. On entendait seulement le claquement des vagues cognant la coque, comme éloigné, engourdi.

« Tu ne m'as pas dit. » La voix d'André n'était plus la même. « Pas dit quoi ? – Dans le camp. Les viols. »

Lucie retint sa respiration. Ce mot, elle s'en souvenait, était souvent prononcé dans les cages d'Hanoi.

« Pourquoi parler de ça, mon chéri…

— Ça veut dire oui. Ils l'ont fait.

— Je n'ai pas dit ça.

— J'ai compris, Mona…

— Non ! cria-t-elle. Puis elle se reprit, tout bas : On va réveiller Lucie, arrête. Tout va bien, je t'assure. Et ce qui compte, c'est toi. Mon héros… »

Un bruit de baisers, de peaux frôlées, caressées, traversa la nuit. « Tu as été si courageux, André… Comme je t'admire… » Et les draps se froissaient.

Quelques minutes plus tard, Mona murmura : « Et maintenant, que va-t-il se passer ? – Seul ce diable de De Gaulle le sait. Dès qu'on sera arrivés, je ferai une demande de retour aux colonies. »

Mona pensa : pas l'Indochine, par pitié.

Le lendemain, alors que Mona triait les arêtes d'un morceau de poisson, sa fille lui demanda : « Tu as été violée, maman ? » La fourchette tinta contre la porcelaine de l'assiette. « Mais tu es folle ! De quoi parles-tu ? Tu ne sais même pas ce que ça veut dire. » Et comme André approchait de la table, elle lui ordonna de se taire. « Cette question, je ne veux plus jamais l'entendre. Et surtout pas devant ton père. Compris ? »

Pendant le repas, le capitaine vint les saluer. La mer était un peu forte, ce jour-là, des creux de deux mètres, mais le vent d'est chassait la tempête de l'autre côté. D'ici quelques heures, il n'y paraîtrait plus. Mona sourit et remercia. Le capitaine s'en alla prévenir les autres passagers. On servit le dessert rapidement et Lucie leva des yeux graves.

« Papa ? – Oui, ma chérie ? » Mona sentit son ventre se nouer. Elle lui avait pourtant bien dit de… « Est-ce qu'on a gagné ou perdu la guerre ? »

La surprise remplaça l'angoisse. Elle échangea un regard étonné avec André, dont les épaules tressaillirent dans un mouvement d'impuissance, avant de se ressaisir. « Nous l'avons gagnée, bien sûr ! Les *kamikazes* ont capitulé. »

Les kamikazes, expliqua-t-elle à sa fille, étaient des gens qui décidaient de mourir eux-mêmes pour pouvoir en tuer d'autres. Plusieurs pilotes japonais avaient ainsi accompli des missions-suicides.

« Heureusement, l'Amérique a réagi. Tu te souviens de cette fois dans le camp, quand il y a eu tellement de bruit dehors ? Eh bien, ce jour-là, les Américains ont écrasé le Japon grâce à deux bombes atomiques. Hiroshima et… comment s'appelle l'autre ville, déjà ?

— Nagasaki, répondit André, la mine sombre.

— Voilà, Nagasaki.

— Tu n'as pas l'air content, papa ? »

Il souffla et fit pianoter ses doigts maigres sur la table. « Je ne fais pas confiance aux Américains. Avec eux, c'est la mort des colonies. Lucie, il faut que tu comprennes une chose : la guerre n'est pas tout à fait finie. En France, le maréchal Pétain… Tu te souviens du maréchal Pétain ? » Mona fit signe qu'elle lui en avait parlé. « Bon. Eh bien, le maréchal est agressé par un ennemi, qui s'appelle Charles de Gaulle. » Lucie ouvrit de grands yeux : « Lui aussi, il est japonais ? »

Que pouvait comprendre un enfant à tout cela ? Mais que pouvait dire un adulte de tout cela ? À la question : « La France a-t-elle gagné ou perdu la guerre ? », son mari était bien en peine de répondre. Il quittait une colonie qui venait de proclamer son indépendance – que la France y soit strictement opposée n'y changeait rien. Certaines victoires sont des désaveux.

Après plusieurs semaines en mer, la rade de Toulon fit son apparition dans un ciel poudré de nuages. Mona éprouvait un sentiment mêlé de joie, de fatigue et de tristesse. Encore pleine du roulis des vagues, elle crut chanceler en avançant sur le quai où des centaines d'hommes et de femmes s'étaient pressés pour attendre l'un des leurs, ou tout simplement pour les voir, eux, « les Asiatiques ». Dans la foule, elle entendit une femme crier : « Philippe ! » Son sang se figea. Elle chercha un visage, une chevelure d'incendie, mais aperçut seulement un garçon tout en os se jeter dans les bras d'une matrone en tablier, très brune et très grasse. « Maman… » pleura-t-il. Mona ressentit un pincement. Ce n'était pas lui, ce n'était pas le bon Philippe. Et ce n'était pas Isabelle. La fée aux cheveux roux mourut pour de bon ce jour-là, alors qu'une autre mère prenait dans ses bras un autre Philippe, son fils à elle, son miracle.

Des mois plus tard, André apprendrait à Mona l'existence d'un camp pour enfants prisonniers. Âgés de neuf à seize ans, séparés de leurs parents, les gamins avaient été envoyés à pied à Dalat, à trois cent cinquante kilomètres au nord de Saigon. Les sentinelles les faisaient courir en colonne. Le jeu était simple : celui qui ne courait pas assez vite et qui arrivait en queue de colonne serait assassiné d'une balle dans la tête. Le premier jour, histoire de souligner la règle, un soldat tira en l'air. Terrifiés, les petits détalèrent comme des lapins, sous les rires hilares des Japonais. Vraiment, on faisait ce qu'on voulait des gosses. En huit jours seulement, les petits parcoururent les trois cent cinquante kilomètres imposés, tout juste nourris de poisson séché et de riz. Puis ils furent parqués dans un camp dont ils élevèrent eux-mêmes les barbelés.

L'arrivée en France plongea la famille dans un confort irréel après des mois de privation. La nourriture à profusion, l'eau, le savon, les lits aux matelas épais, l'air sain… Lucie grandissait et se remettait peu à peu. Après quelques mois à Paris, la famille s'installa à Nice. Les parents de Mona, Yvon et Guillemette Magalas, basés à Nouméa pour raisons professionnelles, y avaient une maison qu'ils leur prêtèrent avec joie, soulagés qu'ils étaient de les savoir libres et somme toute en bonne santé.

La légèreté, qui n'a de léger que le nom tant elle rime avec ce qu'il y a de meilleur dans la vie, reprit ses droits. Mona put reconstituer sa garde-robe, soigner ses cheveux qu'elle teignit dans une nuance dorée. André reprit du poids. Sa prestance lui conférait un charme remarquable. Il s'occupait de Lucie, l'emmenait en promenade dans les montagnes, lui faisait visiter les villages de Provence. Leur fille découvrait à travers cette géographie nouvelle des origines qu'elle ne soupçonnait pas. La France n'était pas qu'un nom prononcé avec vénération. C'était aussi un paysage aux rivières transparentes, aux avenues bordées de palmiers, aux immeubles innombrables, aux marchés multicolores, aux odeurs de poisson et aux « r » qui roulent. Elle passait son temps à recueillir des chats à la maison, au grand dam de Mona qui les détestait, mais ne protestait guère face aux sourires attendris de son mari.

Le soir, il lisait à la petite des fables de La Fontaine. Il mimait le pauvre bûcheron tout couvert de ramée, l'arrogance du chêne et la souplesse du roseau, la grenouille qui voulait se faire aussi grosse que le bœuf. Lucie adorait le voir se courber en deux, prendre une voix de stentor ou encore gonfler les joues en faisant de grands mouvements pour rendre le récit plus vivant. Le spectacle la réjouissait tant qu'elle n'arrivait pas à s'endormir, réclamant une autre fable, une autre histoire, éperdue d'amour elle aussi pour ce héros.

Un jour, Lucie lui demanda de lire *La Chèvre de monsieur Seguin* – « cet amour de petite chèvre » qui refuse à la nuit tombée de retourner dans son enclos.

« Quel est l'imbécile qui t'a parlé de cette histoire ? Ce n'est pas ta mère, quand même ? » Postée dans le couloir, d'où elle aimait écouter secrètement son mari, Mona se raidit. « Maman n'est pas une imbécile ! – Alors pourquoi veux-tu que je te raconte l'histoire de cette chèvre ? » Elle qui pensait bien faire en lui lisant Daudet… « Mais parce qu'elle te ressemble, papa ! Tu es si courageux ! » Mona entendit André étouffer un juron. Peinée, elle fit demi-tour précipitamment, furieuse contre elle-même.

« Tu verras ce que l'on gagne à vouloir être libre » prévenait Daudet. Blanquette, après avoir lutté contre le loup toute la nuit, se laissait dévorer au matin. Mona pensait faire l'éloge du courage ; pour André, elle avait fait celui de la défaite.

« Je crois que c'est ce que mon père supportait le moins au monde. La défaite. » Elle secoue la tête, l'air de dire : « L'imbécile. » Et pour cause. Évelyne avait une conviction que je partageais pleinement : on ne perd rien à essayer. La possibilité d'un échec n'est pas une raison suffisante pour ne pas faire les choses. Dans sa philosophie, rêver et agir se confondaient : elle voulait la vie mais en mieux.

Si elle aimait beaucoup le prénom fictif de sa mère, *Mona*, elle était enchantée par *André*. Un nom que j'avais choisi pour son étymologie : *andros*, « l'être masculin ». Elle y avait lu autre chose : « J'adore l'idée qu'il s'appelle comme Malraux ! Il aurait détesté… »

Son père concentrait encore beaucoup de colère en elle. La « scène du croûton », comme nous l'avions surnommée, et que nous traiterions plus loin, lui arrachait toujours des soupirs. D'une certaine manière, *André* incarnait parfaitement son époque. Un sens de l'honneur poussé à l'extrême, une virilité assumée, un physique séduisant, la certitude qu'il détenait la vérité et que le monde entier devait s'incliner devant la France. « Et des bons souvenirs de lui ? » ai-je demandé timidement. Elle a haussé les épaules. Les lectures de fables, les sorties, les Noëls en famille, les anniversaires, oui, sans doute, mais de mémoire, même les épisodes les plus banalement heureux se chargeaient, à un instant ou à un autre, d'électricité. *André* était toujours à cran. Cette tension qui chassait toute forme d'ennui deviendrait un jour infernale – on le sait, l'élastique tiré à l'extrême finit toujours par vous claquer à la gueule.

La veille de sa première épreuve d'agrégation de droit, me raconte Évelyne, arrive un courrier de son père qui dit : « Lorsque vous lirez cette lettre, je serai mort. » Mère et fille sont à la table du petit déjeuner. Silence. Puis *Mona* éclate de rire et applaudit. « Enfin une promesse tenue ! » Évelyne, qui ne voulait plus entendre parler de lui, appelle tout de même la police et les secours, leur donne l'adresse paternelle dans le 16e, attend fébrilement des nouvelles. *André* n'est pas mort. Il s'est raté piteusement. Au bout du couloir de l'hôpital, Évelyne l'entend crier de douleur et se lamenter. La bouche de sa mère se tord de mépris. « Soi-disant du poison… Un tube d'aspirine, oui ! Pff… Il aurait dû me demander conseil. » Évelyne proteste. Son père a à peine soixante ans… Qui sait, une seconde vie pourrait commencer pour lui.

En sortant de l'hôpital, *André* demande à voir son premier petit-fils, né peu de temps auparavant. Il est fier de son prénom, beaucoup moins de son nom, aux consonances juives. Évelyne a un sourire narquois. Il n'est pas dupe. Il annonce son retour prochain à

Nouméa, où il envisage une retraite paisible, avec des femmes encore sans doute, mais aussi des travaux d'esprit, des études, des livres. Avant de partir, il avouera sa honte : rien n'est plus ridicule qu'un suicide raté.

[illegible] avait une [illegible] avec
[illegible] aussi [illegible]
[illegible] des [illegible] d'[illegible] [illegible]
[illegible] plus [illegible]
[illegible]

Alors qu'à Nice Léo [illegible] la maternelle
[illegible] tout le temps. Il se promenait dans l'arrière-
pays, se baignait dans la Méditerranée, trinquait avec
des connaissances, comme en vacances prolongées.
[illegible]. Il se [illegible]
[illegible] C [illegible]
[illegible] pa[illegible]
[illegible] lla [illegible]
[illegible] sc [illegible]
[illegible] E [illegible]
[illegible] un [illegible]
[illegible] elle [illegible]
[illegible]

Et [illegible] à [illegible]
[illegible] de [illegible]
[illegible]
[illegible] à [illegible]

Toutes les élèves s'étaient moquées d'elle. Elles
avaient [illegible] l'avaient montrée du doigt en
[illegible] elle croit que la [illegible]
[illegible] la France et [illegible]

Alors qu'à Nice Lucie découvrait la maternelle, André tuait le temps. Il se promenait dans l'arrière-pays, se baignait dans la Méditerranée, trinquait avec des connaissances, comme en vacances prolongées. Mona tentait de se rassurer. Il serait nommé à nouveau administrateur des colonies. Où ? Quand ? On n'en savait rien. Il suffisait d'être patient.

En attendant, elle surveillait de près la scolarité de sa fille, craignant que le souvenir du camp ne la paralyse. Il n'en était rien. Excellente élève, Lucie avait de surcroît un comportement irréprochable. Une après-midi, pourtant, elle rentra en larmes à la maison.

« Eh bien… Que se passe-t-il ? » Incapable d'articuler le moindre mot, elle redoubla de sanglots. Mona s'affola. Elle appela son mari qui lisait au jardin. Lentement, il parvint à la faire parler.

Toutes les élèves s'étaient moquées d'elle. Elles avaient ri méchamment, l'avaient montrée du doigt en pouffant, « l'idiote, elle croit que la Seconde Guerre mondiale a eu lieu entre la France et le Japon ! ».

C'était ce qu'elle avait répondu à la maîtresse qui l'interrogeait.

« Comment a réagi Mme C. ? – Elle les a fait taire et puis elle m'a demandé si je n'avais jamais entendu parler de l'Allemagne… » Mona poussa un soupir et André prit Lucie dans ses bras. C'était sa faute. Jamais il n'avait évoqué avec elle l'Allemagne. Lui n'avait fait la guerre qu'en Indochine, sous les ordres du fidèle Decoux, un travailleur acharné qui partageait les idées du plus grand héros national : Philippe Pétain. Mais les Allemands étaient bien les ennemis jurés de la France, des rats crevés que le Maréchal avait écrasés en 1918. Lucie semblait perdue.

« À l'école, ils disent que Pétain a vendu la France aux Boches… » André fulmina. Sans le Maréchal, les Allemands auraient tué encore plus de Français, « et encore plus de Juifs, soit dit en passant ». Pétain avait servi de « bouclier », il ne fallait pas écouter toutes les bêtises qui traversaient la cour de récréation. Mona eut un sourire quand elle le vit se lever brusquement et se mettre à chanter, main sur le cœur : « *Maréchal, nous voilà ! / Devant toi, le sauveur de la France...* Allez, répète, Lucie ! » Et Lucie répéta.

Alors que sa mère la raccompagnait dans sa chambre, la petite se retourna. La maîtresse lui reprochait autre chose. « Allons bon ! » André leva un sourcil, agacé. Mona l'encouragea. « Je ne sais pas ce qu'est un Juif » balbutia-t-elle, ajoutant aussitôt : « Mme C. dit que c'est inadmissible de ne pas savoir ça, surtout avec tous les massacres qu'il y a eu. »

Mona pinça les lèvres, embarrassée. André haussa les épaules et éluda la question. Bien sûr, bien sûr, il aurait pu lui parler de ça aussi, d'autant qu'il faisait appliquer les lois antijuives en Indochine, mais quel intérêt ?

« N'écoute pas trop ta maîtresse, veux-tu ? Elle exagère le sort que les nazis ont réservé aux Juifs...
– Dis-moi juste, papa. Un Juif, c'est noir ou c'est jaune ? » Pressé d'en finir, il répondit que c'était blanc. Mais ces Blancs-là n'étaient pas comme eux et il fallait s'en méfier.

« Tu comprendras plus tard. »

Quatre mots qui formeraient sa devise.

À la fin mars 1946, alors que le printemps niçois faisait ressortir jupes et sandalettes, le facteur porta une lettre de convocation au ministère. « Enfin ! » dit André. « Pourvu que ce soit en Afrique » chuchota Mona. Elle sentit le corps de son homme se crisper et corrigea : « Peu importe où d'ailleurs, du moment que nous sommes ensemble... » Elle l'embrassa. « Mon André ! »

Depuis le départ d'Hanoi, elle n'avait plus que ça en tête : l'Afrique. La savane et ses dégradés de jaune, le soleil de plomb, les acacias sauvages. Enfant, elle avait tant feuilleté de magazines de voyage chez ses grands-parents. Afrique, Afrique... C'était un nom magique charriant des couchers de soleil rougeoyants sur la plaine du Kilimandjaro, des nuits à la belle étoile pour observer les antilopes et les éléphants venus se rafraîchir au point d'eau, c'étaient des safaris en combinaison d'aventurière, des rencontres avec des princes du Sahel, des cobras qu'il fallait égorger sans faillir et du thé à la menthe servi au pied des mausolées de Tombouctou.

Rien de tout cela ne leur fut accordé. André rentra deux jours plus tard de Paris, livide et furieux. Il pouvait dire adieu à l'avancement convoité et « remercier » ses supérieurs, qui lui épargnaient le renvoi, pour ne pas dire la prison !

« Mais qu'est-ce qui s'est passé ? – C'est simple ! Ils me font payer mon honnêteté. » Le Gouvernement provisoire voulait qu'André signe avoir *agi sur ordre* le jour du coup de force japonais. Qu'il se soit rendu spontanément à l'ennemi pour éviter un bain de sang ne suffisait pas. Cette reddition en rappelait trop une autre, et tout écho à la Collaboration devait être condamné. Mona en eut les larmes aux yeux. Maintenant que les hommes de De Gaulle étaient au pouvoir, les partisans de Vichy seraient toujours sanctionnés – à moins de prétendre, lâchement, n'avoir été qu'un pion du Maréchal, ce qu'André ne ferait jamais.

« Seulement moi, continuait son mari, moi, contrairement à tous les autres, j'assume mes convictions et mes responsabilités. Je suis puni ? Je ne deviendrai jamais gouverneur ? Tu ne verras jamais l'Afrique ? Eh bien tant mieux ! Mon honneur est sauf. » Le salon tangua. « Je serai le nouveau Drieu la Rochelle ! Pas de compromission. La mort, plutôt ! » Où donc était-il nommé ? « De Gaulle est un menteur ! Un manipulateur ! Comme si la majorité de la France avait été résistante ! » La tête de Mona tournait, il faisait trop chaud dans la pièce. Où ? Où est-ce qu'ils iraient ? « Comme s'il n'y avait eu aucun pétainiste en France ! Il le sait bien, le Charlot, que la foule qui l'a acclamé en 1944 était la même que celle qui glorifiait Pétain un mois avant... »

Il se tourna vers sa femme, fut surpris par sa pâleur. « Mon amour, tu vas bien ? » Elle se laissa tomber dans un fauteuil. « Où ? » Il y eut un silence. « Tu me dis où on va, André ! – Saigon. Je sais, mon amour. Je sais que... Mais tu verras. C'est le Sud. C'est très différent. »

Elle ne put ravaler ses larmes. Le piège de l'Indochine se refermait une seconde fois sur eux. Bien sûr, son homme avait su rester fidèle à ses idées. Il avait fait preuve d'un courage rare. Mais l'idée de retourner là-bas lui vrillait le cœur. Comment annoncerait-elle la nouvelle à Lucie ? « Je m'en charge, promit André. Et ne t'inquiète pas. Cette saleté d'Hô Chi Minh sera bientôt écrasée. La France est la plus forte. »

Lorsque leur fille rentra de l'école, ils s'installèrent au salon. La petite les interrogeait du regard. André prit la parole, comme il l'avait promis, et annonça leur retour en Indochine. Réflexion faite, c'était une excellente nouvelle : où pourrait-il mieux servir les intérêts de la patrie que dans cette colonie menacée ? Lucie restait muette, ni triste ni joyeuse, attendant la réaction de sa mère, qui força son enthousiasme : « Ton père est l'homme de la situation. En Indochine, il faut que l'administrateur sache lire, parler et écrire le vietnamien. On envoie là-bas les meilleurs. – Pas comme en Afrique, surenchérit André. Les nègres et les bicots ne comprennent rien à rien, n'importe qui peut les diriger. Mais les Viets, eux, sont des malins... Si tu ne comprends pas ce qu'ils disent, attention ! Ils te sourient et hop ! te poignardent dans le dos. »

André se pencha sur la petite et fit mine de la poignarder avant d'éclater de rire. « Tu comprendras plus tard, va. » Lucie souriait. Ses parents heureux, elle n'avait rien à craindre.

Une vie de carte postale. C'est l'image qui lui vient quand son esprit s'élève et plane au-dessus du transat sur lequel repose son corps alangui. La piscine est turquoise. Elle retournera nager plus tard. Elle ne s'ennuie pas, non. Enfin pas vraiment. Elle se dit qu'un jour, bientôt peut-être, elle fera un autre enfant. Plutôt un garçon, si c'est possible. Et pendant les vacances, si André se résout à moins travailler. Cette après-midi, elle disputera une partie de tennis avec ses amies du Cercle. Son revers s'est amélioré ; le coup droit reste un peu faible. Demain, elle ira chez le coiffeur. Saigon est un paradis.

1949, pourtant. Et un Viêtnam encore flottant. La France maintenait ses positions, les communistes ne lâchaient pas les leurs. Les Blancs continuaient la belle vie, soirées, loisirs, cafés – mais en évitant les zones trop risquées. Le week-end, ils poussaient parfois jusqu'à la côte. Nha Trang et sa mer bleue réveillait les souvenirs de la traversée Hanoi-Toulon, l'infini de l'horizon. L'eau était délicieuse, et Mona goûtait le sel sur ses lèvres – ça changeait de la piscine. Dans les rizières voisines, courbés en deux, des paysans aux muscles secs dessinaient des lignes droites semblables au bec entrouvert des hérons. Les femmes ne souriaient guère, mais lorsqu'elles souriaient, on pouvait compter les trous sur la ligne de leurs dents.

« Ma petite fille, il faut que tu voies les champs de caoutchouc ! C'est l'héritage familial, ça ! » décida André un dimanche. Son père au nom prédestiné, Henri Desforêt, avait possédé autrefois dans le centre du pays des plantations d'hévéas, ces arbres qui pleurent leur sève. En peu de temps, il avait fait fortune dans le caoutchouc : au début du XXe siècle, c'était un commerce florissant, qui allait de pair avec les progrès techniques et pouvait rapporter gros. Accessoirement, cela lui avait permis d'intégrer la Banque d'Indochine, mais aussi d'aider son fils à être nommé aux colonies – une façon comme une autre d'entretenir le patrimoine. Les Desforêt n'avaient plus de plantations, mais André était resté ami avec un propriétaire.

« Tu viens avec nous ? » demanda-t-il à Mona. Elle déclina l'invitation d'un bâillement, étira ses jambes, « amusez-vous, mes chéris », et après un baiser, les regarda prendre la direction de Dian, à quatre-vingts kilomètres de Saigon.

Une terre rouge, généreuse, riche en acide phosphorique et en fer contrastait avec les frondaisons vertes. Des chemins tracés par l'homme permettaient aux ouvriers de circuler entre les arbres. Partout dans l'air planait une odeur végétale, fraîche et sucrée, qui évoquait le sirop.

Jean-Marie Truffier, le chef d'exploitation, les attendait sur le seuil. « Ça fait plaisir de te voir, monsieur l'administrateur ! C'est pas si souvent ! – Plaisir partagé ! Comment vas-tu depuis tout ce temps ? »

Ils entrèrent dans la maison coloniale festonnée de blanc. Le parquet était ciré. L'escalier monumental. On entendit un cri. C'était Lucie. « Eh bien ? » La fillette désigna le tigre au pied des marches, énorme, qui leur faisait face. Sa gueule laissait apparaître des crocs d'une blancheur hypnotique. « Ah ! Mon plus beau trophée, ça ! commenta Truffier. N'aie pas peur, petite, il est empaillé, il te fera aucun mal ! Mais venez, on va se mettre dehors. »

Sur la terrasse qui dominait l'immense parcelle de l'entreprise Michelin, André et Truffier trinquèrent joyeusement au bourbon. Les affaires, la politique, l'économie occupèrent leur discussion, tandis que Lucie observait les champs qui s'étendaient devant elle. Au loin, les travailleurs agitaient leurs petites pattes. « Tu veux les voir de plus près, ma jolie ? » lui demanda l'homme gras en reposant son verre. Il n'attendit pas sa réponse, claqua des doigts à l'adresse d'un boy, et cinq minutes plus tard, ils étaient au milieu de la forêt, à bord d'une auto rutilante.

Les hommes couverts d'un pagne œuvraient comme si les Blancs ne les regardaient pas. Ils s'acharnaient autour des troncs à moitié écorchés, plantaient la lame de leur hache en « V » pour en faire couler le latex. Les arbres commençaient à produire lorsqu'ils avaient cinq ou six ans.

« Quel âge, celui-là ? demanda André.

— Oh, huit ans facile…, fit Truffier en tapotant le tronc.

— Non, je parlais de lui. »

Et son menton désigna l'adolescent qui suait à chaque coup de hache. « Ça ! Ah, ah ! J'en sais foutre rien, mon ami ! Oh pardon, il y a des demoiselles parmi nous… »

Les travailleurs recueillaient la sève dans des seaux qu'ils portaient ensuite dans de grandes bassines métalliques. Là, ils tamisaient le liquide épais avant de le mettre à sécher. Il en sortirait des mois plus tard des bandes souples et élastiques dont la France, l'Europe, le monde entier feraient, à la faveur de l'industrie galopante, de lourds cercles magiques qu'on appellerait pneus.

Sur le chemin du retour, son père chantonna gaiement. « Tu vois, Lucie, il ne suffit pas d'être blanc, il faut encore savoir être colon. Faire travailler les indigènes, les surveiller. C'est ce que M. Truffier s'applique à faire chaque jour. C'est ce que faisait aussi ton grand-père. Tu te souviens de lui ? Tu l'as vu à Paris une fois, après Hanoi… »

Elle allait acquiescer quand son père s'emporta tout seul : « De toute façon, Maurras, l'immense Maurras l'a bien dit : la colonisation n'a pas pour vocation d'apporter la civilisation. Ou alors, bonjour le chaos ! » Elle hochait la tête. Les colons. Les indigènes. Elle ne comprenait rien mais se promettait d'apprendre. De rendre un jour son père fier d'elle.

En rentrant à la maison, ils trouvèrent Mona en robe du soir, les cheveux relevés en chignon. « On sort, décréta-t-elle. J'ai envie. » André la regarda avec stupéfaction. Elle s'avança, les yeux brillants, posa sa main aux ongles rouges sur son torse, avant de caresser les cheveux de sa fille qu'elle poussa vers la cuisine. Tibaï l'attendait avec un bon dîner – elle serait sage, n'est-ce pas. Puis elle glissa son bras sous celui d'André. « Emmène-moi au Continental. »

Dans la cuisine, Lucie fit le compte rendu de sa journée à la nourrice. Les arbres à caoutchouc lui arrachaient encore des exclamations ravies.

La soupe aux raviolis était chaude, elle souffla dessus, trempa un doigt et le suça aussitôt, amusée de s'être presque brûlée. « C'était comme du sirop dans les seaux… » Elle raconta. Les coups de hache répétés, les arbres qui saignaient, la procession des ouvriers et bien sûr le tigre. Puis elle pensa à son père et sa bouche pleine de raviolis conclut : « C'est *l'immense mot race* qui fait qu'on est des bons colons. »

Au petit matin, alors que les premières lumières coloraient le ciel d'encre, deux silhouettes enlacées se pressèrent devant l'immeuble de la rue Catinat. Ils étouffaient leurs rires, laissaient échapper un son plus clair par moments, se donnaient des baisers. Ils avaient bu. Sa veste de costume et sa chemise étaient toutes froissées ; sa chevelure brune passée à la brillantine, un peu grasse. Elle, mais lui seul le savait, était nue sous sa robe. Elle avait les cheveux défaits et portait ses escarpins à la main. Il ne trouva pas les clés ; mais si, dans la poche de ta veste ; ah oui, c'est vrai ; et dut s'y reprendre à deux fois avant de faire sauter le verrou. Leur haleine sentait le champagne et l'amour.

Sur la pointe des pieds, ils se glissèrent dans l'appartement. Par réflexe, ils entrouvrirent la porte de la petite. Elle dormait à poings fermés. À ses pieds, roulée en boule sur le tapis, se tenait Tibaï. C'était la première fois qu'elle logeait chez ses maîtres, qu'elle osait braver l'interdit. Mais pour cette nuit, André ne dirait rien.

« C'est fou. Quand on te répète en permanence qu'il y a des races et que ce sont elles qui fondent les rapports humains… Quand la religion est partout, qu'on t'élève dans l'antisémitisme, la haine des protestants, des homos, des métèques… Comment as-tu fait ? Et ta mère ? Ta mère ! Elle a grandi avec ces idées-là, elle les a partagées avec son mari… Et puis la rupture. C'est inouï. Comment avez-vous fait pour vous affranchir de tout ça ? » Évelyne me ressert un verre de vin en souriant : « C'est tout l'objet du livre, non ? »

Une saison en chassait une autre et les années passaient. Lucie, maintenant âgée de neuf ans, était première de sa classe. Mona s'étonnait que la guerre ne la hante pas davantage. C'est qu'elle rêvait elle-même de pouvoir oublier, arracher de ses souvenirs le visage d'Isabelle la rousse, des soldats sadiques, cette heure infâme qu'ils lui avaient fait subir, la faim et les hontes. Puis elle méditait la force d'André, son courage surtout, et se disait que les adultes devaient composer avec leur mémoire pour ne pas gâcher l'avenir. C'était ainsi.

André travaillait beaucoup. L'administration financière, où on l'avait finalement recasé, exigeait de lui un investissement total. Il surveillait les transactions, vérifiait les entrées et sorties de devises, s'assurait de la bonne marche de l'économie locale. C'était son royaume ; son pouvoir.

Un soir qu'ils s'apprêtaient à dîner en famille, son visage se contracta brutalement. Mona n'eut pas le temps de réagir qu'elle vit la main épaisse, large comme un battoir, cogner violemment la table. Il poussa un cri terrible. « Ah non ! Non ! Où est la bonne ? Qu'elle vienne immédiatement ! »

Sur la nappe gisait un morceau de pain tronqué. *Son* morceau de pain, auquel il manquait *le croûton*. Tibaï accourut affolée.

« Espèce d'ordure ! Oser toucher ainsi mon pain ! *Mon* croûton ! Avec vos mains sales de Niakouée ! Foutez le camp immédiatement ! Foutez le camp, je vous dis, ou c'est moi qui vous jette dehors ! » Un silence de mort s'abattit sur la table. Choquée, Tibaï fondit en larmes. Elle n'avait touché à rien, jurait que ce n'était pas elle, mais sa voix se perdait dans les hoquets. « Et elle ment en plus, la chienne ! » Saisie par les sanglots, Lucie protesta :

« Papa… C'est moi…

— Toi quoi ?

— Qui ai mangé le croûton… »

Les yeux fous, il fixa Mona qui cacha ses mains tremblantes sous la table. « Et toi, tu l'as laissée faire ? Ah bravo, belle éducation ma pauvre fille ! »

Elle sentit la glace envahir ses veines. Pas un mot ne put sortir de sa bouche. La violence d'André lui avait coupé la langue, elle voulait pleurer elle aussi, se mordait les joues pour tenir. En larmes, la petite continuait : « Papa, le croûton, c'est ce que je préfère dans le pain… Comme toi ! »

Il se leva et, sans prévenir, la renversa pour lui coller une fessée qui la fit vomir de douleur. Mona cherchait l'air, agrippait la nappe sous la table. Les coups redoublèrent. La petite pleura plus fort, la morve coulait. Au milieu des sanglots, elle implora encore son père : « S'il te plaît, ne renvoie pas Tibaï… » Il eut un mouvement de tête qui signifiait « c'est bon » – et la domestique courut se réfugier en cuisine. Il renvoya Lucie dans sa chambre avec une dernière tape.

Les meubles semblaient pris d'un vertige, tout tanguait. Dans un souffle faible, Mona articula : « Tout ça pour un croûton... »

Le lendemain, alors que d'une main fébrile la servante déposait sur la table la cafetière, les confitures et les biscottes importées de France, André prit la parole solennellement.

« Je suis désolé pour hier soir. Je me suis emporté. Je n'aurais pas dû. » Mona esquissa un sourire pareil à une grimace. Des cernes profonds soulignaient ses yeux fatigués et rougis. Pour la première fois depuis leur mariage, elle lui avait tourné le dos au lit. Pas une caresse, pas un mot – elle avait tout refusé.

« Lucie, il faut que tu comprennes. Et vous aussi, d'ailleurs. » Tibaï fit oui de la tête, mais il fixait Mona. « Nous sommes une famille. Dans une entreprise, dans une administration ou dans une patrie, il y a un chef. Dans une famille aussi, il y a un chef. C'est celui qui gagne le pain. Et le chef ici, c'est moi ! Le croûton n'est pas une affaire de goût, c'est une affaire de chef... »

Lucie commença à s'agiter sur sa chaise. Doucement, Mona la calma, caressa sa joue veloutée – un élan de tendresse nouveau, puissant, enserrait son cœur. Sa fille était magnifique.

André rappela la devise de Pétain. La petite balbutia : « C'est qui Pétain ? – Tu as encore oublié ? Ce devrait être acquis depuis longtemps, pourtant ! » Mona soupira. Le discours de son mari lui parvenait à travers le bruit des mâchoires qui croquaient les biscottes. Des bribes lui frôlaient l'oreille : le travail... les domestiques... surveiller... la patrie...

colonie… nous les maîtres… Ce n'est que lorsque Lucie prit la parole qu'elle émergea de sa torpeur : « Et la famille ? »

André haussa les épaules. Lucie insista : « S'ils ont droit au travail et à la patrie, ils ont droit aussi à la famille, non ? – Bien sûr » la coupa-t-il. La servante attendait dans la cour qu'ils aient fini.

« Alors pourquoi Tibaï est avec nous ?

— Quoi ?

— Oui, pourquoi elle n'est pas avec sa famille à elle ? »

Mona laissa échapper un rire goguenard. La logique de Lucie était si limpide, si imparable, qu'elle s'étonna de ne jamais s'être posé la question elle-même. La petite rit avec elle, candide. Il se figea. Ses yeux d'argent devinrent d'une dureté effrayante. À ses tempes, les minuscules anguilles mauves apparurent.

Lucie ne se rendait compte de rien. Elle posait des questions d'enfant. Tibaï était-elle une sorte d'esclave ? Non, c'était fini l'esclavage, Dieu merci. Mona saisit une nouvelle biscotte, la tartina de confiture.

Il cita Maurras. Ses yeux étincelaient d'une lueur inquiétante, les mots de son maître l'habitaient, sa voix se faisait tonitruante. L'esclavage représentait un danger ! Et pas n'importe lequel ! Il augmentait les risques de métissage. « Tu veux dire de viols ? » ironisa Mona.

Il fronça les sourcils.

« Le viol des esclaves était une mesure économique ! » Un rictus lui déforma les lèvres. Elle croqua dans sa biscotte. « Et tu sais pourquoi ? Parce que ça permettait d'augmenter le nombre de travailleurs gratuits ! »

La mesure avait cependant ses limites : en accroissant le nombre de métis, les propriétaires d'esclaves commettaient une faute grave envers le principe de distinction des races. Tibaï passa une tête, vérifia qu'ils n'avaient besoin de rien. André ne la remarqua pas. Le café avait refroidi, il l'avala d'une traite. Lucie devait comprendre qu'il y avait une gradation dans les races. Les Niaks étaient moins laids et moins bêtes que les Noirs. Mais les Blancs seraient toujours supérieurs aux Jaunes.

« Bon allez, assez causé ! » Il se leva, enjoué. « Je dois travailler, moi, pour nourrir ma petite famille... » Une bise sur la tête de Lucie, une autre sur la joue de Mona. « N'oubliez pas ! Les métis peuvent avoir la peau claire, ils ne seront jamais des Blancs ! » Et il claqua la porte.

Lucie termina son petit déjeuner. Mona se sentait fatiguée, absente. « Maman ? Pourquoi les gens de couleur ne peuvent pas être blancs aussi ? » À l'école, on lui avait appris que le blanc était une couleur : le drapeau *tricolore* était composé du bleu, du *blanc* et du rouge. Face à sa tasse de thé, Mona lui chuchota de ne plus réfléchir à toutes ces questions. Sa fille s'insurgea. « Mais je suis grande, maintenant ! » Elle esquissa un sourire faible. « C'est bien ce qui m'inquiète. »

Je n'en arrive plus. Trop de [illegible] souvenirs, trop de doutes. [illegible] qui noie toutes les autres [illegible] chaos de [illegible] dans nos maux et y flottes des [illegible]

[illegible]

[illegible] peu [illegible] dans la [illegible]. Nous avons [illegible] mais pas le même point. Il est souvent [illegible] cette violence de ces [illegible] rapidement.

Je n'y arrive plus. Trop de nuits blanches, trop de souvenirs, trop de doutes. Évelyne est une absence qui ravive toutes les autres, absence-monde, absence-chaos. Je replonge dans nos mails et y flotte des heures. Son enthousiasme me guidait ; sans elle, j'ai peur de passer à côté du livre. J'en suis à ce stade où les idées s'affolent, la gorge est serrée, j'étouffe. Je ne suis pas neutre. Aucun éditeur n'est neutre ; les romanciers, n'en parlons pas. Et alors que j'essaie d'écrire Évelyne, son destin, sa mère magnifique, c'est inévitable, ma propre petite vie me saute à la figure.

Ma mère est mauricienne, naturalisée française. Je suis française, naturalisée mauricienne. Elle a la peau brune des créoles, piquetée de micro-taches de rousseur, les cheveux noirs. Je suis beaucoup plus claire – rapport au père né dans la Loire. Nous avons le même sang, mais pas la même peau. Il est souvent arrivé qu'on ne nous croie pas. « Ça ne peut pas être votre fille. » La violence de ces mots ne se mesure qu'à retardement.

À Maurice, je jouis d'un statut étrange : trop blanche pour être « une locale », dans une famille trop brune pour ne pas l'être un peu. La plupart du temps, heureusement, la peau n'est pas une question. Mais je me souviendrai toujours de cet homme.

Bordeaux, cours de l'Intendance, l'un des quartiers les plus huppés de la ville. Je dois avoir onze ans et suis avec ma mère. Nous sortons d'une boutique de parfums, soleil chaud sur l'Aquitaine, et lui, casquette vissée au crâne, qui fonce sur elle et lui crache à la gueule : « Retourne dans ton pays ! » Rien ne justifiait rien ; nous ne l'avions pas agressé, pas même regardé. Et ces mots rebondissent dans mon crâne, « Retourne dans ton pays ! », phrase trop souvent citée, mise à toutes les sauces au point, je me le rappelle, qu'on se la balançait dans la cour entre amis, variante du « Vas-y, dégage » affectueux de récré. Ma mère a écarquillé les yeux, sidérée, et j'ai dû rassembler toutes mes forces pour balancer au type une insulte dérisoire, minable, trouvée au fond de ma poche. D'une certaine manière, c'est la première fois que j'ai vu ma mère comme une *immigrée*.

En ville, le climat s'alourdissait. Hô Chi Minh dominait les cœurs ; sa lutte pour l'indépendance pleine et entière parlait aux Vietnamiens, et de plus en plus d'habitants se ralliaient à sa cause. Lentement mais sûrement, le pays devenait pour de bon communiste. Lucie sentait les adultes paniquer. Il fallait faire la différence entre les bons Vietnamiens, fidèles à la France, et les terribles Viêt-minh. Mais comment les reconnaître ? Son père répétait : « Un Jaune peut en cacher un autre. »

Un matin, alors qu'elle jouait avec Tibaï, il ouvrit brusquement la porte, attrapa sa nourrice et la jeta dehors en criant : « Je vous interdis d'approcher ma fille ! » Lucie resta interdite. Derrière lui, sa mère paraissait désolée. Qu'avaient-elles fait de mal ? Tibaï voulut la consoler ; André l'en empêcha. « Je vous ai dit de ne pas l'approcher. » Ses yeux gris brillaient d'une lueur inquiétante. Lucie sentait qu'il voulait la protéger, mais la protéger de qui ? De Tibaï, sa nourrice adorée ? Elle n'y comprenait rien. Depuis l'affaire du croûton, surtout, elle se méfiait des coups de sang de son père.

« André, calme-toi. Tibaï n'a rien fait… – Tu n'en sais rien. C'est une Jaune. » Mona tenta de nuancer les choses. À Hanoi, c'était le jardinier qui leur avait envoyé du lait. Et Tibaï avait toujours été… « Les choses ont changé. »

Lucie tremblait. Elle ne savait vers qui se tourner. À qui donner son soutien, sa fidélité ? Ce fut Tibaï qui brisa le silence. Elle redressa le menton et avança vers André avec un rire nerveux. Il se produisit l'impensable. Elle cracha sur ses belles chaussures. Ce fut bref, irréel, incontestable : elle avait craché sur les chaussures de son père. Mon Dieu, il va la tuer – Lucie arrêta de respirer. André jura mais fut coupé par la voix claire de la servante : « Mon nom est Yên. » Elle tourna les talons.

Quand la porte se ferma sur elle, Lucie, en larmes, se laissa tomber par terre. Mona ne put rien faire. Sa fille resta dans la même position l'après-midi tout entière, prostrée, inconsolable. Le vertige l'aspirait ; autour d'elle, le monde sombrait définitivement dans le chaos.

Puis vint le jour de la défaite – celle de plus, celle de trop. Le 21 mars 1950, les Viêt-minh incendièrent le marché de Saigon. Ce fut le signal. Ils s'en prenaient même à leurs compatriotes, ceux qu'ils jugeaient « désengagés », antinationalistes – rouge clair. Il ne fallait pas s'aveugler : leurs soldats seraient impitoyables avec les colons qui persisteraient à occuper la ville. Il ne restait qu'une chose à faire. Fuir.

Les yeux rouges, les cheveux défaits, Mona tremblait dans ce fauteuil trop grand pour elle. Son mari assit Lucie sur ses genoux. Il n'y aurait pas de grand discours, pas de précaution oratoire. « Nous quittons l'Indochine. » À ces mots, Mona sanglota à nouveau. La tête lui tournait, elle ne savait plus ce qu'elle voulait, ce qu'elle ne voulait pas. Depuis deux jours, elle passait son temps à pleurer. Les hormones ne l'aidaient pas. Car elle était enceinte. « Ce pays que nous aimons et pour lequel je me suis battu ne veut plus de nous. » André feignait d'être fort. Elle revit défiler toutes les images : la naissance de Lucie à Hanoi, le camp, la découverte de Saigon, la résidence, le croûton, l'hôtel Continental.

« Ne pleure pas, Lucie. De belles choses nous attendent. Tu vas avoir un petit frère… ou une petite sœur. C'est un beau cadeau que ta maman me fait ! » Mais quelle était cette joie qui vous tirait les traits et faussait ainsi la voix ?

Au moment de se coucher, Mona passa une main dans la chevelure brune d'André, respira sa peau, chercha ses lèvres. Les larmes coulaient encore. « Alors comme ça, tout est fini… » chuchota-t-elle. Il la serra contre lui tendrement. « On fera face. On a toujours fait face. » Elle renifla, fit oui de la tête et tomba dans un sommeil lourd. Les étoiles restèrent cachées dans le noir de la brume.

Le lendemain, réveillée par la lumière du jour, elle éprouva une étrange sensation. André dormait encore. Mona n'arrivait pas à saisir quoi, mais il y avait quelque chose d'anormal. Elle s'étira, le fit bouger un peu. La perspective de nouveaux drames lui donna presque la tentation de prier. Son mari ouvrit un œil en grognant. Non ! Elle plaqua une main sur sa bouche. « Quoi ? » bondit-il. Elle secoua la tête, stupéfaite. Comment était-ce possible ? « Mais quoi ? » Incapable de parler, elle lui fit un geste. Ta tête, articula-t-elle sans un mot. Il se précipita vers la glace, ne put retenir un juron. Blancs. Il avait les cheveux blancs. Une seule petite nuit et voilà que… Il lui restait de-ci de-là quelques mèches brunes, mais sur le haut de la chevelure, Dieu avait soufflé de la neige.

Que pouvait-elle lui dire ? La défaite l'avait rongé de l'intérieur, son corps s'était vengé. Elle ne le trouvait pas moins séduisant ainsi, mais c'était un fait, il avait changé. Lui-même avait blêmi face au miroir. De telles choses arrivaient donc parfois. C'était insensé.

Dans la chambre qu'ils quitteraient bientôt, ils s'étaient serré les mains. Dans la rue, on entendait les premiers klaxons, le chant de la ville qui s'éveille. « Il faudrait ne jamais vieillir, Mona. » Elle était bien d'accord.

« Ne jamais vieillir, ne jamais descendre en dessous de soi-même.

— Fixer la beauté.

— Oui, fixer la beauté. »

Dans l'œil d'André, une mélancolie nouvelle s'était glissée. Les regards suffisaient ; pas de mots ; une parole aurait tout gâché. Alors, avec une gravité qui ne lui ressemblait pas, elle s'était penchée vers lui et l'avait embrassé longtemps, longtemps – un baiser pour sceller une promesse.

Revenir en France était impossible. Inenvisageable. Pourtant il fallait partir, et sans tarder. Grâce au père de Mona, une solution fut trouvée. Ce serait Nouméa, où Yvon avait décidé de terminer sa carrière. Les Magalas les y accueilleraient et André, à défaut d'être nommé gouverneur, obtiendrait un poste important. Lucie pleurait. La Nouvelle-Calédonie n'était-elle pas pire encore que la France ? Une île horrible pleine de cailloux ? Les sourires plaqués des adultes ne la trompaient pas. André était désespéré de quitter l'Indochine. Tous ses rêves de grandeur s'évanouissaient – du sable qui glisse entre les doigts. Non seulement il n'avait pas gagné sa guerre, mais l'Indochine allait définitivement disparaître. Hô Chi Minh et Giáp étaient les grands vainqueurs. La France, balayée, céderait le terrain aux Américains. Pendant que son mari contemplait le désastre, Mona gardait une main sur son ventre. La vie grandissait.

[illegible] au Vietnam fut Evelyne [illegible]
était pas de celles qui regardent [illegible]
vie se construit devant soi. Les pélerinages [illegible]

[illegible]

« Est-ce que tu es retournée en Indochine, enfin, au Viêtnam ? » Évelyne secoue la tête. Jamais. Elle n'était pas de celles qui regardent en arrière ; une vie se construit devant soi. Les pèlerinages n'étaient pas de son goût.

Il faudrait que je m'en inspire.

Notre dernier dîner ensemble, pourtant, nous l'avons passé dans un restaurant vietnamien. J'avais souri en la voyant croquer ses nems, pensé à Tibaï et à sa préparation du Têt rue Catinat. Tout en jonglant avec nos baguettes, nous avions parlé de la primaire de la droite – elle se tiendrait quelques jours plus tard –, des hommes politiques, de l'échéance présidentielle. Et puis d'un coup, Olivier m'avait posé des questions, plein de questions, sur moi, ma famille, l'île Maurice, mes idées. Elles me plongeaient dans mes secrets d'éditrice, à l'université, dans les bureaux de vote ou les paysages de mon île – toutes, cependant, demandaient la même chose : « D'où vient ce lien qui vous unit, elle et toi ? » Évelyne trempait son nem dans le nuoc mam et me souriait.

Depuis que l'avion s'était élancé sur la piste et qu'elle avait vu Saigon s'éloigner, tirant un trait définitif sur son enfance, Lucie ne parlait plus. Mona voulut la prendre dans ses bras pour la consoler, mais d'un simple regard, André l'en dissuada. Il faudrait s'habituer, l'Indochine était morte.

Le voyage fut éprouvant : une vingtaine d'heures, avec deux escales en Australie, pour parcourir les 7 500 kilomètres qui les séparaient de Nouméa. Mona mâchonnait un bout de gingembre pour lutter contre la nausée. Elle dormait par à-coups, grignotait un biscuit, le rendait avec de la bile, reprenait un morceau de gingembre qui lui tirait des grimaces. Au petit matin, dans une brume jaune de chaleur et de poussière, ils finirent par atterrir à La Tontouta. Un simple hangar tenait lieu d'aéroport, mais une voiture officielle les attendait. André avait revêtu son costume clair qui lui allait si bien. Sous les aisselles, deux auréoles s'élargissaient déjà. Il salua le chauffeur blanc envoyé par le gouverneur et Mona voulut voir dans cette poignée de main le début d'une vie nouvelle.

Malgré les cahots de la route, Lucie restait mutique et fermait obstinément les yeux. Elle ne voulait rien voir de cette terre qui l'avait arrachée à son pays de naissance et que son père avait quitté à regret. Mona au contraire se sentait revivre. Tout était plus beau, plus vert, plus étonnant. Ils longèrent la ville de Païta, dominée par la forêt de mousse du mont Mou, puis la baie turquoise de Dumbéa, piquée sur ses rives de mangrove. Les chiens, langue pendante, cherchaient l'ombre des arbres. Mona souriait.

Le chauffeur s'arrêta sur une place plantée de flamboyants, et Mona cria : « Ils sont là ! » Sur le seuil de la demeure coloniale, ses parents leur faisaient de grands signes. Elle vit le visage de sa mère s'inonder de bonheur et cela effaça tout. On ne parlerait plus d'Indochine. À Nouméa, la vie serait douce. Son père, impeccable dans son costume malgré la chaleur, se précipita pour leur ouvrir la portière, talonné par sa femme. « Ah ! ma petite chérie, comme tu as grandi, une vraie demoiselle ! » s'écria Guillemette en dévorant Lucie de baisers. « La dernière fois que je t'ai vue, tu n'avais pas deux ans ! » Elle pressa Mona sur sa poitrine, émue, dit sans s'arrêter : « Entrez, entrez… Ne restez pas là, voyons ! » Yvon les embrassa et posa une main amicale sur l'épaule d'André : « Après vous, mon gendre. » Il pointa un index amusé vers les cheveux blancs : « Je vois que vous avez gagné en sagesse. » Mona riait : « Lucie l'appelle grand-père, maintenant ! » Elle déposa un baiser sur la joue d'André qui répondit par un sourire forcé.

La pièce principale, vaste et joliment aménagée, ouvrait sur une varangue en bois. Dans le jardin bordé de massifs, glougloutait une fontaine. Mona se passa un peu d'eau sur le visage et les bras. « Tu as vu comme mes roses sont belles ? Je ne pensais pas qu'elles s'épanouiraient sous ce cagnard. » Guillemette se pencha au-dessus d'une fleur jaune puis recula aussitôt. « Attention ! Guêpe ! » Et elle éclata de rire. « Viens voir mes hibiscus. » Elle l'entraîna au fond du jardin.

À l'ombre du badamier, le silence les enveloppa. Sa mère tremblait imperceptiblement mais serrait les dents pour ne pas craquer ; Mona perçut son effort dérisoire. Elle voulut prendre la parole. Sa mère la devança et l'entoura de ses bras. Elles restèrent ainsi quelques secondes. « J'étais si inquiète pour vous… » murmura-t-elle. « Oh ma fille, vous avez bien fait de partir. C'était la seule solution. – Il y a eu des moments affreux, maman. » Guillemette s'arrêta. « Je sais ma chérie. » Et elle lui lança un regard si profond que Mona eut la certitude qu'elle avait deviné. Le viol. Elle qui n'en avait parlé à personne crut que la terre s'ouvrait sous ses pieds. Une mère pouvait-elle sentir ces choses-là ? Elles n'avaient que vingt ans d'écart après tout. Le corps gardait-il les stigmates de l'enfer ? Mona eut le sentiment que le silence l'avait trahie, que tout ce qu'elle avait caché rejaillissait sur ses mains, ses joues, ses seins, ses lèvres. Lady Macbeth inversée, coupable du crime des autres.

Elle fut tirée du noir de ses souvenirs par Lucie qui accourait. « Mamie ! Papi m'a dit que j'avais la plus belle chambre de la maison ! Est-ce que c'est vrai ? – Oh, tu sais, il en dit des choses, ton grand-père… » Guillemette fit un clin d'œil à Mona et posa sa main sur l'épaule de Lucie. « Le mieux, c'est d'y aller voir, non ? Tu crois, toi, qu'elle est si belle que ça ta chambre ? »

Sous la varangue, Yvon et André leur envoyèrent un petit signe complice.

Lucie battit des mains en découvrant la grande pièce ornée d'un lit à baldaquin. La moustiquaire s'était métamorphosée en dais de princesse. Sur l'étagère, de nombreuses boîtes de jeux s'alignaient : Monopoly, échecs, dames, jeu de l'oie… « Eh bien, te voilà gâtée ! » fit Mona. Lucie courut se jeter dans les bras de sa grand-mère. « Oh mamie chérie, merci, merci ! » Puis elle installa sur son lit ses peluches et ses poupées, les observa avec la moue du peintre devant sa toile, rectifia l'ordre en mettant l'ours à côté du chien. Sous les yeux de sa mère et de sa grand-mère, elle sortit le jeu de dames et le posa sur le sol. « Qui veut jouer avec moi ? » Mona soupira. « Ah non ma chérie, pas maintenant… Je suis trop fatiguée. » Elle se tourna vers Guillemette.

« Mamie ?

— Je n'aime pas les dames.

— Le Monopoly alors ?

— Je préfère, mais il faut être au moins trois, sinon ce n'est pas drôle. On jouera tout à l'heure. »

Les yeux de Lucie s'embuèrent de larmes. « Ah non, ma jolie, ne pleure pas » s'écria Guillemette. « Je veux Tibaï ! » sanglota la petite. Mona se mordit les lèvres. Elle était heureuse d'être là, dans cette maison joyeuse, entourée de ses parents ; la tristesse de sa fille allait tout gâcher. Elle ne voulait plus entendre parler d'Indochine, c'était au-dessus de ses forces.

« Venez vous rafraîchir ! Il y a de la citronnade. » L'appel de son père les sauva.

Dans la cuisine, on servit à Lucie un grand verre sucré qu'elle avala d'une traite, séchant ses larmes. De son côté, Mona se changea, passa une robe blanche en coton. Au niveau du ventre, le tissu se tendait légèrement. La conversation roula encore sur les derniers jours à Saigon, la tension, les menaces, la politique. Puis enfin, le silence. Son père se tourna vers elle. « Bon, tu nous fais un garçon, cette fois ? » Elle le regarda sans comprendre. Une chaleur désagréable noyait peu à peu son esprit. Elle n'avait pas encore annoncé sa grossesse. Son ventre ne lui semblait pas… Mais peut-être que… Ça se voyait tant que ça ? « Non ma chérie, répondit sa mère, c'est André qui nous en a parlé l'autre jour au téléphone. »

Une lueur pâle, clignotante, se mit à enfler, liquide soudain, flaque de lumière blanche, mauvaise : la rage.

« Tu as osé ? – Excuse-moi ma chérie, mais j'étais si heureux… Et tes parents attendent avec tellement d'impatience un petit-fils… » Elle eut envie de griffer son visage. « C'était à moi de le dire. » Dehors, un oiseau vert et rouge picorait des miettes au pied de la varangue. Les alizés caressaient les roses de sa mère. Ces roses où bourdonnent les guêpes et auxquelles les belles se piquent. Un goût amer se diffusa dans sa bouche.

« Pardonne-moi mon amour » répétait André. Elle l'ignora, mécontente, blessée. Un fils. Elle en rêvait. Un garçon pour prouver qu'elle était femme, pleinement. Elle se tourna vers sa fille : « Ça te ferait plaisir un petit frère, n'est-ce pas ? » Lucie leva ses yeux couleur ciel, hocha la tête gentiment. Les adultes étaient instables, mystérieux, imprévisibles. Il ne fallait pas les contrarier davantage. Mais elle aurait aimé savoir pourquoi tous semblaient tellement tenir à l'arrivée d'un garçon.

Évelyne m'a donné tous les éléments pour terminer le livre, à l'exception des détails concernant ses grands-parents. Je ne connais pas les prénoms de ses deux grands-pères, ni celui de sa grand-mère paternelle. Je ne sais pas exactement comment les deux familles, *Magalas* d'un côté, Pisier/*Desforêt* de l'autre, se sont rencontrées. Ce qui est authentique, c'est la soirée parisienne organisée par la Banque d'Indochine au cours de laquelle *Mona* fait la connaissance d'*André*. Le reste, je l'ai comblé comme j'ai pu.

Du couple de ses grands-parents paternels Évelyne disait : « Boh ! Lui, il donnait des ordres, et elle, elle faisait du tricot. » Un duo conservateur, figé dans son bain de formol. Évelyne ne les aimait pas beaucoup ; elle ne les avait presque pas connus, du reste.

Elle adorait en revanche sa grand-mère *Magalas*, fantasque et si attachante, morte de « folie douce ». Pendant des mois, à l'hôpital, on lui avait administré d'affreux électrochocs qui non seulement n'avaient rien soigné, mais l'avaient transformée en spectre.

À la mort de *Guillemette*, Évelyne est enceinte de jumeaux. En hommage, elle promet à *Mona* d'appeler son fils, si elle en a un, *Guillaume.* Sa mère fait une drôle de tête, la remercie quand même. Néanmoins, parce que l'accouchement approche, elle interdit à Évelyne d'assister à l'enterrement.

La raison profonde de ce refus, elle l'apprendrait plus tard, était tout autre : sa grand-mère ne s'appelait pas *Guillemette*, mais *Adèle*, un prénom qu'elle détestait. Elle s'était rebaptisée *Guillemette* elle-même, par coquetterie, et tout le monde avait joué le jeu. *Mona* ne voulait pas que sa fille le découvre sur une tombe. Évelyne était sidérée. Le nom que son fils portait n'était donc qu'un nom d'emprunt choisi par sa grand-mère. « Quand je pense que toutes ces années vous n'avez rien dit ! » *Mona* ne savait que répondre. « En plus, c'est affreux, *Guillemette* ! Bien pire qu'*Adèle* ! » C'était vraiment absurde. Inutile. Pourquoi cacher ce qui n'a rien de honteux ? Et l'aveu tardif ne réglait rien, au contraire. Quitte à mentir, pourquoi ne pas aller jusqu'au bout, si l'on a décidé que la vérité ne convient pas ? C'était l'un des mystères de cette famille. Ce ne serait pas le dernier.

Chaque famille a ses obsessions. Chez les Magalas, elles étaient au nombre de deux : les études, et la banque. Yvon était né à Pézenas, entre Béziers et Montpellier, à la fin du XIXe siècle. Son père, un paysan aux dents jaunes qui portait le béret, avait été foudroyé en pleine récolte de pommes de terre. Une vie à caresser les patates, à leur offrir une terre plus douce qu'un lit d'homme, à surveiller les nuages et le mistral, pour finir étalé sur elles, le nez dans la boue.

Yvon avait pris la relève. À quatorze ans, il se levait aux aurores, bêchait, binait, sarclait, arrosait, ramassait, triait, nettoyait – allait vendre. Lorsque Mona, après les fiançailles, avait raconté à André le parcours de son père, elle avait cru l'entendre marmonner : « Un plouc, quoi. »

Yvon Magalas n'était pas de ceux qui se laissent guider par la fatalité. En parallèle de ses travaux agricoles, il étudiait comme un forcené. Le samedi en fin de journée, on pouvait le voir à la bibliothèque municipale. Il lisait les classiques et tâchait d'apprendre quelques mots d'anglais grâce à un manuel de phonétique : *« Good morning, Sir. How are you, Sir ? My name is Yvon. »*

La mort de sa mère le délivra de Pézenas. Avec trois francs en poche, une brosse à dents et quelques pommes de terre du pays, il prit la route de Paris. Les premiers mois faillirent tuer ses espoirs. Il avait beau frapper aux portes des magasins, des entreprises, des particuliers, personne ne voulait de lui. Il mangeait aux poubelles des restaurants, volait parfois un morceau de pain, dormait où il pouvait. Un jour, épuisé, il se laissa tomber sur les marches d'un grand édifice, boulevard Haussmann. La Banque d'Indochine. Des hommes en costume entraient et sortaient, le visage lumineux, la silhouette droite.

Le lendemain, le surlendemain, et tous les jours qui suivirent, l'adolescent revint traîner devant le bâtiment. On finit par remarquer sa présence. Avec un clin d'œil, Yvon disait : *« Good morning, Sir. How are you, Sir ? My name is Yvon. »* Amusé par ce petit gars décharné qui bafouillait correctement de l'anglais, un homme un jour s'arrêta. C'était le directeur. Il lui posa quelques questions, parut satisfait des réponses. Le cœur adolescent battait à tout rompre ; enfin, enfin quelque chose de bon lui serait accordé, il le sentait. « J'ai une place pour vous. Venez demain à huit heures. » Yvon exulta.

Aussi propre que possible grâce aux bains-douches de la rue Petitot, il se présenta en avance devant la Banque d'Indochine. Un employé lui demanda de le suivre. Il traversa avec éblouissement le grand hall aux dalles brillantes, s'extasia devant l'escalier de marbre, puis s'enfonça dans un couloir de service.

Dans la pièce du fond, l'employé lui remit un seau et un balai. « Tu commences par le bureau du patron. »

Qu'un homme ayant commencé au ménage de la Banque d'Indochine finisse par en devenir le directeur, acceptant tous les postes intermédiaires, de factotum à comptable, nourrissait la légende d'Yvon et inspirait à Mona une admiration sans bornes. « Le travail, ma fille. C'est tout. Et la patience aussi. » Le temps, uni à la volonté, se révélait un allié fabuleux. « Mais pour que ça marche, il faut arriver premier. Et premier en tout : à l'école, aux examens, aux rendez-vous. »

Le lendemain de leur arrivée, avant le déjeuner, Yvon et André prirent l'apéritif sous la varangue. Magalas voulait former son gendre aux problématiques locales avant sa prise de fonction le lundi suivant. La Nouvelle-Calédonie était une toute petite colonie, mais il s'y était passé des choses. Le Code de l'indigénat avait été aboli le 7 mars 1944. Depuis 1946, les Canaques disposaient d'un droit à la nationalité française pleine et entière. En d'autres termes, ils pouvaient voter, circuler, être propriétaires, accéder aux institutions et créer leur parti, ce qu'ils n'avaient pas tardé à faire.

« Vous vous doutez de leur orientation..., dit Yvon.

— Des communistes ?

— Évidemment. Le Parti communiste calédonien. Porté par une femme, Jeanne Tunica y Casas. Une divorcée... Qui est d'ailleurs très attentive aux revendications des travailleurs vietnamiens installés ici.

— C'est du joli.

— Je vous rassure, les catholiques ont réagi. Et puis entre la loi et les faits, il reste de la marge… Pour être honnête, je me fiche un peu de ces querelles de chapelle, le combat des idées, moi… Ce qui m'importe, c'est l'économie. Je veux quitter Nouméa avec une Banque en bonne santé, c'est tout. »

Les femmes, qui venaient de rentrer du marché, les rejoignirent sur la terrasse. Mona rendit à André la monnaie – elle s'était acheté un collier en coco et en nacre qu'elle arborait fièrement. Lucie boudait toujours un peu. Sa grand-mère la prit sur ses genoux et se balança dans le fauteuil en rotin, tandis qu'un domestique en livrée leur apportait des rafraîchissements. Les hommes continuaient de parler politique. « Oh mais ce n'est pas vrai ! Vous ne pouvez pas changer de conversation, un peu ? s'emporta Guillemette en levant les mains au ciel comme une damnée. Préoccupez-vous plutôt de Mona qui attend un bébé ! » André pouffa. « On est dans un endroit magnifique, tout va bien, mais eux, non – la guerre, la guerre, la guerre ! »

Mona riait aux éclats. Sa mère avait toujours eu un penchant théâtral ; elle adorait chanter, improviser des saynètes, raconter des histoires. Il lui était arrivé de recevoir des invités pieds nus, « pour les mettre à l'aise ».

« Papi ? » Yvon tendit le cou. « Toi, pendant la guerre, tu étais pétainiste ou gaulliste ? » Le silence se fit. Guillemette maugréa : « Si même elle, elle s'y met… » Mona n'en revenait pas. Sa fille n'avait que neuf ans. Les questions politiques n'intéressent pas les enfants de neuf ans ! Elle si. Elle ne put s'empêcher de penser qu'André avait déteint sur elle. « Ma foi, tu veux que je te dise vraiment..., répondit Yvon. Ni l'un ni l'autre ! Contrairement à certains... » Mona se mordit les lèvres. Son mari allait répliquer, mais d'un seul regard elle lui fit ravaler ses injures. Guillemette tenta d'alléger l'atmosphère : « J'ai demandé à la bonne de nous faire du poisson grillé tout à l'heure. Vous allez voir, elle cuisine di-vi-ne-ment. » Yvon se leva et disparut dans le jardin.

André fulminait. À peine s'étaient-ils retrouvés dans leur chambre qu'il avait attaqué.

« Les remarques de ton père, merci ! M'humilier ainsi devant notre fille !

— Arrête, André, il ne t'a pas humilié, il a dit ce qu'il pensait, c'est tout. On a le droit de préférer les affaires à la politique.

— Je n'ai pas de leçons à recevoir d'un paysan. »

Elle ouvrit la bouche.

« Un paysan ? Mon père ?

— Ben quoi ? Il n'a pas commencé au milieu des champs de patates ? Tu renies ton père ?

— Je t'interdis de parler de lui comme ça ! Mon père a fait plus en quelques années que le tien durant sa vie entière.

— Ah oui ?

— Oui. Et tu sais quoi ? Si tu ne retires pas tes mots, je vais voir Lucie et lui raconte tout sur Henri. »

Il fronça les sourcils.

« Lui raconter quoi ?

— Le trafic de caoutchouc, ça te parle ? Le noble Henri Desforêt qui fait passer la production illégalement pour ne pas payer les taxes ? C'est le respect du travail et de la patrie, ça ? »

Il la gifla. Ce fut si rapide, si sec, qu'elle ne sentit presque pas la main déplacer l'air. Mais sous sa joue, une chaleur diffuse irradia. Elle resta sonnée, l'œil rond de douleur, duquel une larme hésita avant de tomber.

« Oh mon amour… » André la serra dans ses bras. « Pardon, pardon… » Il caressa sa joue en feu, y déposa mille petits baisers. « Je ne voulais pas… » Sa main se promena sur sa nuque, « ma jolie… », descendit, chercha son ventre, ses seins, commença à en agacer les pointes. Il colla ses lèvres contre les siennes, l'étreignit plus fort. « Pardon » dit-il une dernière fois, d'un ton plus pressé.

Ils firent l'amour comme si rien ne s'était passé.

Dans les draps humides de la nuit calédonienne, ponctuée par la respiration d'André, Mona fixait le plafond. Elle avait choisi son père. Cette idée l'obsédait. Oui, dans la dispute qui l'avait opposée à son mari, c'était son père qu'elle avait défendu. Face à Yvon, elle redevenait la petite fille aimante et fascinée. Obéissante. Face à André aussi, d'ailleurs. Même lorsqu'elle voulait jouer les femmes fatales, elle cédait. Elle aimait trop les hommes. Son père. Son mari. Ses deux héros. Elle posa la main sur sa joue redevenue indolore. André craignait-il qu'Yvon lui vole la vedette ? Il avait beau dire, c'est à son père qu'il devait ce poste à Nouméa. Elle sourit à la pénombre. Mais oui, bien sûr… Et si, tout simplement, André craignait de la perdre ? De partager avec Yvon son autorité, son influence – de ne plus l'avoir toute à lui ? C'était évident. Il avait peur. Il l'aimait tant… Mona s'endormit, bercée par la douceur de cette hypothèse rassurante.

La palette des verts semblait infinie, du bleu-vert profond des pins au vert bouteille des araucarias, du vert-jaune des palmiers à celui plus tendre de la mousse, un tapis laquait les pentes. Au loin s'étendait la baie de Nouméa, dont le bleu intense tranchait avec la végétation. Ici et là des points rouges ou jaunes illuminaient la colline aux Oiseaux, flamboyants, daturas, alamandas, vieux garçons. Sur la droite, une flèche métallique perçait le ciel : le sémaphore.

La villa au toit rouge, rebaptisée naturellement villa aux Oiseaux, abritait trois chambres spacieuses, un grand séjour, une cuisine à l'arrière, avec une dépendance pour les domestiques, et, luxe suprême, une salle de bains moderne. Le jour de leur emménagement, André disposa immédiatement dans la bibliothèque les œuvres de son cher Maurras ; des romans de Pierre Drieu la Rochelle – « Écoute, Mona ! disait-il en ouvrant *Le Feu follet*, c'est sublime : *L'homme n'existe que dans le combat, l'homme ne vit que s'il risque la mort.* » – ; puis, après une hésitation, mais si brève que lui-même n'en eut pas conscience, il ajouta la Bible sur le rayon. Il leur fallut une demi-journée pour tout mettre en place, sous un soleil brûlant et liquide.

Quand enfin les déménageurs s'en allèrent, André agita devant Mona un paquet qu'il cacha aussitôt dans son dos. « Qu'est-ce que c'est ? » Il eut un sourire de sphinx. « Voyons André, dis-moi ! Qu'est-ce que c'est ? » Elle faisait l'enfant. Il allongea la main pour lui caresser les cheveux. « Elle te plaît cette maison ? » En guise de réponse, elle picora ses doigts de baisers. Mais un bruit les fit sursauter. Cela venait des taillis. « Un chat » décréta André. « Ou un animal sauvage. » Elle fit une grimace de gamine, mima la terreur. « Tu as peur des animaux sauvages, toi ? » Faussement menaçant, il fit un pas vers elle et l'enlaça brutalement. Elle se laissa faire avec un rire de gorge. Il lui tendit le paquet.

Sous l'emballage, elle découvrit une statuette, une adorable statuette de verre représentant un perroquet. Elle admira les plumes colorées, la finesse du bec, l'œil rond qui la contemplait. Les serres rappelaient davantage celles d'un aigle, qu'importe, il était magnifique. Elle sauta au cou de son mari, caressa l'oiseau. Lança son regard d'amoureuse. Il la suivit dans la chambre. La porte entrouverte, ils firent l'amour brutalement sur le matelas encore enveloppé de plastique.

« Trop d'ambiguïté. » C'est ainsi qu'Évelyne résumait la relation de ses parents. Domination et soumission, jeux d'enfants et surenchère. Elle-même admettait avoir été marquée, surtout au début de sa vie, par cette manière de procéder. Du drame. Du théâtre. De l'excès, parce que c'était ainsi que se concevait l'amour – ceux qui prétendaient le contraire se régalaient d'eau tiède. Elle m'a raconté comment un soir, suite à une dispute avec son premier mari, elle avait fait mine de se tailler les veines à l'aide d'un rasoir. Ce faisant elle avait crié, non pas son nom à lui, mais celui de son premier amour : « Fidel ! Fidel ! » Le sang perlait sur ses poignets et elle riait aux larmes sans qu'il comprenne. « J'étais infernale. » Elle avait collectionné les hommes, estimait qu'elle en avait le droit – elle s'était battue pour. Et puis un jour, tout avait changé. La fin d'un cycle, le début d'un autre. Un second mariage mais surtout un amour extraordinaire, pour toute la vie, celui-là.

« Tu crois qu'on peut changer ? » lui avais-je demandé. La vie de sa mère et la sienne plaidaient en ce sens. Je ne me souviens plus de sa réponse.

D'ailleurs, ai-je vraiment posé la question ? N'est-ce pas seulement une idée restée bloquée dans les parois de mon crâne comme une bille dans un flipper ? Qu'importe. Je crois qu'elle aurait pu me dire : changer, pas changer, on s'en fout. Ce qui compte, c'est se construire.

Tôt le matin, Mona partait se baigner dans le Pacifique, foulait le sable fin de l'anse Vata, se reposait à la baie des Citrons, au bord des palétuviers. Lucie elle-même s'émerveillait. Les plages irréelles de l'île des Pins lui coupèrent la parole. Jamais elle n'avait vu une eau si transparente, si cristalline. En nageant, elle pouvait toucher les tortues à la carapace d'ambre. Peu à peu, l'Indochine s'estompait de sa mémoire ; Yvon et Guillemette la couvraient de cadeaux ; ses parents savouraient leur nouvelle vie ; oublier Saigon ne serait bientôt plus une faute. En fin de journée, elle réclamait souvent à sa mère une promenade du côté de Doniambo. Des usines de nickel y étaient implantées. « Lucie, c'est une horreur, j'ai la nausée ! On y va. » Elle disait oui à sa mère mais restait là à s'enivrer de l'odeur chimique écœurante, comme elle l'aurait fait des fleurs délicates d'un frangipanier.

Quelques semaines passèrent et Rosalie fut engagée. Elle s'était distinguée des autres candidates noires par sa bonhomie et sa ferveur chrétienne – une grande croix dorée se balançait entre ses gros seins d'ébène, qui rebondissait à chaque éclat de rire. On la lui avait recommandée à la messe et Mona en avait parlé à André, qui ne fréquentait plus les églises depuis leur arrivée à Nouméa. Les affaires, l'œuvre coloniale, le service de la France, tout cela passait avant le curé. Lucie s'en inquiétait. Pouvait-on être puni pour ce genre d'absences ? Qu'en penserait Dieu ? Le soir, elle priait pour son salut. « Mon Seigneur chéri, faites que papa revienne avec nous à la messe. Amen. » La grosse domestique lui faisait oublier ses peurs. Elle la couvrait de baisers et de cajoleries, lui apprenait des cantiques qu'elles chantaient ensemble.

Bizarrement, Mona restait sur la défensive. Quelque chose la gênait chez cette femme ; peut-être était-ce son pas nonchalant, sa mauvaise maîtrise du français ou alors cette silhouette trop en chair, fesses, ventre, poitrine rebondis – trop sexuée. La grossesse était déjà bien avancée et depuis plusieurs semaines André ne la touchait plus, comme dégoûté par son corps trop vivant. Elle en devenait jalouse. Avait-il une secrétaire ? Côtoyait-il les femmes des autres hauts fonctionnaires ? Parfois, elle s'abîmait dans la contemplation de ses yeux, y cherchait l'indice d'une infidélité. Mais non. Il semblait seulement occupé par son travail.

Quand il rentrait le soir, il lançait : « Comment vont ma femme et mon fils ? » Maintenant, elle tremblait à l'idée que ce ne soit pas un garçon. « Tu ne serais pas responsable ! » la rassurait sa mère qui venait prendre le thé. « Mais ton ventre est pointu, ce sera un garçon ! Le mien était comme ça aussi pour Alain. » Son regard flotta au loin et Mona soupira. Alain, son petit frère mort à deux ans pour avoir avalé de travers un quartier de pomme. Elle n'avait jamais compris comment une chose aussi bête avait pu se produire. « Il a fait une mauvaise route. Il n'y a rien à ajouter » tranchait Guillemette.

Sa mère repoussa la tristesse d'un coup de serviette et s'approcha d'elle. « Je peux te faire une confidence ? » Elle jeta un œil alentour, vérifiant que ne les espionnait aucun agent. « Séduis-en un autre » chuchota-t-elle. « Quoi ? – Oui, séduis-en un autre. Je ne te dis pas de le tromper. Seulement d'aiguiser sa vigilance. Si un autre te tourne autour, il va rappliquer vite fait. » Mona éclata de rire. « Comment crois-tu que j'ai fait avec ton père ? » continuait-elle. « L'inquiétude et paf ! Il me mangeait dans la main. Ah crois-moi ma petite fille, il n'y a rien de tel ! » Elle chassa une mouche et dans son mouvement renversa la théière qui se brisa sur le carrelage. « C'est pas moi. Elle est tombée toute seule. » Puis elle éclata de rire à nouveau, laissant sa fille consternée et ravie d'avoir une mère si fantasque.

Pour passer le temps, Mona feuilletait des livres, lisait quelques pages de Drieu ou Céline, ce qu'elle trouvait dans le salon, mais cela l'ennuyait. Elle finit par s'inscrire à la bibliothèque Bernheim, en centre-ville. Une femme d'une cinquantaine d'années aux cheveux argentés, assise derrière son comptoir, tamponna le roman qu'elle avait choisi : *Thérèse Desqueyroux*. « Vous avez un mois pour le lire. Si vous dépassez un peu, ce n'est pas très grave. » Mona remercia.

L'héroïne de Mauriac lui fit forte impression. Elle avait tremblé en lisant les mots du mari à sa femme :

« Vous n'avez qu'à écouter, qu'à recevoir mes ordres – à vous conformer à mes décisions irrévocables. » André n'était pas si dur avec elle, néanmoins il avait lui aussi cette manière de décider à sa place. N'était-ce pas le fait de tous les hommes ? Son ventre bombé vers l'horizon, Mona reposait le roman, s'en allait contempler la nature, parler aux oiseaux, ou s'offrir une sieste auprès de son perroquet de verre.

Deux semaines plus tard, elle retourna à la bibliothèque pour rendre le livre ; la femme de cinquante ans était toujours là. « Vous avez aimé ? – Oui, vraiment. » Elle sourit. « Vous en voulez un autre ? – Une prochaine fois. » Elle montra son ventre. « Je n'ai pas l'esprit assez libre, en ce moment. » La bibliothécaire hocha la tête. « À bientôt alors. Et bon courage. »

Nous sommes le 6 janvier 2017. Je reçois un mail d'Évelyne, très court, une flèche. Il m'annonce une « mauvaise nouvelle », c'est même l'objet du message. Je crois me souvenir d'avoir lâché tout haut un « Oh non, c'est pas vrai » que mes collègues auront entendu à travers la cloison qui ne filtre aucun bruit.

Je l'appelle. Elle devait être en déplacement, ou elle n'a pas entendu, ou encore ne se sentait pas la force de répondre. J'ai laissé un message dans lequel je disais combien cette nouvelle me chagrinait, combien j'étais sûre néanmoins qu'elle trouverait la force, avec les médecins, de se sortir de ce mauvais pas. J'ai enfilé des perles, comme tout le monde dans ce cas-là – que dire ? La chose juste eût été de la prendre dans mes bras. Elle n'était pas à Paris.

A commencé pour moi l'exercice de funambule. À sa demande, je continuais à lui envoyer des chapitres remaniés, lui posais des questions sur sa mère, la rencontre de ses parents, etc., etc. Mais je ne voulais pas la fatiguer. J'avançais de mon côté, attendant « le bon moment » pour échanger avec elle sur les ajouts. Elle m'a écrit : « Pourquoi ne m'enverrais-tu pas la suite ? », et peu après : « Je te répondrai plus tard. Je crois que j'ai quelque peu minimisé mes soucis de santé. » Je sentais la tristesse, et le courage qu'il lui avait fallu pour avouer cela, alors que tout son être était tendu vers le roman. Le mot qui revenait le plus entre nous, en dehors d'« amie », est ce que je considère aujourd'hui comme mon sésame, mon petit trésor immense : « confiance ».

J'espère un jour, quand moi aussi j'aurai soixante-quinze ans, tendre la main à une jeune femme de vingt-huit ; elle serait éditrice, romancière, étudiante, sans emploi, technicienne, agricultrice, rebelle, enceinte, amoureuse, divorcée, pleine de rêves, folle à lier, je l'appellerais « mon amie chérie » et lui dirais : « En avant pour la belle aventure ! Fonce ! En toi j'ai entière confiance. »

Septembre arriva avec ses fortes chaleurs. Les roses fanaient sitôt qu'elles étaient écloses. D'autres bourgeons pointaient, s'ouvraient, qui mouraient le soir même. Le cycle de la vie était désespérant. Mona avait le sentiment de ne servir à rien. Devant elle, son ventre grossissait, animé d'une force autonome qu'elle ne maîtrisait pas. En dehors de son ventre, il ne se passait rien, rien ! C'était effrayant. Les visites de sa mère coupaient un peu sa solitude, mais entre André au bureau et Lucie à l'école, les journées s'étiraient comme un gros chat. Le soir, son ronron déplaisant la hantait : « Et aujourd'hui, qu'as-tu fait ? Rien, rien, rien. » Dire qu'elle se rêvait médecin ! Elle n'était pas mauvaise à l'université. Peut-être aurait-elle redoublé sa première année, comme tout le monde ; elle se serait acharnée. Maintenant... Elle passait des heures à se faire des masques à l'œuf et au miel, elle enduisait sa peau de beurre de karité, se frictionnait au monoï. Elle avait hâte que naisse son bébé.

Un soir qu'elle se plaignait de ne pas le voir assez et de s'ennuyer, André lui annonça que se tiendrait bientôt le bal du gouverneur. Cela lui ferait un peu de distraction, n'est-ce pas ? Elle soupira. Que pourrait-elle bien y faire dans l'état où elle se trouvait ? Un bal où l'on ne danse pas est-il encore un bal ? « Tu vois, tu n'es jamais contente » rétorqua André en lui tournant le dos.

Une centaine de personnes avaient été conviées par le gouverneur. André soigna sa mise ; Mona choisit une robe large à taille empire, qui permettait à son ventre de plus en plus rond de ne pas étouffer. Malgré la fatigue, et surtout la chaleur, son visage restait adorable. Rosalie gardait Lucie.

Dans la salle décorée pour l'occasion de nappes impeccables et de rubans satinés, le gouverneur avait évoqué le statut de la colonie, les projets d'amélioration de la ville, la bonne entente entre communautés, la création prochaine d'un stade omnisports. « Et tout ça, avec quel argent ? » avait grogné à voix basse son mari. Puis on leur avait servi du champagne tiède, des petits fours à base de poisson et de fruit à pain, avant un dîner copieux et raté. Mona n'avait pas touché au civet de cerf, dont l'odeur lui retournait l'estomac, se contentant de mastiquer les morceaux mal cuits de patate douce. André parlait avec ses voisins de table. Il avait un avis sur tout, pouvait répondre à n'importe quelle question. À ce jeu, il était le meilleur. Et plus il parlait, plus elle le trouvait beau.

« Madame Desforêt ? » Sa voisine de table, grande bourgeoise au nez aussi luisant que ses souliers, venait de lui poser une question.

« Excusez-moi, j'étais dans mes pensées… Vous disiez ?

— Le terme, c'est pour quand ?

— Novembre.
— Oh, c'est merveilleux. Vous serez à la clinique du Bon Pasteur, j'imagine ?
— Bien sûr. »
Une fois le dessert terminé, le gouverneur se leva et claqua dans ses mains. L'orchestre qui avait pris place sur l'estrade entonna un air sautillant. Le gouverneur et sa femme ouvrirent le bal, puis l'ensemble des convives s'empara de la piste. André proposa son bras à Mona. Évidemment, elle lui fit non de la tête. « Tu m'excuses, alors. » Et il s'en alla tendre la main à l'épouse de l'administrateur avec lequel il avait rendez-vous le surlendemain. Mona suivait le ballet des autres avec fatigue – y a-t-il chose plus triste au monde qu'une fête à laquelle on ne peut participer ? Sous la peau tendue de son nombril, elle pouvait sentir l'enfant bouger – une autre danse, un autre bal, à l'intérieur de son corps.

L'orchestre se mit à jouer un air à la mode de Nat King Cole. Les couples s'enlaçaient sur la piste, remuant lentement au rythme du piano. *Is it only cause you're lonely...* Alors qu'elle commençait à bâiller, un homme s'avança vers elle. Brun, les yeux brillants, l'allure sportive. C'était la première fois qu'elle le voyait. « Madame, m'accorderiez-vous cette danse ? » Elle eut un petit rire en entendant la formule, délicieusement désuète. Poliment, elle déclina avec un large sourire, arrondissant sa main autour de son ventre. L'homme la salua, « Une autre fois alors », et il s'en fut dans la foule.

« Séduis-en un autre » lui avait dit sa mère. Elle chassa l'idée de sa tête.

J'ai relu l'un des tout premiers messages d'Évelyne. Il y est question du livre, évidemment, de ce que notre amitié commence à en faire, de sa crise d'insomnie de la veille, passée à lire les chapitres remaniés, parfois avec des fous rires.

Elle me manque. Je le dis autour de moi, encaisse les remarques des uns et des autres. « Une amie ? Mais vous vous connaissiez depuis combien de temps ? » Six mois. « Ah oui, pas beaucoup. » Les sentiments ne se chiffrent pas. *Ce qui compte*, disait Brel, qui avait lu Sénèque, *c'est l'intensité d'une vie, pas la durée d'une vie*. L'intensité d'une amitié, ça vous fait une joie pour mille ans, c'est comme un amour, ça vous rentre par le nombril et vous inonde tout entier. Ça ne se mesure pas en mois. « Elle était pas un peu vieille ? » Je me raidis. Les mots butent, incapables de décrire ce que je ressens. Des injures me viennent, qui ne passent pas mes lèvres – elles le devraient. « Donc tu es son éditrice, mais c'est toi qui écris le livre ? » Les regards se froissent et je ne sais que répondre : oui, c'est bizarre je sais, je l'écris avec elle, sans elle mais avec elle, ou plutôt je le termine, par-delà la nuit infinie. Vous comprenez ? C'est une autre façon de la serrer contre moi… La seule qui me reste. Pour tenir la plus belle des promesses.

J'ai l'impression de toucher de mes doigts la nuit. Elle est épaisse, vorace. Menace de m'engloutir. Je ne suis pas à la hauteur. Le texte n'est pas comme je le voulais. Pas assez fort, pas assez vivant. Il manque son rire à elle. Je vais réécrire tout ce qui ne va pas. Ne plus dormir s'il le faut.

Besoin de retrouver des traces. Les marques physiques d'Évelyne sur le texte. Les documents sont là, devant moi.

J'ai vis-à-vis du passé une attitude *antiquaire*, la formule est de Nietzsche, et ce n'est pas un compliment. Ma mémoire est une glu dans laquelle je me dépêtre en vain. En moi, trop de souci du passé. Une force qui va, disait l'autre ; je n'y suis pas.

Je crois entendre la voix d'Évelyne et, mêlée à la sienne, celle affaiblie de mon père, de mes oncles, de ma grand-mère. Les portes du néant s'ouvrent les unes sur les autres ; chaque deuil est relié aux précédents, relié aux futurs, et c'est une béance que je ne cesse d'élargir.

J'ai rouvert le tiroir où je cache mes boîtes à secrets. Ressorti les notes manuscrites d'Évelyne sur le fameux document intitulé « pistes de travail ». De nouveau le parfum âcre de tabac et de papier. Les feuilles sont froides, vraiment froides, et cela me fait presque peur.

Je ne peux rien jeter. Elle a découpé des articles de journaux, griffonné des choses sans intérêt. Je sais que je garderai tout.

Lorsque j'étais petite, ma mère faisait des confitures. Mon père se chargeait des étiquettes – sa modeste contribution ménagère. De sa belle écriture déliée, il inscrivait : *Figue*, *Cerise*, *Framboise* et ma préférée, *Rhubarbe*. Il est mort quand j'avais quatorze ans. Après l'enterrement, j'ai cherché tous les pots qui portaient encore la trace de sa main. Puis j'ai décollé les étiquettes, une à une, avec la gravité d'un orfèvre. L'encre était bleue, noire, parfois verte. *Groseille*, *Fraise*, *Abricot*. Litanie de fruits qui ramenait mon père d'entre les morts. De simples étiquettes. Elles sont aujourd'hui alignées sur un grand bristol à petits carreaux, pareilles aux papillons piqués par l'entomologiste. Je n'y touche plus.

Le samedi 11 novembre 1950, le gouverneur organisa une journée de commémoration de l'armistice. « Hommage à nos soldats de la Première Guerre mondiale » indiquait une banderole. Tous les hauts fonctionnaires, ainsi que leurs familles, avaient été sollicités pour participer à l'hommage national. Les enfants devaient faire des dessins, chanter *La Marseillaise*, écrire des poèmes. Une fête capitale pour André car elle consacrait, indirectement, son héros de Verdun.

Lucie, à la demande des sœurs de l'école Saint-Joseph de Cluny, récita les quatre vers composés par ses soins en l'honneur de son père :

Dans le froid, dans l'horreur,
Condamnée au pain rance,
Ma patrie n'eut pas peur
Car son nom était France !

Un banquet fut donné à l'hôtel de ville. Yvon et André se retrouvèrent au milieu des plus hauts membres des autorités et, par précaution, s'assirent loin l'un de l'autre. Guillemette avait préféré rester à la maison. Mona s'était inquiétée : « Mais qu'est-ce qu'elle va faire toute seule ? » Yvon avait levé les yeux d'un air dépassé : « Elle peint ! »

Mona n'écoutait que d'une oreille la conversation des hommes. Elle se sentait lourde, épuisée par l'approche de l'accouchement. « La création d'Israël, mais quelle erreur ! » se lamentait son mari. « En seulement deux ans, on voit déjà les dégâts. » Un homme en uniforme approuva.

« Le Royaume-Uni les a bien aidés !

— Ne m'en parlez pas ! J'ai toujours dit que les Anglais étaient nos vrais ennemis. On se souvient tous de Mers el-Kébir...

— Une honte !

— Un crime. »

André se tourna vers Mona. « Tu t'en souviens ? Plus de mille morts côté français. Les beaux salauds ! » Mona lui répondit par un sourire qui ressemblait à une grimace. Elle se moquait bien de Mers el-Kébir ; son ventre vivait un combat qui valait tous les faits d'armes des hommes. André siffla son verre et d'un geste définitif serra la main du militaire. Commémorer 1918, c'était encore parler de 1940.

Pendant que les hommes refaisaient le monde et les guerres, elle sentit son ventre se contracter. Elle laissa échapper un premier cri de douleur. Dans le brouhaha général, personne ne l'entendit. Le bébé lui semblait plus lourd que jamais. « André... » Il finit par tourner la tête vers elle. « Je ne me sens pas bien... » Son visage livide l'inquiéta. Un nouveau cri lui échappa, qui fit lever les têtes. Il s'excusa auprès de ses collègues, fit signe au chauffeur canaque et récupéra Lucie qui s'ennuyait sagement au milieu des autres enfants.

À la villa aux Oiseaux, Rosalie s'occupa immédiatement de Mona. Elle prépara des bassines d'eau chaude, des linges, des ciseaux, de l'alcool. « Pour si jamais on aura pas le temps de vous emmener au Bon Pasteur. » Mona faisait non de la tête : ce ne serait pas pour tout de suite, elle le sentait. Mais la douleur était déjà terrible. Lucie pointa son petit visage dans la chambre, inquiète pour sa mère, terrorisée par la paire de ciseaux qui brillait au soleil. « Maman… » murmura-t-elle. « Tout va bien, Lucie. S'il te plaît, ne reste pas là. Va jouer dehors. Tiens, pourquoi tu n'irais pas jusqu'au sémaphore, hein ? » et elle cria, reprise par les contractions.

Le ciel était brûlant et le phare lançait des éclairs métalliques. Lucie s'avança sur le sentier de terre. Tout était calme ; les Blancs du coin terminaient la fête en ville ; les Canaques étaient invisibles. Arrivée au sémaphore, elle s'assit dans l'herbe, curieuse de la vie des bateaux qui guettaient ses signaux la nuit. Elle imaginait des pirates balafrés et des princesses amoureuses de leur geôlier, des capitaines à la longue barbe grise, des matelots cruels et alcooliques. Soudain, elle sursauta. Elle venait d'entendre quelque chose, une sorte de respiration mêlée au crissement d'une roue. Elle se releva, prête à fuir, quand elle découvrit une brouette chargée de rondins de bois, devant laquelle se tenait un homme aux cheveux sales. C'était Timea, le boy des voisins. Il sortait de la réserve du phare et n'avait aucune raison d'être là. Lucie aperçut le pied de biche qui lui avait permis de forcer l'entrée. Leurs regards se croisèrent une seconde et cela suffit.

Timea balbutia : « Non, s'il te plaît... » Mais Lucie déjà tournait les talons.

La pente lui arracha des halètements de bête sauvage. Elle crut entendre Timea courir derrière elle, il la tuerait s'il la rattrapait, elle accéléra le pas, vite, oublier les cailloux, les herbes qui fouettaient les mollets, échapper au voleur, et cette fois pas pour jouer. Elle arriva chez elle à bout de souffle, les joues rouges, les yeux blancs de terreur. « Papa ! Papa ! » Il n'était pas en bas. Elle gravit les marches aussi vite qu'elle le put, fonça dans la chambre. Sa mère était toujours allongée sur le lit, le visage blême, et gémissait. André était à son chevet. « Papa ! hurla plus fort la fillette. J'ai vu un voleur en bas ! Au sémaphore ! Je sais qui c'est ! » Il se redressa. « Raconte. » Elle raconta. Mona pleurait maintenant, tant les douleurs s'accéléraient.

« André, emmène-moi... La clinique !

— J'appelle le chauffeur, ma chérie. Tout de suite... Il a volé le bois du phare ?

— Pardon monsieur, se risqua Rosalie, mais votre dame elle est pas bien. Le voyage pas bon pour elle...

— Rosalie, je ne vous ai rien demandé. Occupez-vous de Lucie et je me charge du reste. »

Puis, se tournant une dernière fois vers sa fille : « C'est Timea, tu es sûre ? » La petite hocha la tête, grandie par le regard fier de son père.

Les ténèbres avaient enveloppé la villa sans qu'André et Mona soient rentrés. Lucie se trouvait seule avec Rosalie et ses cauchemars. Si sa mère mourait en couches ? Si le bébé sortait bleu, étranglé par le cordon, comme c'était arrivé à la sœur minuscule d'une camarade ? Et Timea ? Elle commençait à craindre pour lui aussi. Voler du bois, était-ce très grave ? Elle ne savait plus et sanglotait. Rosalie la serra contre elle. Son corps ample et rassurant, alcôve de chair, était plus chaud que celui de Tibaï. « Tu veux que je te raconte une histoire ? » Elle hocha la tête. « Dans ma tribu, on appelle ça la légende de Païla. » Rosalie la tenait de sa mère, laquelle la tenait de sa grand-mère, qui la tenait de son arrière-grand-mère, et que le monde entier tenait des femmes depuis la nuit des temps.

Il était une fois une île belle et douce...

Il ne fallait pas s'y fier. La fable était atroce. Frappée par le déluge, l'île se dépeuplait violemment. Une femme, Païla la brune, se savait condamnée mais devait à tout prix sauver des eaux ses enfants, deux fils. Alors que la montagne sur laquelle elle s'était réfugiée s'effondrait, elle s'enroula autour des corps fragiles et les protégea de sa chair. Quand ils se réveillèrent, les petits crurent que le sang de leur mère était du lait. Ils tétèrent. Ils survécurent.

« La vie, toujours c'est la plus forte » conclut la nourrice. Lucie continuait de pleurer. « Et leur maman ? Elle est morte, elle ! » Rosalie embrassa les cheveux sable et pressa sa joue noire contre la joue blanche. « Elle est morte, oui. Mais on a enterré son corps dans la montagne. Et sur la montagne, c'est le plus beau et le plus grand des arbres qui y'a poussé. Je te dis Lucie, la vie, toujours c'est la plus forte. »

Vers deux heures du matin, un bruit réveilla la nourrice. Cela venait de la cuisine. Elle se leva précipitamment, saisissant au passage un bâton qu'elle laissait toujours à côté de son lit pour chasser les serpents ou les rats. Une ombre menaçante s'engageait par la fenêtre et elle allait abattre son bâton lorsqu'elle reconnut la figure de Monsieur. « Rosalie ! C'est moi ! » André Desforêt avait les traits tirés. Il sauta sur la table à côté de la fenêtre et en descendit en soufflant. « J'ai oublié mes clés. » Il fit tomber des casseroles, qui résonnèrent sur le carrelage avec fracas. Au même moment, une silhouette s'avança timidement. « Ma chérie, je t'ai réveillée. » Dans son petit pyjama bleu, Lucie avait les yeux gonflés de sommeil. Elle tenait ses doigts crispés contre son ventre et n'osait pas demander pourquoi sa mère n'était pas là. Son père avait les yeux exorbités. Il remplit un verre d'eau les mains tremblantes. Il n'était pas dans son état normal. Rosalie recula d'un pas, prête à entendre la mauvaise nouvelle.

« Tout va bien ! »

Il s'assit lourdement sur l'une des chaises et claqua une main sur sa cuisse. « Oui, tout va bien. » Soulagée, Rosalie chuchota : « Merci mon Dieu… » et baisa sa croix en or. Un enfant qui naît est une bénédiction. Lucie ne parvenait pas à parler, paralysée par l'émotion. Alors c'était vrai ? Elle avait pour de bon un petit frère ? Son père la prit dans ses bras et lui annonça victorieux : « C'est un garçon ! » La nourrice laissa éclater sa joie. Ce furent des rires, des embrassades, des tendresses. « Ta mère est fatiguée mais elle se remettra vite. » Merci, mon Dieu, merci, chuchotait Lucie pour elle-même. Elle se sentait importante. Grande sœur n'était pas n'importe quelle responsabilité. « Il y a autre chose » déclara André. Une fierté nouvelle illuminait ses yeux gris. « Timea est en prison ! » Lucie releva la tête. « On n'allait pas laisser faire ça, ah non. C'est grâce à toi que le coupable a été arrêté. Le gouverneur et moi-même te félicitons. » Sur le visage de Rosalie, le sourire se figea.

Évelyne insistait. « Ma mère voulait absolument avoir un garçon. » Ce n'était pas seulement une exigence paternelle. Pour une femme, un fils valait toutes les consécrations.

Des siècles et des siècles bâtis sur cette vision du monde. Il faut en prendre la mesure pour comprendre la révolution menée par les femmes de cette époque. Le premier chambardement était d'ordre interne. Tant que les femmes ne changeraient pas elles-mêmes, rien ne pourrait se produire. Et quoi de plus difficile que de renoncer au confort, si étouffant soit-il, de l'habitude ancrée depuis l'aube humaine ?

Olympe de Gouges restait dans les mémoires, mais finalement, une question demeurait : pourquoi la bataille des femmes commençait-elle vraiment au XXe siècle ? Qu'avait-il de particulier pour justifier ce bouleversement ? On répondra : l'avancée de la science, les guerres qui ont mis les femmes au travail, l'accélération des échanges et ce, au niveau international. Tout ce que l'on pourrait appeler « l'existence d'un possible ». Oui il serait possible un jour, par la science, de contrôler son corps, ses grossesses,

ses désirs. Oui il serait possible un jour de travailler comme les hommes – en temps de crise, ne l'avaient-elles pas fait ? Oui il serait possible de s'inspirer des Anglaises et des Américaines – les suffragettes n'avaient-elles pas inspiré la France ? Ce qui est possible existe déjà. C'est là, me semble-t-il, le secret merveilleux de la fiction.

Il était né par césarienne au beau milieu de la nuit. « Il s'appellera Pierre. Comme Drieu la Rochelle ! » avait claironné André. La fillette considéra avec étonnement le nez minuscule et rose de son frère, ses joues colorées, ses doigts plus délicats que des pétales de fleurs. À sa vue, elle pensa aux chatons qu'elle ramassait autrefois dans les rues de Nice, si maigres, si fragiles, et fut surprise qu'un garçon, dont ses parents ne cessaient de proclamer la valeur, ne soit pas plus grand et fort. On fit une photo de famille. Sur le cliché aujourd'hui disparu, Mona souriait à l'objectif d'un air triste, pressée par le bras de son mari qui jamais ne fut plus beau.

Le lendemain, tandis que Mona se remettait lentement, André accompagna Lucie à l'école pour annoncer à la directrice la naissance de Pierre. « C'est une bénédiction ! s'enthousiasma sœur Marie de Gonzague. Lucie, je te laisserai annoncer l'heureuse nouvelle à tes camarades. »

Dans la classe, la religieuse la fit monter sur l'estrade et l'encouragea d'un grand sourire. L'immense tableau noir dans son dos s'étirait comme une flaque d'encre. Lucie murmura : « Je viens d'avoir un petit frère. » Les autres élèves poussèrent des « oh » et des « ah » timides. « Vous entendez ? reprit la religieuse. Lucie vient d'avoir un petit frère ! » Comme s'ils n'attendaient que ce signal, tous les enfants se levèrent et se mirent à applaudir. Lucie ne comprenait pas, on l'applaudissait pour la première fois de sa vie, les mains battaient de plus en plus fort, elle saisit un « bravo ! » au fond de la salle, et un autre, et encore un autre, sans que la vague s'arrête. Gênée d'abord, elle commença à sourire, puis, contaminée par la bonne humeur générale, se mit à rire elle aussi, avant de claquer ses mains avec force – un petit frère, bravo, bravo ! La scène se rejoua toute la matinée. Dans chaque classe où s'arrêtait sœur Marie de Gonzague, Lucie annonçait la bonne nouvelle et les enfants applaudissaient. Lorsqu'elle arriva devant le bâtiment réservé aux Canaques, l'enseignante lui fit signe de se taire. Elles entrèrent par une porte de service et, silencieusement toujours, s'approchèrent.

Par la grande fenêtre, Lucie les vit. Ils étaient au moins quarante, entassés les uns sur les autres, indisciplinés, sales et joyeux. Eux aussi portaient l'uniforme, mais aucun n'avait de chaussures. Un petit garçon récupéra un crayon avec ses doigts de pieds et le fit sauter à hauteur du bureau. Des filles, au fond de la salle, se tiraient violemment les cheveux, pendant qu'une autre, très grosse, attaquait sa troisième banane. Un brouhaha de français et de canaque parvenait aux oreilles, dans lequel perça soudain un rot sonore, lâché par la petite boulotte. Lucie fit une grimace de dégoût. « Tu vois, chuchota la sœur au menton fripé, voilà des choses que l'on ne verra jamais chez les Blancs. » Et elle l'entraîna vers la sortie.

Comme André Desforêt, sœur Marie de Gonzague croyait en l'inégalité des races. Le spectacle de ces *sauvages* était à ses yeux un argument suffisant. Depuis de nombreuses années, les pères maristes tentaient de les faire progresser grâce à l'enseignement religieux, mais le chemin serait long. La nonne sourit à Lucie. « Dieu a fait ainsi les hommes. Différents les uns des autres. » Elle ne lui parla pas des terres canaques spoliées par les colons ou des bidonvilles dans lesquels s'agglOméraient comme des grappes les familles, et où le Christ n'avait envoyé ni l'eau courante ni l'électricité.

Malgré cet épisode dérangeant, Lucie s'imposa comme l'héroïne du jour – un sentiment nouveau pour elle, agréable et troublant. Lorsqu'elle raconta à sa mère sa folle journée, Mona, qui allaitait justement le bébé, eut un de ses merveilleux sourires et dit : « C'est parce que c'est un garçon. »

Lucie ne saisissait toujours pas.

« Avoir un garçon est un gage de pérennité, expliqua son père. Un homme garde son nom, même quand il se marie. Pierre Desforêt sera toujours Pierre Desforêt.
– Et moi, je serai quoi ? » André haussa les épaules. « Madame… Madame Quelque chose. Tout dépendra du mari que tu dénicheras ! »

Lucie se sentit vaciller. Si un homme valait toujours mieux qu'une femme, alors Timea le voleur valait mieux qu'elle, le garçon qui ramassait son crayon avec les doigts de pieds aussi.

« Voyons, ne dis pas de sottises ! Une fille blanche vaudra toujours plus qu'un garçon noir, ou jaune. Et toi, tu es la plus jolie des petites filles. Blonde comme le soleil, ma chérie…

— Plus tard, surenchérit Mona, tu trouveras sans mal un homme à ta mesure… Puissant. Intelligent. Courageux.

— Un homme comme papa ! »

La réponse de Mona se confondit avec une grimace. De sa bouche minuscule, Pierre venait de lui déchirer le téton.

Simplicité du principe régissant depuis toujours la société : les femmes sont inférieures aux hommes. Les premières cédaient naturellement aux seconds leur nom, leur patrimoine, leur corps, leurs ambitions. Rares étaient celles qui embrassaient un destin individuel. Des exceptions existaient pourtant. « Jeanne d'Arc, d'abord… » La Pucelle d'Orléans, courageuse aux cheveux blonds, était l'héroïne nationale absolue, à la fois féminine et patriote, guerrière et obéissante – un flambeau dans le cœur des hommes. André s'éclipsa une minute puis revint du salon avec un livre qu'il agita sous le nez de sa fille. « Tu es assez grande pour comprendre, maintenant ; au moins pour essayer. C'est de mon ami Maurras. » Lucie retint un cri d'étonnement. *Morace* était donc un ami de son père ! Tout s'éclairait enfin ! Et elle qui croyait depuis toutes ces années qu'il s'agissait du *mot race*… « Écoute bien. *Les puissances morales et religieuses, au premier rang de toutes, la religion catholique, représentent un bienfait de première valeur, et l'un des devoirs capitaux de la Monarchie est de les servir. Mais l'organisation religieuse ne suffit pas à tout : sainte Jeanne d'Arc elle-même constitue ou plutôt reconnaît le Roi de la terre de France régnant au nom du Roi du Ciel...* Tu vois. La grandeur de la France, c'est sa monarchie. Pas cette saleté de République. Jeanne d'Arc ne s'y était pas trompée, elle. » Pierre se mit à geindre et remuer, les paupières plissées par la douleur de la digestion. « Mon bébé, mon bébé.... » chuchota Mona. André caressa les cheveux de sa femme puis pointa son index vers Lucie. « N'oublie pas non plus la Vierge Marie. Douce et dévouée... Marie est à la fois vierge et mère, c'est la plus belle des figures féminines. » Lucie fut prise d'un doute. La Vierge Marie lui plaisait bien, mais la Pucelle d'Orléans avait tant de courage, elle servait si bien la France, qu'elle lui semblait plus noble encore. Elle se planta devant son père. « Qu'est-ce que tu préfères ? Que je sois vierge ou pucelle ? »

Très rapidement, Pierre fut laissé aux bons soins de Rosalie. Depuis que Mona avait accouché, retrouvant une intimité avec son homme, la grosse domestique lui semblait moins dangereuse. Les Magalas venaient souvent leur rendre visite, eux qui regagneraient Nice dans quelques mois ; Mona en profitait pour montrer à son père le bulletin scolaire de Lucie, première en lecture et en écriture. « Il faut qu'elle travaille ses mathématiques » commentait-il en fronçant les sourcils. Mais Yvon était fier de la petite, comblé par Pierre et satisfait de son propre travail. Il partirait en laissant la filiale de Nouméa à son meilleur niveau, heureux de ce dernier tour de piste, avec le sentiment du devoir accompli. Quant à Guillemette, elle accumulait depuis quelques semaines d'affreux tableaux, s'étant brutalement prise de passion pour la peinture au couteau. La légèreté enveloppait Mona – un voile de coton posé sur ses épaules.

Elle profitait de ses moments libres pour aller se baigner, se promener en ville, faire les magasins, flâner à la bibliothèque Bernheim. Un matin, elle entra alors que la femme aux cheveux argentés faisait visiter les lieux à un couple. « La structure en fer que vous observez ici a été créée par Gustave Eiffel. C'est Lucien Bernheim, un Alsacien qui possédait des mines de chrome et de cobalt, qui a fait un don à la ville. La bibliothèque a été créée en 1909. » Mona écouta avec intérêt et croisa le regard de la femme. Elles se saluèrent de loin. Une fois le couple parti, la quinquagénaire approcha. « Je vois que vous avez accouché. Tout s'est bien passé ? – Oui, merci. C'est un garçon. » La femme fit la moue.

« C'était important ?

— Pardon ?

— Que vous ayez un garçon, c'était important ?

— Ah… Euh… Oui… Enfin. J'ai déjà une fille, alors… »

Elle suspendit sa réponse. La bibliothécaire la regardait droit dans les yeux. « Vous cherchez un livre ? » Mona baissa la tête. « Non… Oui… Enfin, rien de précis…

— Vous voulez un roman, un essai ?

— Oui.

— Oui quoi ? »

Mona se mit à rougir. « Oui, un essai ? » tenta la femme. Elle hocha la tête, incapable de dire ce qu'elle était venue chercher. « Vous avez un thème de prédilection ? Une période historique qui vous intéresse ? »

La bibliothécaire comprit qu'elle cherchait quelque chose dont elle ignorait elle-même la teneur. « Bon. Vous me laissez choisir ? » Mona répondit par un oui minuscule. « J'arrive tout de suite. » La quinquagénaire disparut dans les rayons. Mona se sentait ridicule. Depuis quand avait-elle honte d'elle-même ? De son manque de culture ? De son savoir parcellaire ? Depuis quand n'osait-elle plus demander, affirmer, imposer ? L'avait-elle jamais fait ?

« Voilà votre livre ! À moins que vous ne l'ayez déjà lu. »

Mona regarda la couverture beige, ornée d'un cadre rouge et noir, et fit non de la tête. *Le Deuxième Sexe* de Simone de Beauvoir. Elle eut l'impression que le livre lui brûlait les mains ; André détestait Beauvoir, détestait Sartre, détestait les communistes. Il la détesterait de lire ça. « Ouvrez-le. » La bibliothécaire insista avec un sourire très doux. Mais Mona ne bougeait pas. « Tenez. Lisez juste les deux épigraphes, au début. » Tremblante, Mona tourna les premières pages avec une excitation coupable.

Il y a un principe bon qui a créé l'ordre, la lumière et l'homme et un principe mauvais qui a créé le chaos, les ténèbres et la femme.

Pythagore

Tout ce qui a été écrit par les hommes sur les femmes doit être suspect, car ils sont à la fois juge et partie.

Poullain de la Barre

Personne n'a jamais cru qu'une phrase pouvait changer une vie. Mais deux ? Mona referma le livre et leva les yeux. « Je le prends. »

À l'ombre d'un cocotier, face à l'eau bleue de l'anse Vata, elle commença la lecture. Les phrases étaient denses, théoriques, d'une intelligence inouïe. Inventer la femme. En finir avec la vision dominatrice des hommes. Mona ne comprenait pas tout mais était fascinée. Les phrases appelaient les phrases, vertige des idées. Pendant trois jours, elle revint à l'anse Vata. Elle ne fit que ça. Lire. Au quatrième jour, tandis qu'elle achevait sa lecture, elle sut. La voix de Simone de Beauvoir avait allumé des feux en elle. Quelque chose se passait. Elle rangea le livre dans son sac et pénétra dans le lagon.

Le soleil de début d'après-midi brûlait tout. Sous son ventre, des poissons argentés chassaient le plancton. Elle s'éloigna du bord, plongea, fit quelques longues brasses. Au même moment, des chevaux se profilèrent sur la plage. Ils étaient trois ou quatre, guidés par leurs cavaliers. Elle se rapprocha pour les contempler, sortit à moitié de l'eau. Ses cheveux mouillés lui dessinaient une tresse naturelle sur l'épaule. L'un des cavaliers s'arrêta et fit demi-tour.

Mona le reconnut immédiatement. « Il me semblait bien que c'était vous » dit-il. L'homme du bal. Elle lui répondit par un rire gêné, enfantin. Ils se dévisagèrent une seconde. « Alors comme ça vous faites du cheval ? » On ne pouvait imaginer question plus idiote. L'homme sourit. « C'est moi qui dirige le club de Magenta. Vous aimeriez venir, un jour ? Je pourrais vous apprendre à monter. » Elle se sentit vaciller. « Quand vous voulez, bien sûr… » ajouta-t-il. Son maillot de bain dévoilait sa poitrine lourde perlée de sel, ses jolis bras, ses petits défauts. Lui avait toujours ces yeux brillants qui plongeaient au fond de vous et activaient un drôle de tic-tac dans le cœur. Elle mit une main en visière pour se donner une contenance. L'homme du bal était là, il l'invitait. Les pensées les plus confuses se pressaient dans sa tête. André serait fou… Elle leva la tête. Fut la première surprise en s'entendant répondre d'une voix forte : « Demain. »

Deuxième partie

Deuxième partie

Que peut la littérature face à l'absolu du vide ? Quel est ce plein dont elle prétend nous combler ? J'ai beau travailler dans les mots, autour des mots, entre les mots, je n'ai pas la réponse. Vivre une autre vie, donner du rêve, faire rire et pleurer, laisser une trace, peindre le monde, poser des questions, ressusciter les morts, voilà le rôle des livres, dit-on. Offrir la consolation de la beauté. C'est peu ; c'est immense.

Évelyne est morte. Tout le roman vient d'elle, comme l'enfant vient de la mère, et pourtant elle ne le verra pas. C'est une injustice inexplicable.

Jeudi 12 janvier 2017, 19 h 25. Nous savons déjà qu'elle est malade. Mais la renvoyer continûment à ça, et quand j'écris « ça », je veux dire l'état de patiente, est chose impossible. La faiblesse ne lui va pas du tout. Elle vient d'ailleurs de m'écrire un mail dans lequel elle parle du livre – aucun autoapitoiement – et insiste : il faudra que je vienne la voir dans sa maison du Sud. Je lui réponds.

Ma chère Évelyne,

Super ! Je descendrai à Sanary au moment où ce sera le plus simple et facile pour toi. Avec plaisir.

Je t'envoie donc le début du chapitre de la partie Nouméa. Mon travail pour l'instant va jusqu'en haut de la page 9, avant le passage surligné en bleu fluo. C'est encore un work in progress, à tous les niveaux.

Mais des scènes commencent à se dessiner.

Je t'embrasse fort.

Caroline

Je suis « descendue » à Sanary un mois plus tard, pour ses obsèques.

« Demain » avait dit Mona. Sur la plage de l'anse Vata, les autres cavaliers se rapprochèrent. Elle ne les vit même pas. « Eh bien demain, entendu, répondit l'homme du bal. En fin de matinée ? » Oui, en fin de matinée. Avec son polo blanc, il aurait pu être anglais. Elle s'imprégna de son allure nette, athlétique, et détailla sa main. Pas d'alliance. Leurs pupilles se croisèrent, un dernier sourire, et elle plongea dans le lagon.

Sous l'eau, les yeux ouverts, elle vit le monde tel qu'il était : flou, ondoyant, irrespirable et beau.

Elle rentra à la villa aux Oiseaux avec le visage rose des adolescentes. Les araucarias du jardin dressaient leurs pointes vers le ciel, les fleurs des flamboyants tournoyaient comme des offrandes. Mona riait toute seule, heureuse et paniquée de son audace. Agir selon ses désirs était si neuf pour elle, et qu'importaient Dieu, la morale et André.

Rosalie, qui préparait déjà le repas des enfants, la dévisagea d'un drôle d'air. « Tout va bien, madame ?
– À merveille ! Oh, qu'est-ce que vous leur faites de

bon ? » Elle trempa un doigt, goûta la purée de fruit à pain, un délice. Annonça ensuite qu'elle allait cueillir des mangues pour le dessert. Le soleil commençait à baisser et se teintait d'or. Elle sortit dans le jardin. Ses pieds nus sur l'herbe, les parfums dans l'air. Au loin l'océan. Les branches du manguier touchaient presque terre. Elle choisit deux fruits mûrs et s'assit près des hibiscus. C'était une si belle journée.

Le lendemain, après le départ d'André et Lucie, elle passa une robe jaune cintrée à la taille. Choisit des escarpins noirs. Cheveux noués en chignon, vernis à ongles impeccable, deux couches de rouge à lèvres coquelicot. L'idée qu'elle se faisait d'une femme fatale. Alors qu'elle allait demander à Toussaint, le chauffeur canaque, de préparer la voiture, Rosalie frappa à sa porte. « Madame, petit Pierre y veut vous. » Le visage contracté, le bébé hoquetait entre deux sanglots. Mona le prit dans ses bras, baisa son front rougi – « mon joli bébé… ». Il se calma en quelques minutes, commença à téter son pouce et ferma les yeux. Avec précaution, elle le rendit à la nourrice. Pierre se réveilla aussitôt et les cris recommencèrent. « Écoutez, Rosalie. Je ne peux pas m'occuper de lui maintenant. Je sors. » La Canaque hocha la tête mais ne bougea pas, les yeux rivés à sa robe. « J'ai un cours d'équitation. » Elle s'en voulut aussitôt – elle n'avait pas à se justifier, pourtant cela avait été plus fort qu'elle. « D'équitation ?… » La domestique s'arrêta aussitôt. « Pardon, madame. Oui, madame. » Elle fit demi-tour, l'enfant dans ses bras.

Mona regarda ses escarpins. Elle s'était trahie toute seule. Nerveuse, elle rangea ses chaussures dans leur boîte, défit la ceinture, glissa la robe jaune sur un cintre. Elle fouilla dans l'armoire, dénicha une jupe longue, bleu marine, un chemisier blanc, des bottines en daim achetées à Paris qu'elle ne mettait jamais. Puis elle se planta devant la glace, défit rageusement son chignon, se passa une main dans les cheveux pour leur redonner forme, prépara un coton pour se démaquiller, suspendit son geste : bouche sang et blondeur libérée – la femme fatale était celle qui lui souriait dans le miroir.

Le club hippique était situé derrière la plage de sable gris de Magenta. Un long chemin rectiligne menait aux bâtisses, sur lesquelles des acacias dessinaient des ombres. Mona ordonna à Toussaint d'arrêter le véhicule au niveau du portail. « Je me débrouillerai pour le retour. Rentrez. » Le chauffeur d'André voulut protester ; elle l'arrêta d'un regard. Il s'exécuta, la laissant seule sur la terre battue.

Le soleil de midi écrasait le paysage. Dans ses bottines en daim et sa jupe longue, elle étouffait. La peur et l'excitation troublaient ses pensées, mais elle avança. Elle passa une tête dans le petit bureau qui indiquait « accueil ». Personne. Elle fit le tour, s'approcha de l'écurie. « Excusez-moi… » Une jeune femme releva la tête.

« Madame. Que puis-je pour vous ?

— Je… Je cherche le propriétaire du club. Nous avions rendez-vous.

— Il n'est pas encore rentré… Voyons voir… »

Elle se dégagea de la jument qu'elle soignait et regarda sa montre. « Il devrait être là d'ici une heure, une heure et demie. Vous voulez l'attendre ? »

La fille – elle ne devait pas avoir plus de vingt ans – avait de la paille dans les cheveux, de grands yeux noirs, un beau sourire. Mona sentit sa gorge se serrer. Évidemment. Que croyait-elle ? Qu'un homme comme lui serait seul ? Le découragement l'envahit. Que faisait-elle là ? Elle croisait un homme sur la plage et oubliait tous ses devoirs ? Ne devrait-elle pas être plutôt près de Pierre ? Et Lucie, qui rentrerait bientôt de l'école. Tibaï autrefois, Rosalie aujourd'hui s'occupaient toujours de tout. Était-ce cela, être mère ?

« Je repasserai, merci. »

Au même moment, la jument releva la tête. Mona croisa son œil d'amande souligné par un trait de khôl. Une douceur infinie émanait de la bête. « Allez-y » dit la fille. Mona glissa ses bras autour de l'encolure, colla sa joue contre la crinière. C'était chaud, doux et râpeux à la fois. « Dune. La petite chérie du club… – J'aimerais la monter. » L'animal avait un corps couleur ébène, tranché par une crinière et une queue blanc cassé. « Chocolat crins lavés. » Mona écarquilla les yeux. « C'est le nom qu'on donne à cette robe. » Avec un sourire, la fille lui tendit la brosse : « Je vous laisse la préparer vous-même ? »

Pendant une heure, Mona oublia tout. L'homme, André, ses enfants. Guidée par Jeanne, elle soigna la jument et la brossa longuement. Dune, qui faisait onduler sa crinière avec nonchalance, concentrait toute son attention. C'était la première fois qu'elle parlait à un animal, et dans cette conversation tissée de murmures et de hennissements tranquilles, elle goûta l'apaisement. Le bruit d'un moteur rompit l'harmonie de l'instant. « Ah ! dit Jeanne. Ce doit être mon oncle. » Elle sortit l'accueillir. Le cœur de Mona bondit. « Mon oncle » ? Mon oncle !

Elle avait retrouvé tout de suite son allure athlétique, ses yeux brillants. Après un baiser sur la main, il l'avait aidée à seller Dune. « C'est la première fois que vous montez ? » Son « oui » s'était fait timide. « Tout se passera bien, je vous assure. » Il posa ses mains autour de sa taille et la hissa sur la jument. « Votre jupe risque de vous gêner. La prochaine fois, mettez un pantalon, vous serez plus à l'aise. » Elle rougit. « Je n'ai pas de pantalon. Vous savez bien que… – Je sais bien que. Mais pour monter à cheval, vous avez le droit. Il y a une boutique d'équitation à Nouméa. Je vous donnerai l'adresse. »

Ce fut leur première promenade sur la plage de Magenta. Dune avançait docilement. La mer d'huile brillait, frôlée par moments par les alizés qui ridaient sa surface. Les chevaux au pas leur donnaient le loisir d'admirer les couleurs de l'eau, la montagne qui se détachait au loin. Parfois, des palmes de cocotier les effleuraient. Mona se sentait en confiance. La discussion était naturelle. Lui détaillait sa mission auprès du gouverneur, au bureau de la sécurité, l'art de concilier son travail et sa passion du cheval. « Pas de femme. Pas d'enfants. Cela me laisse du temps. » Elle voulut savoir pourquoi il n'était pas marié. « La guerre. J'ai fait partie d'un groupe de résistants dans le Vercors. À cette époque, j'avais du mal à penser au lendemain. » De Gaulle, qu'il avait servi et continuait à servir en diffusant ses idées, restait son modèle. Elle ne lui demanda pas s'il s'entendait avec André, n'imaginant que trop leurs différends. Elle préféra parler de ses enfants, de l'émerveillement qu'ils lui offraient chaque jour. Le soleil versait sur eux sa pâte épaisse.

La promenade s'acheva en début d'après-midi. Ils ne s'étaient pas touchés. La parole avait pris toute la place et agi comme un écran – éventail pudique derrière lequel cacher son émoi. Ce fut pour Mona une douleur inattendue. Sa peau réclamait celle de l'autre. Terrible était le manque de ce corps nouveau auquel elle n'avait goûté que par l'imagination.

Quand elle retrouva la villa aux Oiseaux, raccompagnée par le chauffeur du club, André était déjà rentré du bureau. Ce fut comme si elle le voyait pour la première fois. Ses cheveux blancs comme un panache, ses traits réguliers, sa stature. Elle voulut oublier sa promenade à Magenta. Oublier son audace. Qu'y avait-il de mieux que de s'abandonner dans les bras de son mari ?

Dans le premier jet du manuscrit d'Évelyne, alors qu'elle raconte ses quinze ans et sa rentrée de première, on peut lire : « Finis les uniformes, et merci enfin pour le droit au pantalon ! » 1956. Les filles s'affranchissent doucement.

J'ai été stupéfaite d'apprendre que la loi de 1800 interdisant « le travestissement des femmes » n'a été abrogée qu'en 2013. « Toute femme désirant s'habiller en homme, disposait l'article, doit se présenter à la préfecture de police pour en obtenir l'autorisation. » Seules exceptions à la règle, la femme qui « tient par la main un guidon de bicyclette ou les rênes d'un cheval ».

J'ai toujours porté des pantalons. J'ai toujours connu ma mère en pantalon. Les filles de ma génération peuvent-elles imaginer un monde où « le travestissement des femmes » était considéré comme un délit ?

À Nouméa, on faisait du cheval comme on se curait les ongles : par habitude et bienséance. André était l'un des rares à se soustraire à ce rituel social. Il préférait la pêche sous-marine, pour laquelle il s'était acheté un petit voilier. Tous les dimanches, il emmenait la famille à l'île des Pins et s'en allait admirer coraux et poissons. Que Mona joue les cavalières lui semblait cependant naturel. Il ne s'y opposa pas.

La boutique équestre se trouvait rue de Sébastopol. Les selles occupaient un large rayon, en cuir, de toutes les nuances, éclatantes comme des objets d'art. On y trouvait aussi des brosses, poils souples ou durs, cure-pieds, brosses à lustrage, bouchons, ainsi que différents types de bombes. Mona en essaya une à la bride dorée, ornée d'un nœud en velours à l'arrière. « Elle vous va à ravir, madame. » À côté se trouvaient les habits d'homme, polos, vestes, pantalons. « Vous en avez pour femme ? demanda-t-elle en tirant sur l'un d'eux. – Tout à fait. » La vendeuse disparut dans la remise et revint avec deux modèles. « Malheureusement, le choix n'est pas immense… – Ça ne fait rien, répondit Mona. Je vais les essayer pour voir. »

La vendeuse installa les articles en cabine et tira le rideau. Mona ôta sa jupe, examina le premier pantalon, une sorte de collant beige au tissu élastique. La matière enserra ses cuisses de manière déplaisante. Peut-être était-il trop petit, ou simplement mal taillé, qu'importe, cela n'allait pas. La clochette du magasin tinta et les talons de la vendeuse s'éloignèrent. Le second pantalon, bleu nuit, lui sembla plus large. Elle l'enfila. Il la prenait bien à la taille puis s'évasait légèrement des cuisses jusqu'aux chevilles. On y respirait normalement. Elle ouvrit le rideau, recula pour mieux observer son reflet dans la glace. « Mon premier pantalon » songea-t-elle émue.

Mais dans le miroir, c'est un polo blanc qu'elle vit, des cheveux bruns, une allure folle. Elle cligna des yeux une seconde, interdite.

« Pile ce qu'il vous fallait ! Thierry – il se tourna vers l'ami qui l'accompagnait –, je te présente Mme Desforêt. L'épouse de M. Desforêt, qui est chargé des questions économiques auprès du gouverneur. Madame a pris son premier cours hier.

— Madame.

— Thierry est mon collaborateur. Quelle surprise de vous croiser ici ! »

Elle répondit par un bredouillement. Le pantalon soulignait ses courbes et elle se sentait presque nue dans ce vêtement, nue devant deux hommes, dont un qu'elle convoitait. Elle se réfugia en cabine. Derrière le rideau, souffla longuement. Son cœur accélérait. Elle ôta le pantalon. Il était là, à quelques mètres d'elle. Il lui aurait suffi de tirer le rideau pour découvrir sa culotte de soie. D'un geste sec, elle reboutonna sa jupe, vérifia ses cheveux dans le miroir, prit une inspiration et sortit, son trophée à la main.

« Je le prends ! » Le pantalon atterrit sur le comptoir. « Vous enverrez la facture à mon mari. – Permettez… » Il posa la main sur le vêtement avec un geste de propriétaire. Elle aima ça. Les doigts aux ongles carrés palpèrent le tissu, fouillèrent la matière, s'attardèrent entre les plis. Puis, comme à regret, il plia le pantalon et le tendit lui-même à la vendeuse. « Madame est une cliente du club. Tout le plaisir est pour moi. »

D'une voix étranglée, elle remercia en fuyant son regard. Elle avait envie de rire, de crier, de mourir ! Une chaleur qu'elle n'identifiait que trop lui tordait les entrailles. Elle le sentait, elle finirait par céder à l'homme, à ce désir trop violent pour elle. Mais en relevant la tête, tandis qu'elle récupérait le sac, un vent froid glaça sa colonne. Sur le trottoir, derrière la vitrine, Toussaint l'observait.

sa culotte de soie. D'un geste sec, elle reboutonna sa jupe, vérifia ses cheveux dans le miroir, prit une inspiration et sortit, son trophée à la main.

« Je le prends. » Le pantalon atterrit sur le comptoir. « Vous enverrez la facture à mon mari — Raynaud. » Il posa la main sur le vêtement avec un geste de propriétaire. Elle aima ça. Les doigts aux ongles carrés palpèrent le tissu, fouillèrent la matière, s'attardèrent entre les plis. Puis, comme à regret, il prit le pantalon et le tendit lui-même à la vendeuse. « Madame est une cliente du club. Tout le plaisir est pour moi. »

Deux [illegible] de rencontre en levant son regard [illegible] de [illegible], de [illegible] [illegible] que trop les [illegible]. [illegible] elle ne [illegible] pas [illegible] [illegible] pour [illegible] la [illegible] elle [illegible] son sac, se [illegible] sur le trottoir, derrière la vitrine, Roussaud l'observait.

Le Deuxième Sexe était caché au fond de son sac ; il était temps pour Mona de le rendre. À son grand étonnement, la bibliothécaire fit non de la tête. « Garde-le. Je te l'offre. » Elle ne sut ce qui la surprit le plus, du tutoiement ou de la proposition. « Mais je peux en acheter un… – Ce ne sera pas le même. » Elle la regarda sans comprendre. « C'est dans cet exemplaire-là que tu as déposé ta mémoire. Le livre porte ton empreinte, maintenant. Celui-là, pas un autre. Cote 2BEA. » Marthe ouvrit le livre au hasard. « Avec la tache de gras que tu as faite page 125. » Elles rirent.

Attenante à la grande salle de la bibliothèque, une pièce aveugle servait de débarras. Marthe, c'était son nom, y avait casé une table et deux chaises. Une ampoule faiblarde pendait à un câble. Marthe posa sur la table une bouteille et deux verres, un cendrier.

« À Simone ! » s'exclama la femme en levant son verre. Mona en fit autant, amusée. « Assieds-toi une minute, va ! » Elle s'assit, aima tout de suite cette ambiance poussiéreuse, de papier et de carton, à laquelle

Marthe donnait des airs clandestins. Le temps n'existait plus. L'extérieur était une autre contrée.

Elles parlèrent de tout, leurs expériences, leurs doutes, leur prise de conscience. S'exaltèrent joyeusement : oui il fallait en finir avec l'ordre moral masculin, l'abominable tyrannie des mâles ! Le féminisme était une chance inouïe – pas une chance, une urgence.

Marthe n'avait jamais été mariée. Pas d'enfants. Elle avait eu un père très dur, violent, qui l'avait vaccinée des hommes. « Le jour de son enterrement, je suis allée faire une promenade en pirogue. » Quant à sa mère, la pauvre femme, elle était morte jeune et n'avait pas pu la protéger. « Vous vivez seule, alors ? » lui demanda Mona. « Non. Je vis avec Lénine. » Et devant ses yeux ahuris : « C'est mon chien. Une merveille, tu verras. Et arrête de me vouvoyer. » Elles trinquèrent encore.

L'horloge marquait vingt heures que la bibliothécaire dissertait toujours : « Il y a un lien direct entre la domination masculine et la propriété privée. » Une fumée âcre les enveloppait. Sur la table, les deux verres étaient vides, la bouteille aussi. Mona se retenait de prendre des notes. « Si la femme n'hérite pas, si elle n'a aucune indépendance financière, si elle ne possède pas mais est possédée, que se passe-t-il ? » Marthe écrasait son mégot avec rage : « Elle reste une esclave ! » Puis, allumant une nouvelle cigarette : « Et quelle est la première chose qu'un homme possède chez une femme ? » Mona hocha la tête d'un air entendu. C'était ainsi qu'elle ressentait les choses avec André. Elle ne le tenait nullement par ses discours ou ses arguments, seulement par sa beauté, ses cheveux soyeux, ses seins lourds et pleins. « Le corps est une arme à double tranchant. Aux femmes d'en user intelligemment. Mais là-dessus, petite, je n'ai rien à t'apprendre… »

On rit beaucoup aujourd'hui de Simone de Beauvoir. Rire n'est sans doute pas le terme juste. Mépris ? Dédain ? Oubli. Beauvoir ? Du passé. La femme « à » Sartre. Mauvaise foi, bien sûr. Agressivité. Mégère, perverse, gauchiste, stalinienne... Aucun talent littéraire. Et lourde !

Je crois surtout qu'on ne la lit plus. On la cite. Et c'est toujours la même phrase qui revient jusqu'à écœurement : « On ne naît pas femme, on le devient. » Avant ma rencontre avec Évelyne, je n'avais pas lu *Le Deuxième Sexe*. Survolé, comme tout le monde. Quelques extraits en terminale, et surtout des commentaires, de la glose. À vingt-huit ans, j'ouvre le livre pour comprendre.

Début des années cinquante. Une jeune femme qui n'a pas encore trente ans, mère d'une fillette et d'un bébé, épouse d'un haut fonctionnaire qui lui a toujours dit quoi faire et quoi penser, qui a renoncé à tout pour lui – et ce, dans une société où les femmes n'ont pas de compte bancaire, ne peuvent pas divorcer, n'ont pas le contrôle de leur corps, ne travaillent pas comme les hommes – lit ça :

La femme n'est rien d'autre que ce que l'homme en décide ; ainsi on l'appelle « le sexe », voulant dire par là qu'elle apparaît essentiellement au mâle comme un être sexué : pour lui, elle est sexe, donc elle l'est absolument. Elle se détermine et se différencie par rapport à l'homme et non celui-ci par rapport à elle ; elle est l'inessentiel en face de l'essentiel. Il est le Sujet, il est l'Absolu : elle est l'Autre.

Et plus loin :

Au moment où les femmes commencent à prendre part à l'élaboration du monde, ce monde est encore un monde qui appartient aux hommes ; ils n'en doutent pas, elles en doutent à peine. Refuser d'être l'Autre, refuser la complicité avec l'homme, ce serait pour elles renoncer à tous les avantages que l'alliance avec la caste supérieure peut leur conférer. L'homme-suzerain protégera matériellement la femme-lige et il se chargera de justifier son existence : avec le risque économique elle esquive le risque métaphysique d'une liberté qui doit inventer ses fins sans secours.

La déflagration. Une conscience est là face à vous qui vous dit : tu n'es pas qu'un fait biologique ; de ta position d'Autre tu peux devenir Essentiel toi aussi, mais méfie-toi, tu es ta propre ennemie, tu as goûté à ce confort qui fait de toi l'esclave de ton maître. Pour être libre, tu devras accepter l'errance de la liberté ; pour exister, tu devras accepter de renverser l'existence.

Tu seras seule.

Son reflet dans la glace, polo blanc et élégance britannique, ne la quittait plus. Une semaine s'était écoulée depuis leur rencontre inopinée. Malgré son excitation, Mona sentait que le temps lui était favorable – il fallait le faire patienter, douter aussi peut-être ; se rendre indispensable. Un matin, elle demanda à son mari d'échanger les chauffeurs. Qu'il prenne son cher Toussaint ; elle préférait Fikou, un vieux Canaque à la peau parcheminée.

André était au bureau, Lucie déjà à l'école. Rosalie avait emmené Pierre en promenade. Avec une culpabilité délicieuse, Mona sortit de l'armoire le fameux pantalon. Elle adora la sensation du tissu sur ses jambes, la liberté de mouvement que celui-ci procurait, et s'imagina sur la jument lancée au galop. Elle choisit un chemisier vaporeux, attrapa ses bottes et sortit.

La voiture s'engagea sur le sentier du club de Magenta. « Fikou, vous vous arrêterez devant le monsieur. » L'homme était là. Il sirotait un café au soleil, debout sur le seuil. Il portait une chemise aux manches retroussées, un pantalon clair. Elle le trouva magnifique.

Descente étudiée. D'abord une jambe, puis un bras sur la portière, et son visage, dissimulé à moitié par des lunettes de soleil, apparut au grand jour. « Je ne vous attendais plus » dit-il avec un petit sourire. Elle retira ses lunettes : « Au contraire. Je crois que vous n'attendiez que moi. » Il eut un mouvement de tête qui pouvait dire : « Touché », puis leva sa tasse : « Je vous en fais un ? » Elle acquiesça et entra dans le bâtiment.

La cuisine se trouvait derrière l'accueil. C'était une pièce très simple, vaste et blanche, avec un grand plan de travail, une table en bois, quatre chaises. À se retrouver seuls dans un lieu clos, le silence les prit. Il sortit une tasse, chercha une soucoupe. Mona s'approcha de lui et posa sa main sur la sienne. « En fait, je n'ai pas envie de café. » La porcelaine tinta contre le plateau. Il plongea dans ses yeux, y lut la réponse espérée. Alors il la serra contre lui et glissa une main entre ses cuisses.

Évelyne ne m'a jamais livré le nom de *l'Amant*. Dans son texte initial, il apparaît sous cette dénomination générique, durassienne si l'on veut, ou bien sous une version plus politique : *le gaulliste*. Il faudra que j'aille voir dans le roman de Marie-France Pisier, *Le Bal du gouverneur*, qui relate à sa manière l'adultère maternel. Mais plus tard. À la fin de l'écriture. J'ai trop peur de trouver des échos, des coïncidences qui me pétrifieront. Il en est une, déjà, qui ne laisse pas de me surprendre. J'ai imaginé, toujours à la demande d'Évelyne, le nom *Desforêt* pour remplacer celui de Pisier. Je jure ici que je n'en savais rien : Marie-France, dans son livre, avait choisi celui de *Forestier*. Je ne crois pas au hasard.

La nourrice repassait le linge dans la chambre de Pierre, qui dormait dans son berceau. Mona revenait de Magenta, un soleil dans le ventre. Elle se pencha sur son bébé, admira la finesse de ses mains, sa paix innocente. « Venez voir, Rosalie. » La nourrice approcha. « Regardez comme il est beau… » La Canaque eut un large sourire et chuchota tendrement : « Petit Pierre, petit Pierrot… » Mona se tourna vers elle ; Rosalie était si bonne, elle s'occupait si bien de ses enfants… Une tendresse qui englobait tout, le monde, les maîtres, les domestiques, débordait de son cœur à cet instant, elle voulait la remercier pour tout, elle ne l'avait pas fait assez, et l'embrasser même, lorsqu'elle vit la chose. Elle recula brutalement. « Qu'est-ce que vous avez ? » Son index pointait les lèvres noires. À la commissure, de micro-bulles jaunâtres formaient une vilaine cloque. La plaie était assez étendue. La nourrice tapota du doigt la zone incriminée et dit : « Je sais pas. C'est le moustique je crois. » Oh non, ce n'était pas « le moustique », c'était bien autre chose. « Rosalie ! Je vous interdis de toucher Pierre, ou Lucie, ou qui que ce soit dans cette maison. » La Canaque ne comprenait pas et la fixait de ses yeux ronds. Pierre se réveilla. « Vous savez quoi ? Je vous donne votre après-midi. Vous partez, vous vous reposez, vous faites ce que vous voulez, mais vous vous éloignez de mon fils et vous ne touchez personne. Vous ne l'avez pas embrassé ?

— Qui ça, madame ?

— Qui ça ! Mon fils. Pierre.

— Si.

— Quand ?

— Je sais pas. Ce matin. »

Mona leva les yeux au ciel. L'enfant hurlait à présent. « Partez ! Monsieur vous dira ce qu'il en est plus tard. » Ahurie, la bonne s'exécuta. Mona attrapa le petit corps et courut jusqu'à la salle de bains où elle fit couler un bain brûlant. Elle savonna le bébé plusieurs fois, changea l'eau, recommença. Pierre criait sous son massage énergique. Elle frotta, frotta la peau au point de la rendre écarlate. Elle hésita une seconde puis revint avec du coton et une bouteille d'alcool à 90 degrés. Elle badigeonna le corps qui exhala aussitôt une odeur forte et piquante – une odeur d'hôpital. « C'est le moustique… » Elle changea les draps du berceau, bien décidée à brûler les autres qui devaient contenir les germes malfaisants, aéra la pièce et, mécaniquement, alluma une bougie à la citronnelle. Pierre se rendormit enfin et Lucie rentra de l'école.

Sans un bonjour, sans un baiser, elle lui demanda si Rosalie l'avait touchée. La petite acquiesça. « Ah ! mon Dieu ! » Elle la poussa dans la salle de bains et le cirque recommença, jusqu'à la bouteille jaune d'alcool. « Je suis sûre que Rosalie est contagieuse. Une vilaine maladie. Si c'est avéré, il faudra la renvoyer. » Lucie s'indigna. Elle ne voulait pas qu'on renvoie sa nounou. C'était elle qui l'avait protégée la nuit où ses parents avaient disparu à la clinique, elle qui lui avait raconté la légende de Païla la brune et qui l'avait consolée après qu'elle avait dénoncé Timea, envoyé en prison à cause d'elle. « Maman, si Rosalie est malade, pourquoi on ne la soigne pas au lieu de la renvoyer ? Elle n'est pas communiste, elle ne fait de mal à personne. » Mona jeta par terre la serviette de toilette.

« De quoi tu parles ! Qu'elle soit communiste ou pas n'a rien à voir avec tout ça.

— Mais c'est parce qu'elle était communiste que vous aviez chassé Tibaï ?

— Lucie, l'Indochine était un pays en guerre. Là-bas, les communistes étaient contre nous. Ici, c'est différent.

— Ici c'est bien, les communistes ? »

Mona ne put retenir un sourire. Il faudrait qu'elle raconte cette histoire à Marthe. « Oui. Ici c'est bien. Mais ce n'est pas ça l'important. » Elle tendit à sa fille des vêtements propres. « L'important, c'est l'hygiène ! »

Dès qu'André rentra du travail, Mona lui fit part de ses soupçons. Elle était prête à accorder le bénéfice du doute à la bonne, à condition que cette dernière passe au plus vite un examen médical. André applaudit en maugréant : « Une popinée, évidemment… », et prit rendez-vous avec le médecin. Le lendemain, le diagnostic fut formel : herpès.

Rosalie n'eut pas le droit de revoir les enfants, elle fit un baluchon avec ses quelques affaires, reçut les trois sous qu'on lui devait et, sa croix en or rebondissant entre les seins, elle quitta la villa aux Oiseaux.

Obsession de l'hygiène. Suspicion. Hier les médecins d'Ellis Island, ceux de Lampedusa aujourd'hui. Peaux brunes, peaux sales. Le renvoi de Rosalie résonne en moi avec un épisode douloureux.

Ma mère a quitté l'île Maurice pour l'Europe en mai 1968. Tandis qu'à la Sorbonne Dany le Rouge monte les barricades, elle découvre la Belgique, les grands centres, le ciel gris, la bière, les musées, les sorties entre amis sans un père qui épie tout par-dessus votre épaule. Elle trouve du travail rapidement. À l'époque, être bilingue français-anglais est un atout, et en ex-sujet de Sa Majesté – Maurice vient d'obtenir l'indépendance –, elle maîtrise parfaitement la langue de Shakespeare. En août 1969, sa société est transférée à Genève où on lui propose un poste, qu'elle accepte.

À l'époque, tout travailleur étranger débarquant en Suisse devait passer un test médical dans un centre baptisé « le contrôle de l'habitant ». J'ignore si cela existe toujours. Ma mère, qui a alors une vingtaine d'années, s'y rend dès son arrivée. Elle porte une jolie robe blanche d'été qui fait ressortir sa peau café au lait. L'infirmière du centre ne lui jette pas un regard. « Déshabillez-vous. » Ma mère s'exécute, elle est gênée mais n'a pas le choix. Près de la porte se trouve une patère à laquelle elle suspend sa robe. « Enlevez-moi ça de là ! Ce n'est pas un vestiaire, ici ! » Il n'y a ni chaise ni chevalet. Elle serre sa robe contre son ventre, ne sachant où la poser. L'autre ne dit rien, attend. Ma mère résiste un peu, une si jolie robe blanche, elle ne veut pas la salir. « Alors ! C'est pour aujourd'hui ou pour demain ! » La peur, d'un coup. La robe se déploie comme un nénuphar. Par terre. L'infirmière triomphe.

« Je t'ai dit non ! – Je me fous de ce que tu dis ! » Ils s'immobilisèrent, un pied en suspens sur la marche la plus haute de l'escalier. André semblait interdit. Une limite venait d'être franchie. Jamais elle ne lui avait ainsi craché à la figure. « Les femmes ne conduisent pas. Tu as tous les chauffeurs que tu veux à ta disposition. Arrête, maintenant. » Une note aiguë, légère fêlure, avait traversé sa voix grave. Il perdait du terrain. Mona eut un rictus qui déforma ses lèvres. « Je ne te demande pas l'autorisation. » S'approcha de lui. « Je t'informe, c'est tout. »

Nouméa était entrée dans l'hiver austral, rafraîchissant l'île de ses zéphyrs. Depuis six mois qu'elle voyait l'Amant en cachette, elle osait affirmer ses désirs. Osait surtout les réaliser. Son dernier rêve avait pris la forme d'une voiture. Elle devait passer le permis. *Permettre*. La vie ne lui avait pas permis grand-chose jusque-là. L'heure était venue de prendre ce qu'on ne lui céderait pas.

Elle s'imaginait au volant d'une Renault Frégate, les cheveux emmêlés, fonçant vers le club équestre de Magenta. La première fois, il en demeurerait bouche bée. C'est elle qui l'emmènerait en promenade, à la baie de Toro, à la cascade Bâ ou sur le caillou vert de l'Aoupinié. Ils resteraient des heures dans la voiture. Elle lui dirait : « On va là ! » et au dernier moment bifurquerait dans la direction opposée. Son rire lui donnerait envie de l'embrasser, encore et encore.

André la rattrapa dans l'escalier, planta ses doigts dans sa peau – la sensation la conduisit au bord du vertige, des mains japonaises, six ans plus tôt, l'avaient pareillement agrippée. « Lâche-moi ! » Elle le repoussa si violemment qu'il perdit l'équilibre, jura. La chambre de sa fille n'était plus qu'à quelques mètres. Elle dévala les marches. Dans son dos, il cria quelque chose qu'elle n'entendit pas. Elle claqua la porte, tourna la clé dans la serrure.

Tous les hauts fonctionnaires de Nouméa bénéficiaient de chauffeurs privés. Il s'agissait le plus souvent de Canaques catholiques, acquis à la cause de l'UICALO, l'Union des indigènes calédoniens amis de la liberté dans l'ordre. « C'est toujours mieux que des cocos » décrétait son mari. Mona n'en supportait plus aucun, Toussaint moins que les autres. « Ce sont *tes* chauffeurs, André. Pas les miens. » Il sifflait : « Ne sois pas sotte. »

Le poing cogna violemment contre la porte. « Je te préviens, ma pauvre fille ! Ton permis, tu ne l'auras pas ! » La porte tremblait. « Et tu sais pourquoi ? » Deux coups encore. « Parce que tu n'y arriveras jamais ! » Un bruit terrible la fit sursauter – un meuble jeté sur le battant, peut-être une chaise. Elle ferma les yeux. Une boule plus lourde qu'une pierre se forma sous son nombril. Ne rien dire. Attendre.

Les pas lourds finirent par s'éloigner. Un bruit de moteur résonna au loin, puis plus rien, le silence.

Au bout de longues minutes, elle se leva, tourna la clé en tremblant. La chaise bloquait un peu la porte, elle la ramassa. Un pied était cassé. Heureusement que les enfants n'étaient pas là. Tout lui parut irréel, ses gestes, son corps, ses pensées. La maison elle-même flottait sur une mer faussement calme.

Elle se renferma dans la salle de bains, ouvrit les robinets. Vapeurs brûlantes. Elle se recroquevilla sous la douche. Ses peurs firent une petite spirale autour de la bonde et s'en allèrent avec l'eau. Le temps de l'humiliation était derrière elle. On ne lui dicterait plus sa conduite.

Elle connaissait chaque rayon à présent, n'avait pas tout lu, loin de là, mais savait où trouver les existentialistes, les essais politiques, la poésie d'Aragon, les romans du XIXe, les manuels de jardinage. « Tiens, prends ça. » Marthe lui tendait un verre dans lequel tremblait un liquide orangé. « Papaye fraîche. » Mona avala une gorgée, fit la grimace. « Oh, n'exagère pas. Une larme de rhum à peine. Il faut ce qu'il faut. » Marthe était devenue sa complice, son phare – sa mauvaise fréquentation préférée. « Je vais prévenir mon copain de l'auto-école, la rassura-t-elle. Ne t'inquiète pas. Dans un mois, tu conduis ta voiture ! » Elle vida d'un trait son verre de rhum-papaye. « C'est bien, Mona. Tu commences à t'affirmer. » Autour d'elles, les livres semblaient leur sourire.

Je n'ai pas eu le temps de discuter longuement de Beauvoir avec Évelyne. Je sais qu'elle l'a lue très jeune, poussée par sa mère. Sur la plage de Nice, elle souligne des « passages admirables » et découvre Sartre au même moment, l'un n'allant pas sans l'autre. C'est l'époque ; Évelyne, comme *Mona*, a pris conscience que plus rien n'arrêtera la vague rouge et furieuse des femmes. Mais sa révélation littéraire viendra un peu plus tard, fin 1956, avec la lecture de Gide. Une passion qui ne se démentira jamais.

Évelyne est en seconde. Le professeur de français, vieux monsieur exquis aux lunettes épaisses, demande aux élèves de commenter un roman de leur choix. Elle n'hésite pas une seconde, se jette sur *Les Nourritures terrestres*. « Nathanaël, ne souhaite pas trouver Dieu ailleurs que partout… La mélancolie n'est que de la ferveur retombée… » Elle est grisée, exaltée, et signe sa dissertation : Nathanaël. Consciente d'avoir un peu débordé du cadre, elle reste néanmoins satisfaite de son travail. Erreur ! L'enseignant ne la note même pas et refuse de lui rendre sa copie. Convoque ses parents. « Ils sont divorcés. Je vis avec ma mère. » Stupeur du vieux monsieur : le cas de son élève est encore plus désespéré qu'il ne l'imaginait.

Mona accepte le rendez-vous. Durant l'échange, pour amadouer le professeur, elle lui remet en cachette les poèmes d'Évelyne. Sa fille est une passionnée ! Regardez, monsieur, elle écrit, elle compose des vers – on ne peut pas vraiment lui en vouloir. Le vieux hibou est touché. Il soupire. Il pardonne. Dès le lendemain, il s'autoproclame conseiller littéraire d'Évelyne, qui abandonne la poésie mais pas Gide.

Mona avait ce talent. Retourner les situations les plus mal engagées. Amuser ou attendrir. Je l'imagine face à ce professeur indigné. Elle renverse la tête en arrière, éclate de rire, sort un petit cahier d'écolière brûlant de poésie nervalienne. Vous voyez. Une passionnée, vous dis-je. L'invite ensuite à dîner, je vous en prie, cela me ferait tellement plaisir. Nous parlerons littérature. Il accepte, bien sûr. Elle rit encore. En un mot, le charme.

Peu après le renvoi de Rosalie, une vieille femme nommée Constance arriva. C'était une métisse très pieuse et sans fantaisie que Lucie n'aima guère. Elle préférait le vieux Fikou, qui la laissait caresser les poules qu'il attrapait, même si son père interdisait toute discussion avec lui.

Un matin, alors qu'ils patientaient à un feu sur la route de l'école, un groupe d'hommes et de femmes entièrement vêtus de blanc les approchèrent. « Fikou, c'est qui, ces gens ? » Le Canaque resta silencieux. « Ils sont bizarres… Fikou, j'ai peur ! » Il soupira : « Les lépreux. » Elle se recroquevilla sur le siège. Elle savait ce qu'était la lèpre : une variante de la peste. Les spectres, qui portaient une clochette autour du cou, avaient la peau rongée, les membres mutilés. Il suffisait de toucher une personne atteinte du mal pour que la nécrose vous dévore un bout de bras, un pied, une joue, avait prévenu sœur Marie de Gonzague. Lucie remonta la vitre de la voiture, étreinte par une angoisse indescriptible. Elle avait respiré l'air des malades ; peut-être était-elle déjà contaminée.

La nuit suivante, une cohorte à grelots approcha de son lit pour lui porter le baiser de Satan. Il y avait des visages troués, sans nez, sans bouche, des moignons qui s'agitaient, de la chair mâchée rose et noire et jaune, et puis des hurlements sinistres. Lucie se réveilla en nage. Elle voulut appeler son père à l'aide, mais lui parler des lépreux, c'était dénoncer Fikou. Elle ne voulait pas qu'il finisse comme Timea, à la prison de Nou. Là-bas, lui avait raconté Rosalie, les geôliers brûlaient les pieds des prisonniers et leur écrasaient les doigts à l'aide d'un marteau. Elle se cacha sous son drap en tremblant et sombra dans un sommeil agité.

Le lendemain des lépreux, Lucie se précipita dans la salle de bains : « Moi d'abord ! » Depuis la maladie de Rosalie, leur mère leur faisait prendre trois bains quotidiens, mais ce jour-là elle voulut passer avant Pierre. Elle se frictionna énergiquement, réclama la petite bouteille d'alcool. Toute la semaine, la scène se rejoua. Et encore du savon, et encore des bains. « Qu'est-ce que tu as ? » lui demanda sa mère agacée. Elle geignit. « Je ne veux pas avoir la maladie… – Tu ne l'auras pas. Il n'y a plus de risque. » Elle réprima ses larmes. Si, il y avait un risque.

Chaque soir, elle scrutait ses mains, ses jambes, son visage. Par chance, la lèpre n'arrivait pas. Au bout de trois semaines, elle se considéra comme tirée d'affaire. La volonté de Dieu était faite : Il l'avait épargnée. Elle se mit à genoux et récita deux *Notre-Père*. Elle pria pour Rosalie, dont elle n'avait plus de nouvelles et qui lui manquait tant. Elle allait se recoucher quand elle fut prise d'un doute. Elle s'agenouilla à nouveau et demanda à Dieu de sauver aussi les lépreux, dont la chair mâchée et rosâtre l'avait dégoûtée de son repas du soir.

C'était l'une des « pistes de travail » que j'avais indiquées à Évelyne. « Creuser la scène avec les lépreux. Qu'est-ce que cela provoque dans l'imaginaire d'un enfant ? » Elle a mis un signe « + » devant ma question et souligné le mot « lépreux ». L'autre interrogation serait : pourquoi lui ai-je demandé de creuser la scène ?

Dans les rues de Port-Louis, la capitale de l'île Maurice, une femme enroulée dans un sari demandait l'aumône. Je crois que je n'oublierai jamais cette scène de mon enfance. De profil, elle semblait normale. Elle était pauvre, bien sûr, mais pauvre comme tant d'autres jetés sur les trottoirs en basalte, défoncés et sales. J'avançais avec mes parents, son profil d'Indienne devant moi. Soudain, elle a tourné la tête vers nous… Et rien. Oui, rien. Il manquait l'autre moitié du visage. La chair avait été bouffée par la lèpre. Où était sa joue ? Son œil ? Que lui avait-on fait ? Cette matière rosâtre, grumeleuse, me faisait penser à la chair des saucisses que me préparait ma mère le dimanche. J'ai retenu mon cri. J'ai voulu me laver les mains. Je ne savais rien de l'origine de cette maladie. J'étais horrifiée.

Je commence à comprendre que pour parler d'Évelyne, je dois accepter que des souvenirs personnels s'immiscent dans le récit. Contournements, digressions, bavardages sont à l'image des liens qui unissent un auteur et son éditeur. Tout déborde tout le temps. Je lui confie ici ce que je n'ai pas eu le temps de lui dire. Son texte, depuis le début, est un miroir qu'elle me tend.

Mona passa le permis en un mois, comme le lui avait promis Marthe. Fikou la déposait en ville, à la bibliothèque ou bien au marché, et elle rejoignait secrètement l'auto-école. En bon complice de Marthe, le moniteur, communiste lui aussi, goûtait le projet de rébellion de Mona. Lorsqu'il lui apprit qu'elle avait réussi et recevrait sous peu le fameux rectangle rose, elle courut partager la bonne nouvelle avec son amie, qui l'embrassa joyeusement. « J'aimerais être là pour voir la tête de ton mari… » Mona pensait surtout à celle de l'Amant. Ce permis leur donnerait une liberté folle. Ils pourraient sillonner l'île à leur guise, s'échapper pendant des heures. Elle n'aurait plus à inventer des excuses pour justifier ses déplacements ; lorsqu'elle le souhaiterait, elle prendrait sa voiture et partirait.

André ricana. Comment ça, elle avait le permis ? Malgré son interdiction, malgré leur dispute, malgré son absence totale de sens pratique ? C'était impossible. Mais la mine sérieuse de sa femme l'inquiéta. « Ne me dis pas que c'est vrai. » Elle ne put retenir un mauvais sourire. « Je n'y crois pas. Elle l'a fait. » Une quinte de toux le prit. Elle voulut lui taper dans le dos ; il la repoussa brutalement. « Ce n'est qu'un bout de papier ! hoqueta-t-il. Il te manque l'essentiel : la voiture ! Tu ne penses quand même pas que je vais te l'offrir, ta bagnole ? »

Non, elle n'y pensait pas. Mais dès le lendemain, elle se rendit au bureau de poste et téléphona à son père, désormais retraité à Nice. Fort de son passé à la banque de Nouméa, Yvon débloqua les fonds nécessaires pour lui acheter une Renault Frégate, qu'elle récupéra au garage la semaine suivante.

À l'instant où elle prit place dans sa voiture, seule, s'assit au volant, démarra, elle se sentit renaître. Ce n'était pas seulement le fait de posséder une auto flambant neuve, ni même de se savoir libre de ses mouvements, c'était véritablement la conscience d'une victoire ; à partir de maintenant, elle tracerait son chemin comme elle l'entendrait.

Rousse, les yeux marron, un visage rond de pleine lune, les dents écartées, la nouvelle n'était pas très jolie. Sœur Marie de Gonzague la présenta brièvement, « Madeleine Durand, votre nouvelle camarade, qui arrive de métropole », et l'installa au fond de la classe. Lucie lui jeta un regard en coin, la trouva pâle et triste. À la récréation, Madeleine s'assit sur un banc mais se fit chasser. « Tu pues, la carotte, tu pues ! » ricanaient les filles. Les sœurs sous les arcades n'entendaient pas. Lucie n'avait pas oublié le chagrin qui l'avait accablée à Nice des années plus tôt, quand ses camarades l'avaient traitée d'idiote parce qu'elle ne savait rien de l'Allemagne et des Juifs. Se moquer, expliquait-on au catéchisme, n'était pas très chrétien. Elle avança vers Madeleine et lui proposa de jouer à la marelle. Le sourire qui illumina à cet instant son visage la rendit presque belle.

À quoi tient l'amitié ? Une main tendue, un éclat de rire partagé, un caillou qu'on se prête pour atteindre la case « ciel ». Les deux petites devinrent comme des sœurs.

Quelques jours plus tard, Madeleine arriva tout excitée. « Ton nom de famille, c'est bien Desforêt ? » Oui. « Alors c'est toi ! s'écria-t-elle. C'est grâce à ton papa que j'ai pu être inscrite ici. Normalement je n'avais pas le droit. » Lucie réfléchit.

« Parce que tu es rousse ?

— Non, pas pour ça.

— Tu n'es pas juive quand même ?

— Non ! Je suis protestante. »

Lucie ne cacha pas sa surprise. Son père lui avait toujours dit qu'il détestait les protestants, à l'instar de son ami Morace. Peut-être y avait-il plusieurs manières de l'être ; Madeleine et sa famille appartenaient sans doute à la bonne.

« Les protestants laissent chacun face à Dieu. Ils suppriment l'Église. Voilà pourquoi ils menacent le corps de la nation. » Lucie avait déjà entendu ce discours dans la bouche de son père, mais elle ne parvenait pas à le rattacher à son geste envers Madeleine. « Si tu tiens tellement à l'église, pourquoi tu ne nous accompagnes jamais à la messe le dimanche ? » lança Mona qui tournait les pages d'un magazine. Lucie devint rouge. Sa mère posait la question qui lui brûlait les lèvres depuis leur installation en Nouvelle-Calédonie. Elle craignait pour son père, qui jouait avec le feu. Dieu était bon, mais il ne fallait pas se moquer de Lui. Pourquoi, en effet, ne venait-il plus à l'office ? André la prit sur ses genoux.

« Je fais la messe dans mon cœur.

— Mais tu ne peux pas ! Qui te donne l'hostie ?

— Je n'ai pas besoin d'hostie. Lucie chérie, n'oublie pas : je suis maurrassien.

— Et Morace n'aime pas la messe ?

— Maurras, en son for intérieur, ne croit pas en Dieu. Néanmoins il croit en l'Église, la belle Église catholique qui soutient notre chère France. C'est un pilier de la nation, et c'est pour ça qu'il faut la respecter. Tout ce qui nuit à la patrie est condamnable : les Juifs, les francs-maçons, les métèques et donc, aussi, les protestants.

— Explique-lui pourquoi, alors, tu as fait des pieds et des mains pour que Madeleine intègre Saint-Joseph » ironisa Mona.

Il suspendit sa réponse. À ses tempes, minuscules, les veines mauves tressaillirent.

« Jocelyn Durand, le père de Madeleine, est un administrateur important. Il incarne la patrie lui aussi. Par malchance, il est protestant. On ne peut pas toujours tout avoir. » Mona étouffa un rire sarcastique. N'y tenant plus, André se leva et la menaça. « Tu arrêtes. » Mais elle n'arrêta pas. « Tu le sais très bien ! explosa-t-il. Ce que j'ai fait pour une fille de protestants, je ne l'aurais jamais fait pour des Juifs ! » La porte claqua.

Plus tard, Lucie alla retrouver son père. Il fumait un cigare et faisait des calculs sur un grand cahier. « Papa ? – Hum... » Elle s'assit sur une chaise en face du bureau. « Pourquoi tu détestes les Juifs ? » Il poussa un soupir et ôta ses lunettes. Lucie voyait bien qu'elle le dérangeait, mais elle avait besoin de réponse. Il jeta un œil à sa montre. Il n'avait pas de temps à perdre avec tout ça. « C'est simple, dit-il. Ce sont les Juifs qui ont crucifié Jésus. Le chemin de croix, la couronne d'épines, le supplice, c'est eux. Allez, file maintenant. » Lucie ouvrit de grands yeux. Le martyre du Seigneur, c'étaient eux… Tout s'éclairait ! Bien sûr ! Un poids énorme venait de s'enlever de sa poitrine. Elle embrassa son père et courut jusqu'au jardin, libérée. Il faudrait qu'elle explique ça à Madeleine.

Évelyne, dès l'adolescence, manifeste le besoin de comprendre l'antisémitisme de son père. Pour cela, elle lit Maurras – perçoit immédiatement les limites d'un système vicié.

Les Juifs, selon le « nationaliste intégral », sont responsables de la révolution et du capitalisme qui ont entraîné la fin de la monarchie. Ce n'est pas l'antisémitisme de peau qu'il valorise, mais l'antisémitisme d'État. À la bonne heure.

Il ne s'agit pas de dire : « Mort aux Juifs » qui ont droit à la vie comme toutes les créatures, mais : « À bas les Juifs » parce qu'ils sont montés trop haut chez nous. Notre antisémitisme d'État consiste à leur reprendre, à leur interdire ce qu'ils ont pris de trop et, en premier lieu, la nationalité française, alors qu'ils en ont une et indélébile, et qu'ils gardent toujours en fait. Qu'elle leur suffise donc !

L'hypocrisie de cette pensée écœure la jeune Évelyne. C'est qu'elle a commencé à lire, à penser – et penser différemment grâce à sa mère. Mais deux ou trois ans plus tôt, car les années comptent à cet âge-là, comment l'enfant pleine d'admiration pour son père peut-elle faire la part des choses ? « Je ne la faisais pas » dit-elle. « Je croyais ce qu'on me disait. » Son père ne perdait rien pour attendre. Il faut bien qu'un jour les adultes paient la mauvaise éducation qu'ils nous donnent.

On sait qu'il entre dans l'amour beaucoup de magie et un peu de déterminisme – à moins que ce ne soit l'inverse. Il n'est sans doute pas anodin que les sœurs Pisier aient choisi pour premier mari des hommes dont le nom, des années plus tôt, pouvait signifier la mise à mort.

Pour la seconde fois de sa vie, Lucie voyait son père pleurer. 16 novembre 1952. Plus d'un an après la mort de son cher maréchal Pétain, Morace succombait à son tour. « Oh non, non ! » avait crié son père avant de s'effondrer dans le fauteuil du salon. Le journal avait glissé à ses pieds et une crise de larmes terrible l'avait secoué. Au lieu de le consoler, sa mère ricana méchamment. « Il pleure de rage, oui. » Morace avait réclamé les saints sacrements à la dernière minute et s'était confessé à Dieu. Il avait cédé, trahi sa parole. Lucie demeurait perplexe.

« Papa... » Elle lui tendit son dessin. Sur la feuille blanche était tracée une croix. En haut, un grand soleil. Quatre silhouettes se tenaient la main au centre : un homme immense, sur la tête duquel elle avait dessiné une couronne ; une petite fille, une femme, et dans un coin, un bébé. Au feutre rouge, on pouvait lire :

Je t'aime mon papa moracien

Il la serra fort et l'embrassa en reniflant. Lucie se blottit contre lui. Elle l'admirait tant, était si fière de lui. Sa mère quitta la pièce en haussant les épaules.

Que fallait-il faire pour que tout redevienne comme avant ? Depuis que sa mère avait une voiture, elle disparaissait régulièrement, plongeant son père dans des colères noires. Tous deux se jetaient des insultes, criaient des mots qu'elle ne comprenait pas ; l'heure d'après ils s'enlaçaient fougueusement ; puis la dispute reprenait. Dans son petit short bouffant, Pierre les observait d'un air inquiet. Quand les voix enflaient, Lucie s'enfermait dans sa chambre et, la boule au ventre, s'en remettait à Dieu, la Vierge Marie et Jeanne d'Arc, à genoux sur le parquet, les mains tellement serrées que ses doigts en sortaient blancs et douloureux.

« Tu as ton feutre ? » demanda son père en s'essuyant les yeux. Elle lui en apporta un. D'un trait sec, il barra l'adjectif et écrivit au-dessus « maurrassien ». Ce fut une illumination. « Tâche de t'en souvenir » conclut-il.

Mona songeait de plus en plus à vivre avec l'Amant. À la maison, les tensions étaient quotidiennes, André se doutait de quelque chose, c'était manifeste. Toussaint n'avait jamais été aussi mielleux et tout en lui la rebutait. Quant aux enfants, Lucie particulièrement, ils multipliaient les cauchemars, ne mangeaient presque rien. À cela s'ajoutait que l'Amant serait bientôt tenu de rentrer en France ; il ne rêvait que d'une chose : qu'elle le suive en métropole. Elle s'étiolerait en restant à Nouméa, disait-il. Il ne cessait de la couvrir de présents, de baisers et d'étreintes, subjugué par la liberté qu'elle inventait dans ses bras.

Entre deux bouffées de cigarette, Marthe disait d'un ton rude : « Un vichyste, un gaulliste… On attend le coco ! » Une grimace lui déformait le visage. « Pourquoi t'acharnes-tu avec les hommes ? » Mais ses énervements ne duraient jamais longtemps. « Ce qui m'inquiète, c'est que les rumeurs vont bon train. » Il fallait préparer la riposte : son adultère ne serait bientôt plus un secret pour personne.

Depuis des semaines, Mona recevait effectivement moins d'invitations. Le club de bridge, les *tea parties* de la voisine, les dîners mondains. Même Jocelyn Durand, le père de Madeleine, l'avait saluée du bout des lèvres la dernière fois qu'elle l'avait croisé. Est-ce que les gens savaient ? Est-ce que tout le monde savait ? Elle posa une main sur le bras de son amie. « Je m'en fous. Je fais ce que je veux, maintenant. » Marthe lui répondit gravement : « André ne te fera pas de cadeaux. Ne prends pas ça trop à la légère. » Tout à son exaltation nouvelle de femme libérée, Mona répliqua : « Écoute, ça ne sert à rien de jouer les bonnes sœurs, non ? » Et elle croisa les doigts en regardant vers le ciel, impie ravissante et goguenarde.

Le jeudi, Lucie passait l'après-midi aux Âmes vaillantes, son camp scout catholique. Elle rentra ce soir-là dans le salon en chantant des cantiques, son béret enfoncé bien droit sur le crâne. « Mais… Ne le mets donc pas comme ça » dit sa mère, et elle releva le béret pour le poser un peu en biais. « Voilà, c'est plus joli. – Je ne veux pas être jolie ! répliqua Lucie en l'enfonçant à nouveau bien droit. C'est très mal d'être coquette ! » Mona soupira. Les leçons de sœur Marie de Gonzague étaient d'une efficacité redoutable. « Tu n'as pas de devoirs pour demain ? » lui demanda son père. « Si, de l'anglais. » Elle alla chercher son cahier dans sa chambre et revint s'asseoir sur le canapé du salon. Elle jeta un regard tendre à son père et lut : « *Togeterre, oui are api.* – Quoi ? » Mona se pencha sur le cahier. *Together, we are happy.* « C'est sœur Marie de Gonzague qui t'a appris à dire *togeterre* ? » André secoua la tête d'un air gêné. « Oui. – Eh bien elle se trompe ! On dit *together* ! » Lucie répéta, puis avoua avec candeur : « Sœur Marie de Gonzague fait souvent des fautes de subjonctif, tu sais. Mais je l'aime ! Pour le catéchisme, il n'y a qu'elle. » André quitta son fauteuil en marmonnant un peu et se servit un bourbon. Mona était hors d'elle. Le niveau de l'école se révélait catastrophique, on ne pouvait pas laisser Lucie là-bas. Si c'était ça pour l'anglais, il fallait s'attendre à tout en français, en mathématiques, en histoire… « Écoute, trancha son mari, ce n'est pas si grave. On n'est pas obligés d'en faire une intellectuelle. » Elle resta pétrifiée une seconde.

« Comment !… Tu préfères que ta fille soit juste une bonne mère ? Une bonne épouse ? Une bonne cruche, oui ! Comme moi ? Hein, c'est ça, comme moi ! »

André cria plus fort.

« Où tu as vu que tu étais une bonne mère et une bonne épouse ? Tu t'es regardée ?

— Quoi ?

— Tu te prends pour un modèle ?

— Parce que toi tu en es un ? Ah oui, pardon, j'oubliais… Toi… Le fils spirituel de Pétain…

— Tu ne parles pas de Pétain !

— Je parle de qui je veux… Pétain, Maurras… Hitler, même ! Tes héros ! »

Il l'attrapa par les cheveux et la secoua. Elle lui mordit la main. Lucie hurlait. « Arrêtez ! » Mais ils continuaient sans l'entendre, et d'autres cris, et d'autres insultes. Une seconde, le salon devint blanc, aveuglant. Lucie ouvrit la bouche pour chercher de l'air. Les lumières se mirent à flotter autour d'elle et son corps s'affaissa dans un bruit de chairs mortes.

Je revois Évelyne, moitié amusée, moitié outrée, qui s'écrie : « *Togeterre* ! C'est vraiment comme ça que la bonne sœur disait ! Elle était nulle. » Ses pupilles sont brillantes ; l'énervement de l'époque se ravive, j'ai l'impression que la scène vient de se produire. « À part le catéchisme, elle ne connaissait rien. » Je lui parle de ma mère. À Maurice aussi, puis aux Seychelles où elle a vécu quelque temps, elle avait des nonnes pour enseignantes. Elle les détestait. Latin, géographie : deux matières haïes, à cause d'une horrible femme qui en savait moins que ses élèves et leur postillonnait dessus à chaque cours.

Évelyne et ma mère ont eu une scolarité assez semblable, finalement – j'entends, pour les petites classes. Des assemblées de filles portant l'uniforme, de la religion tous les jours, le chant patriotique au lever du drapeau le matin. L'interdiction formelle d'être coquette. « Si Dieu a fait les ongles roses, ce n'est pas pour les peindre en rouge. Enlevez-moi ce vernis tout de suite. »

Lucie s'était évanouie et enfin les cris avaient cessé. Elle s'était réveillée peu après dans sa chambre, des compresses d'eau froide sur le front. Son père avait hésité à appeler le médecin. Pour sa mère c'était inutile ; elle était choquée, pas malade. Constance lui prépara un bouillon auquel elle toucha à peine. Très vite elle s'endormit.

Il devait être à présent deux ou trois heures du matin. Sur la pointe des pieds, Lucie poussa la porte de la chambre de son petit frère. Couché sur le ventre, il respirait doucement, paisiblement. Pierre était si petit qu'il était encore protégé des crises des grands, mais Lucie s'inquiétait pour lui. Sa bouche rose et calme, ses petits poings entrouverts la rassurèrent. Elle déposa un baiser sur sa tête et regagna sa chambre, où elle plongea dans un sommeil sans rêves.

Réveillée par le soleil qui filtrait des persiennes, Lucie jeta un œil à l'horloge, se lava et s'habilla avec anxiété, prête à affronter de nouvelles tempêtes – quelle ne fut pas sa surprise de trouver ses parents en doux bavardage dans la cuisine. C'étaient des « mon amour » et « ma tendresse » à n'en plus finir. « Ah ! Lucie ! Bonjour ma chérie. » Elle les embrassa l'un et l'autre. « Tu vas mieux ? » Ils souriaient. Elle n'en revenait pas. C'étaient eux qui lui posaient la question après tout ce qui s'était passé ! On lui servit son chocolat et ses tartines comme si de rien n'était. « Oh, tu vas être en retard, vite ! » Elle grimpa dans l'auto conduite par Fikou qui démarra aussitôt. Comment les adultes pouvaient-ils se faire autant de mal puis reprendre la vie le lendemain, exactement là où ils l'avaient laissée avant le chaos ?

Les jours passèrent. Bulle d'ouate parfaite, d'une douceur oubliée. Soleil brûlant sur Nouméa. Baignades en famille. Cela ne dura pas. À la sortie de l'école, un mardi, Lucie vit sa mère débarquer les cheveux défaits, la voix fragile. Elle l'arracha presque au bras de Madeleine. « Ma chérie, il va falloir être courageuse. » La poussa dans sa Renault Frégate. « Ton père est dans une rage folle. Il veut absolument te parler. » Elle grilla un feu rouge, des klaxons s'élevèrent, qu'elle fit mine d'ignorer. Lucie fixa un point invisible à l'horizon pour ne pas pleurer. Qu'avait-elle fait ? Qu'allait-il lui reprocher ? « Il va crier mais ne t'inquiète pas, je suis là. » Dans ses petites mains, un chapelet invisible s'égrenait.

André faisait déjà les cent pas dans le salon. Mona lui jeta un regard de défi, gardant une main sur l'épaule de Lucie. Sans un mot, il saisit le bras rose et tendre, la jeta dans le fauteuil. Mona eut mal pour elle. « Maintenant tu me racontes tout. » Lucie ouvrit des yeux larges comme des miroirs. « Depuis quand ta mère voit cet homme ? » Elle voulut se relever. André l'en empêcha. « Tu ne bouges pas avant de m'avoir tout expliqué. » Lucie tourna la tête vers sa mère, l'air implorant. Mona sentit les larmes lui monter aux yeux. Ce n'est pas ainsi que les choses devaient se passer. « Je t'ai dit qu'elle ne savait rien » répéta-t-elle. « Tais-toi ! » hurla André. « Lucie, maintenant, tu parles. Je sais que tu sais ! » La pauvre petite balbutia : « Mais… que je sais quoi ? – Qu'elle me trompe ! » Le bras tendu pointait sa mère. Lucie reporta son regard sur lui.

« Non papa, ce n'est pas vrai ! – Tu mens ! Toussaint m'a tout raconté. Pourquoi nos amis de la haute changent de trottoir quand ils la croisent, hein ? » Il se frappa le front du plat de la main. « Et moi qui n'ai rien vu ! Cocu ! Cocu ! » Il gémissait presque. « Tout Nouméa est au courant. » Repris par la hargne, il s'approcha de Lucie et lui tordit le bras. « Raconte, je te dis ! Pourquoi tu la protèges ? » Elle pleurait à présent. « Hein ! Protéger une traînée ! » À ce mot, Lucie bondit du fauteuil et courut se jeter dans les jupes de sa mère, « Non, non… c'est faux… ». Mona restait droite, inflexible, ses yeux plantés dans ceux d'André, pareille à ces statues antiques dont on ne sait si elles incarnent l'amour ou la guerre.

Les jours qui suivirent furent épouvantables. Mona passait le plus de temps possible chez Marthe, quand elle n'était pas dans les bras de l'Amant, qui l'avait recueillie dans un état fébrile. « Tôt ou tard, il aurait fini par l'apprendre. » Il lui renouvelait sa proposition de venir vivre avec lui.

« Et les enfants ?
— Emmène-les avec nous.
— Mais je ne peux pas. Pas comme ça. Il faudrait que je divorce. »
Son sourire était éloquent.

Marthe partageait l'avis du « gaulliste » : divorcer était la seule solution. Mona était accablée. Les femmes ne divorçaient pas comme ça : « Si ton mari te surprend chez vous avec un autre homme, il peut te tuer sans être envoyé en prison… Une faute *excusable*, dit le Code civil. » Elle appuya sa main contre son front. « Voilà qui est encourageant ! » Mona lui vola une cigarette et se laissa envelopper par la fumée à l'odeur aigrelette. Marthe reprit. « De mémoire, tu peux demander le divorce pour incompatibilité d'humeur ou de caractère. Mais les juges ne sont guère favorables aux femmes dans ces cas-là. Sinon il te reste les sévices et les injures graves. Choisis ! » La nuit commençait à tomber sur les grilles de la bibliothèque, fermée depuis une heure. Mona attrapa la bouteille de rhum que gardait sa complice pour les grandes occasions ou les soirées au cœur lourd. Sans un mot, elle remplit deux verres du liquide ambré. « Marthe, je peux dormir chez toi ce soir ? » La quinquagénaire cligna des yeux ; lissa ses cheveux argentés. « Tu peux. » Mona ne vit pas la jolie lumière dans l'œil noir de son amie.

C'était une petite maison de ville bordée d'un jardin, rue des Acacias. « Tu vas rencontrer Lénine. » De l'autre côté de la haie, le chien se mit à aboyer. « Oui mon Lénine… J'arrive… » Mona entra dans un couloir assez sombre qui donnait sur une pièce mal rangée. Il y avait des livres partout. Sur la table, les fauteuils, le plan de travail, et même dans les plantes vertes. Derrière l*a baie vitrée, un labrador. Marthe ouvrit la porte et le chien lui sauta dessus avec amour. « Je suis là, je suis là… » disait-elle en riant. « Quel âge a-t-il ? – Cinq ans. Encore un jeune homme… Hein mon Lénine. » Le chien approuva d'un jappement. Lorsqu'il eut fini de leur faire fête, elle le regarda trottiner dans le jardin avec un sourire. « Ce n'est qu'un chien, je sais… Mais tu vois… Sans lui, ce serait moins bien. » Elle détourna le regard. « Les bêtes, ça ne vous déçoit jamais. » Mona perçut la tristesse de son amie, ne répondit rien. « Bon, ce soir, poulet grillé et salade ! » Et Marthe posa sur la table la bouteille de whisky.

Toute la nuit, elles burent, fumèrent et burent encore. « Beauvoir a raison ! Porter la cause de toutes les femmes contre tous les hommes ! – Mais moi j'aime les hommes… » marmonnait Mona à moitié couchée sur la table. « Mon gaulliste, il est beau ! André aussi, il est beau… Ah oui. Qu'est-ce qu'il est beau… » Marthe faisait non de la tête, complètement ivre. « Les femmes, j'te dis ! Rien que les femmes ! » Elles riaient. « Sartre est moooche ! » hurla Mona hilare. « C'est vrai ! Mais Sartre est grand ! » répondit Marthe entre deux hoquets. « À la révolution des femmes ! » De l'alcool se renversa sur le carrelage. « À la cuite de notre vie ! » Lénine lapa la flaque de whisky. Les rires se nourrissaient de nuit, l'amitié d'ivresse. À un moment, Mona frôla de sa main celle de Marthe, peau contre peau, mais elle ne s'en rendit pas compte. L'alcool l'avait déposée dans un pays où les corps et les idées ne sont plus des certitudes.

Le personnage de Marthe est inventé. En vérité, j'ignore comment *Mona* a découvert *Le Deuxième Sexe*. Seulement, le roman avait besoin d'un personnage qui incarne ce moment de bascule : la rencontre de l'Autre. Qu'en aurait pensé Évelyne ? Que m'aurait-elle dit ? *« Yes ! »*, avec son petit sourire espiègle. Ou bien : « Tu fais comme tu veux. » Confiance… Ou encore, elle aurait infléchi le cours des choses. Ce qu'elle n'aimait pas, elle le disait, et avec une force de conviction inouïe, qui m'amusait beaucoup.

Je veux croire néanmoins qu'elle aurait apprécié ma bibliothécaire. Dans cette figure de littéraire engagée, quinquagénaire, alcoolique, solitaire et blessée par la vie, il y a des petits bouts de moi, d'Évelyne, d'amies, d'actrices et surtout d'inconnues. Mais je dois quand même vous le dire. Mon troisième prénom est Marthe.

« Alors, tu as pris ta décision ? » Depuis quelques semaines, l'Amant la pressait. Son retour en France se précisait. Mona voulait divorcer mais elle craignait de ne pas obtenir la garde des enfants. Marthe l'encourageait à plaider la cause d'incompatibilité ; la rumeur de sa liaison s'était répandue si vite qu'il n'y avait plus de temps à perdre. Il valait mieux officialiser la rupture. Quitte à scandaliser la bonne société calédonienne, autant aller jusqu'au bout. Elle pourrait toujours faire constater ses coups, si elle en prenait.

Dans la cour, Lucie jouait à la marelle avec Madeleine, sans remarquer les autres qui la regardaient d'un mauvais œil. Lorsqu'elle arriva sur la case « ciel », son amie l'appela. « On vient juste de commencer » protesta Lucie. Madeleine la tira par le bras sans un mot. Elles s'assirent à l'ombre de l'araucaria et se regardèrent. Il se tramait quelque chose. « Je suis désolée, Lucie… » La petite rousse regardait ses chaussures. « Tes parents vont divorcer. » Silence. « Moi non plus je ne voulais pas y croire…

C'est mon père qui me l'a dit. » Elle sanglotait doucement. Lucie mit du temps à réagir. « C'est quoi, divorcer ? Qu'est-ce que ça fait ? » Madeleine hésitait. « Eh bien… Tes parents… ils se séparent. » Son cœur se rétracta d'un coup. « Mais je te promets que moi, je reste ton amie ! »

De retour chez elle, Lucie courut trouver sa mère. Du haut de ses onze ans, et pour la première fois, elle éprouvait de la colère à l'égard des adultes, une colère lourde, charriant des mots et des sentiments qu'elle ne connaissait pas. « Madeleine a dit que vous allez divorcer ! – Comment… » Elle ne la laissa pas continuer. « Dis-moi que c'est faux. C'est faux, n'est-ce pas ? Je suis sûre que c'est faux ! » Sa mère ne bougeait pas mais son regard se chargea d'encre. Lucie comprit. Elle s'effondra. « Ma chérie… » Elle se détacha de sa mère brusquement. Mona en fut vexée. « Tu es assez grande pour comprendre, maintenant. Oui, je veux divorcer. Oui, je veux quitter ton père. Ce n'est pas le héros que tu crois. – Tu m'as toujours dit le contraire ! » Mona hocha la tête. « Tu as raison. J'étais aveugle, c'est tout. Oh, bien sûr, il a des qualités, beaucoup même, mais… » Elle se mordit les lèvres. « Si tu restes là, avec lui, tu ne prendras jamais ta vie en main. Ton père se moque que tu fasses des études supérieures. Tu te souviens de ça, n'est-ce pas ? Il ne veut pas faire de toi une intellectuelle. Moi si. » Elle marqua une pause puis, comme si toutes les digues lâchaient brutalement : « Je rêvais d'être médecin, Lucie ! J'en rêvais ! Et là, regarde-moi. Qu'est-ce que j'ai fait dans ma vie, hein ? Rien. » Lucie s'immobilisa. « Rien. » Mot terrible, destructeur. Tout se mélangeait dans sa tête. « Pourquoi, maman ? – Mais à cause de toi ! J'étais à l'université quand je suis tombée enceinte. C'est pour toi qu'André m'a interdit de continuer mes études ! » Lucie tituba. À cause d'elle, la vie de sa mère avait été gâchée.

Évelyne a toujours vécu avec ce reproche-là. *Mona* rêvait tellement de devenir médecin… Je me demande si ce n'est pas aussi pour cela que l'enfant qu'elle était a choisi, définitivement, le camp maternel dans la guerre qui opposait ses parents. Elle avait une dette. L'unique moyen de l'effacer était de réussir brillamment – elle y est parvenue au-delà de toutes les attentes.

Ce que les mères reportent sur leurs filles, tout de même. Ce qu'elles leur demandent, souvent silencieusement. Ce pacte qu'elles signent ensemble de leur sang partagé.

Plus j'avance dans le livre, plus je perçois les correspondances avec ma propre mère.

Elle aurait voulu faire des études. Son père ne lui en a pas donné les moyens. Selon lui, une fille de la bonne bourgeoisie créole, dans les années soixante, se marie et fait des enfants. Elle s'occupe de son ménage. Un jour, dans la maison familiale, ma mère adolescente surprend ses parents en pleine discussion.

Ma grand-mère dit : « Elle veut devenir puéricultrice. » Mon grand-père répond : « Mais pour quoi faire ? » Il est sincère, ne comprend pas. Ma grand-mère se range à l'avis dominant. La petite ne fera pas davantage d'études. Pourquoi mon cœur saigne-t-il chaque fois que je pense à cette scène ? Après tout, l'intelligence n'a pas d'âge, pas de diplôme non plus. La curiosité fait beaucoup plus que l'ânonnement idiot. Mais ce sentiment du possible refusé me broie. Dans ma petite vie, j'ai toujours pu tenter ce que je voulais. On ne m'a jamais dit : « Non. Ce n'est pas pour toi. » Cette liberté-là, une liberté de reine, de privilégiée, je n'admets pas que ceux que j'aime ne l'aient pas toujours eue.

« Laisse-moi ! Arrête ! » Les cris venaient de l'escalier. Lucie reposa le livre qu'elle tenait dans les mains, inquiète. « Tu es fou ! » La porte de sa chambre battit violemment et sa mère entra en courant. « Regarde, Lucie ! » Elle tendait son bras : de larges hématomes encraient sa peau de violet. « Il me bat maintenant. » Derrière la porte, André démentait, furieux : « Tu laisses Lucie en dehors de ça ! Je ne t'ai pas frappée, je t'interdis de lui faire croire ça ! » La petite se sentit paniquer. Que devait-elle dire ? Comment réagir ? Sa mère esquissa un drôle de sourire, cria : « Va-t'en. Elle ne veut pas te voir ! », puis ouvrit aussitôt la porte en la tirant par la main. Choquée, Lucie se laissa faire, consternée de voir son père prostré, au bord des larmes. « Je ne l'ai pas frappée » répéta-t-il d'une voix brisée.

Dans la voiture, Mona avoua qu'il disait vrai. Ils s'étaient disputés, elle était tombée par mégarde : ces hématomes n'étaient pas de lui. Seulement, elle n'avait pas trouvé mieux pour obtenir le divorce. « Je ne veux pas que vous divorciez » murmura Lucie.

« Madame Desforêt, que puis-je pour vous ? » Elle présenta au médecin son bras tuméfié. « Mon mari me bat. » Il la regarda avec stupeur. « Madame, je ne peux croire que… – Eh bien vous voyez. » Il l'examina, prit des notes en inspectant les hématomes. « Vous allez me donner l'attestation ? » demanda-t-elle. Le praticien leva la main. « On ne donne pas une attestation comme ça, madame, je regrette. Mais sous deux jours, promis, je vous recontacterai. » Elle remercia, soulagée, et rentra à la villa aux Oiseaux.

Comment avait-elle pu y croire ? Bien sûr, qu'il avait des appuis. Bien sûr, qu'il l'en empêcherait. Le médecin, fidèle à sa promesse, l'avait appelée deux jours après sa visite. Il n'y aurait pas d'attestation. L'homme ne contestait pas la présence d'hématomes, mais leur origine – elle avait tout aussi bien pu se cogner en tombant. Attaquer M. Desforêt n'était pas de son goût, il refusait de servir d'arbitre dans une guerre qui ne le regardait pas. À peine avait-elle raccroché qu'André la narguait. « Mince alors. Ton attestation. Ce vilain docteur qui ne veut pas te la donner ! » Il éclata d'un rire mauvais. En tant que chef du service économique, c'était lui qui avait le pouvoir d'accorder, ou pas, les devises étrangères aux habitants. Et justement, le médecin avait en vue l'achat d'une Ford rutilante qu'il ne pouvait se procurer qu'en Australie, avec de beaux dollars… Paris vaut bien une messe, et la Ford un petit accord entre amis. Mona venait de perdre une bataille.

Mon cher papa,

Je ne sais plus quoi faire. André est devenu violent, irascible. Je n'en peux plus. Je vais rentrer en France avec Pierre et Lucie. Sans lui. Au moins quelque temps. Si je reste, ce sera la désolation. J'espère que tu comprendras. Ce n'est pas une décision facile.

Je me sens seule. J'ai besoin de toi, et de maman. C'est une demande bien humble, et bien coûteuse, crois-moi. Voilà. Accepterais-tu que je m'installe à Nice avec les enfants ?

Lucie est première dans toutes les matières. Il faut dire que le niveau n'est pas très élevé, mais elle lit beaucoup, elle comprend tout. Tu as une merveilleuse petite-fille. Quant à Pierre, il a bien grandi, fait des phrases d'adulte calquées sur sa sœur. Il est si beau ! J'ai hâte que tu puisses le revoir.

Je t'en supplie, papa, aide-moi.

Embrasse bien maman.

Ta fille qui t'aime,
Mona

Les jours qui suivirent l'épisode du médecin furent semblables à ceux que l'on passe dans l'œil du cyclone. Un calme pesant, irréel, qui engraisse la future catastrophe. André paraissait normal, presque jovial, au point de proposer un dimanche une journée de pêche sur le petit voilier, au large de la barrière de corail. Mona dut suivre.

Le ciel était couvert et la mer paisible. « Où sont mes vers ? » Pierre tendit les appâts et leur père lança sa ligne. Lucie le regardait avec admiration. « Oh... Je sens que ça mord ! » Il remonta un premier mulet qui se débattait énergiquement. « Et d'un ! » cria-t-il victorieux, en arrachant l'hameçon. « Encore, papa ! » s'enthousiasmait Lucie, « là ! » ; un autre mulet venait de sauter hors de l'eau. Ils riaient, relançaient la ligne, remontaient aussi des rougets et des becs de cane à l'œil désespéré. La glacière se remplissait. Mona les observait avec un sourire. Sa famille.

Tout aurait pu être si simple.

Dans la voiture, au retour, André s'exclama : « J'ai une idée. » Il tourna à droite. « On fait un détour par l'école. » Arrivé devant le portail, il sonna et sortit la glacière du coffre. Mona allait descendre à son tour quand il l'arrêta. « Non, non, ma chérie. Attends-moi là avec les enfants. » Depuis combien de jours ne l'avait-il pas appelée « ma chérie » ? Elle se tassa dans le siège, étourdie par l'air marin et la douceur retrouvée.

André ressortit un quart d'heure plus tard, la glacière vide. « Sœur Marie de Gonzague est ravie de notre pêche miraculeuse ! Elle a tout pris, les gros comme les petits poissons… » Mona resta silencieuse. Lucie se jeta au cou de son père – il était si généreux.

Alors qu'en France les enfants du mois d'août jouaient en bord de mer, ivres de vacances et de cornets glacés, à Nouméa les classes continuaient. Le lendemain de l'excursion en mer, Lucie arriva à l'école comme tous les matins, socquettes tirées, jupe repassée. Comme tous les matins, elle se précipita vers sœur Marie de Gonzague pour l'embrasser. Mais ce jour-là, la directrice tendit le bras pour la tenir à distance. Lucie s'arrêta. « En rang, mesdemoiselles. »

Madeleine prit la main de Lucie en chuchotant : « Qu'est-ce qui se passe ? » Lucie eut un mauvais pressentiment. Deux par deux, les élèves entrèrent en classe. Comme à leur habitude, Madeleine et Lucie s'assirent côte à côte. « Mademoiselle Desforêt. » La voix de l'enseignante la saisit. « Posez vos affaires et venez sur l'estrade, s'il vous plaît. » Lucie retint sa respiration. Vous ? Jamais sœur Marie ne l'avait vouvoyée. Elle approcha timidement. « Avez-vous appris la récitation ? » Lucie s'empressa d'acquiescer. « Allez-y, je vous écoute. »

Douce Marie, Mère de Dieu,
Ton cœur est un refuge
Que sur nous se posent tes yeux
Et de nous s'éloigne le déluge
Mère des hommes et des cieux
Douce Marie, Mère de Dieu.

Elle acheva le poème avec un grand sourire à l'adresse de la sœur. « Bien. » Elle allait regagner sa place lorsque la maîtresse lui fit signe de rester sur l'estrade. « Qu'avez-vous compris de ce poème ? » Elle demeura bouche bée, incapable de répondre. « Je pose la question autrement. De quoi parle-t-il ? » Lucie fit un effort : « De la Vierge Marie.

— Comment est-elle présentée ?

— Comme un refuge.

— Mais encore ?

— Comme une mère douce et bonne. »

La directrice hocha la tête. « Exactement. D'après vous, mademoiselle Desforêt, une mère peut-elle être méchante ?

— Oh non, bien sûr que non !

— Je suis bien d'accord. Mais comment expliquer alors que la vôtre le soit ? »

Un silence de mort s'abattit sur la classe. Lucie se sentit vaciller. L'enseignante avança sur le devant de l'estrade et frappa dans ses mains. « Écoutez-moi. Votre camarade traverse une crise terrible. Sa mère, épouse de M. Desforêt, le chef du service économique, a demandé le divorce ! » Les enfants poussèrent un cri horrifié. Lucie, assommée, serra les dents. Madeleine était pétrifiée. « Divorcer est un péché mortel. Si Mme Desforêt s'obstine, elle ira tout droit en enfer. » La nonne se tourna vers Lucie : « C'est ce que tu veux ? Que ta mère aille en enfer ? » Le retour au « tu » la désarçonna, et elle éclata en sanglots. Non, elle ne voulait pas ça. « Alors tu vas prier. » Et elle lui ordonna de se mettre à genoux devant toute la classe, de réciter un *Notre-Père* et un *Je vous salue Marie*, avant de répéter cinq fois : « Seigneur, faites que ma mère renonce au divorce. » Lucie se releva en tremblant. Ses genoux lui faisaient mal, le monde entier lui faisait mal. Alors qu'elle regagnait sa place, la directrice ajouta : « Si tu aimes ta mère, tu l'empêcheras de divorcer. »

C'était comme un four, immense, creusé dans la terre. Les flammes, plus hautes que des vagues, en sortaient par paquets. Un océan de feu et de roches. « Maman ! » hurlait Lucie. Le rouge noyait tout, elle ne pouvait pas avancer. « Maman… » Soudain, un pont devant elle. Elle n'hésita pas, courut dessus pour chercher sa mère. Mais au fond du cratère, au milieu de la lave, se trouvait seulement une petite fille. Elle.

Le lendemain, Lucie ne chercha pas à embrasser sœur Marie de Gonzague. Elle se fondit dans le rang, toujours au côté de Madeleine, qui osa lui donner la main comme si de rien n'était. Lucie n'avait rien révélé à la maison, son cœur était trop lourd de chagrin. Sa tête trop pleine du cauchemar de la nuit. « Mademoiselle Desforêt. » Son cœur accéléra. Comme elle ne bougeait pas, sœur Marie de Gonzague répéta son nom. Lucie grimpa sur l'estrade et le supplice recommença. À genoux sur le parquet, elle implora le Seigneur, pria, demanda pardon pour sa mère, sa fautive de mère. La directrice insistait. « La Vierge te bénira si tu parviens à la sauver avant le 15 août. » Les moqueries des élèves, les silences lourds de sous-entendus, les ricanements mauvais, tout le poids de l'humiliation la fit céder. Elle rentra chez elle, décidée à convaincre sa mère.

Mona voyait bien qu'il y avait un problème. Le visage de Lucie était creusé ; elle n'avait pas faim, avait les yeux cernés de mauve, couleur de tristesse. La perspective du divorce accablait son enfant, bien sûr. Tout le mal venait d'elle. Mauvaise mère. Mais ce soir-là, quand sa fille rentra de l'école, elle lut autre chose dans ses yeux. Une forme de détermination. De courage. « Maman. Il ne faut pas que tu divorces. » Lucie était droite comme un soldat. C'était la première fois qu'elle parlait ainsi. « Il faut, il ne faut pas. » Le langage de son père. « Il ne faut pas car si tu divorces, tu iras en enfer. Je ne veux pas que tu ailles en enfer. » De ses beaux yeux clairs embués, Lucie la fixait. Mona s'effondra. Les larmes ruisselèrent comme jamais. Elle serra Lucie contre elle et la couvrit de baisers. « Ma fille, ma fille… » La petite essuya ses yeux. « Sœur Marie de Gonzague a insisté. L'enfer si tu ne renonces pas. – Sœur Marie de Gonzague ? » Lucie expliqua. L'horrible semaine, les prières devant la classe, les rires, la honte. Mona bondit. « De quel droit ose-t-elle… », puis suspendit sa phrase. C'était donc ça. Le voilier, les poissons, la glacière, le détour inopiné par l'école. Une nausée terrible lui tordit le ventre. Elle prit une grande inspiration, se tourna vers sa fille. « Ma chérie, va jouer avec Pierrot et Constance. Je dois parler à ton père. Mais ne t'inquiète pas. Je n'irai pas en enfer. » Lucie se dirigea vers les chambres ; Mona, de son côté, se précipita dans le bureau de son mari.

La porte n'était pas fermée à clé, elle la fit claquer. « C'était ça, alors ? » Il lui tournait le dos. Ne bougea pas malgré son cri. « Ça quoi ? » demanda-t-il d'une voix morne. Elle se planta devant lui, en furie. « Le détour par l'école, l'autre jour. Ta pêche miraculeuse… Ah oui, parlons-en ! » André esquissa un sourire, sans pour autant lever les yeux. Elle lui arracha des mains le document qu'il était en train de lire. Il la défia avec calme.

« Pourquoi ? Tu voulais faire un grand barbecue avec les poissons ? Voyons, Mona. Tu n'aimes pas ça.

— Je n'aime pas tes manigances. Combien tu lui as donné, hein ? Mille francs, deux mille francs ? Cent mille francs ? De quoi racheter toute l'école ?

— De quoi racheter ma femme. »

Soufflée, elle se laissa tomber sur le fauteuil.

Au pied du sémaphore, en compagnie de Constance et de son frère, Lucie pensait à Timea. Le nom seul de la prison de Nou lui donnait des frissons. Toute sa vie, le pauvre homme lui en voudrait. Même quand il sortirait du trou. Et Rosalie ? Que devenait-elle ? Et Tibaï ? Peut-être était-elle devenue une révolutionnaire du Viêt-minh, finalement. Assise dans l'herbe, Lucie réfléchissait. À tout ce qu'elle avait entendu depuis des mois, tout ce qu'elle avait vu. Aux bizarreries des adultes. Elle entrapercevait quelque chose en elle. Une lumière, mais si douloureuse qu'elle ne voulait pas aller y regarder de plus près. Elle embrassa les joues rebondies de son frère qui lui tendit une pâquerette comme s'il s'était agi d'un bouquet de roses. Pour la première fois, elle remarqua qu'il avait des yeux d'un bleu très rare, étonnamment proche du sien.

« Votre mère renonce-t-elle au divorce, mademoiselle Desforêt ? » Lucie haussa les épaules. Sœur Marie de Gonzague la regarda méchamment. « À genoux. » Le parquet était toujours aussi dur mais ce jour-là fut différent des autres. À la fin du *Notre-Père*, Lucie releva les yeux. « Je ne comprends pas, dit-elle. Si divorcer est un péché, ne pas aller à la messe aussi, non ? » Décontenancée, la nonne acquiesça timidement. « Mon père ne va plus à la messe depuis trois ans ! Lui aussi, il ira en enfer ! » Un silence épais tomba sur la classe. « Il y a des péchés qu'on peut réparer, bredouilla la sœur. Si ton père demande pardon, il sera accepté au purgatoire. » Lucie éclata de rire. Un rire nerveux, épuisé. Elle imaginait son père errer dans les couloirs blancs des limbes, puni mais sauvé des flammes. « Le divorce est le pire des péchés, reprit sœur Marie. Pour ta mère, ce sera l'enfer et seulement l'enfer ! » Les images du cauchemar lui revinrent. La chaleur terrible, les vagues de feu, la solitude. Dieu était-Il vraiment bon, pour autoriser pareils supplices ? Pourquoi avait-Il créé l'enfer ? N'était-Il pas plus fort que le diable, pour lui imposer ses lois ? La logique ne tenait pas jusqu'au bout. De nouveau, elle entrevit cette lumière douloureuse qui l'avait effleurée la veille au pied du sémaphore. Alors que la sœur lui demandait de reprendre sa prière, Lucie se redressa, épousseta ses genoux et alla s'asseoir auprès de Madeleine. « Lucie ! » Elle ne réagit pas. « Mademoiselle Desforêt, je vais être obligée de sévir » répéta l'autre sur un ton moins assuré. Lucie la regardait gentiment, et ses cernes mauves dessinaient deux sourires tristes sous ses yeux. Elle n'était pas impolie, pas arrogante. Simplement, les menaces ne faisaient plus effet sur elle. Troublée, la sœur n'insista pas et lança dans la foulée sa leçon de mathématiques.

Lucie attendit la récréation pour prendre Madeleine à part. L'idée avait mis du temps à faire son chemin, mais à présent elle savait. Du haut de ses onze ans, elle avait pris sa décision. Madeleine la regardait, curieuse du secret qui allait lui être confié. Lucie lui serra fort les mains et déclara dans un sourire : « On n'a qu'à dire que Dieu n'existe pas. »

Tout ce qui, depuis l'enfance, avait constitué son refuge, Jésus, les saintes et la Vierge, elle le laisserait de côté. Sa mère ne serait pas sauvée ; mais elle ne serait plus seule. Lucie l'accompagnerait en enfer. C'était ce qui importait. Sur son visage d'enfant fatigué, une lumière douce irradiait. Madeleine la supplia de renoncer à son projet. C'était une folie ! Elle murmura : « Tu n'as pas peur ? – Si. Mais c'est la seule solution que j'aie trouvée. » Le ciel, au-dessus de leurs têtes, avait la couleur des tristesses infinies.

Je crois que cette phrase d'enfant, « On n'a qu'à dire que Dieu n'existe pas », est celle qui m'a fait aimer Évelyne avant même notre rencontre. Elle a onze ans, je devrais dire, elle *n'*a *que* onze ans, et déjà, elle domine l'existence. La scène est authentique. La corruption d'*André*, qui achète la directrice de l'école, et pas seulement avec des poissons. L'humiliation en public. Le fiel déversé sur *Mona*, menacée d'aller en enfer. La culpabilité immense et le revolver sur la tempe : si tu ne persuades pas ta mère de renoncer au divorce, tu la condamnes. « Salope ! » crisse Évelyne entre ses dents. C'est qu'elle adorait sœur Marie de Gonzague. Elle ne pouvait s'attendre à une telle punition, et punition de quoi ? Petite fille ballottée, écartelée. Soumise, sans le savoir, au marchandage paternel. Quand approche l'heure du Jugement, c'est elle qu'on jette dans la balance de l'ordalie.

« Renoncer à Dieu a été la chose la plus difficile que j'aie eu à faire dans ma vie. » Elle me l'a répété plusieurs fois et je veux bien la croire. On n'abandonne pas si facilement l'Espérance. Sans Dieu, la mort n'est rien d'autre que la mort. Seul le néant. Le long infini du noir.

Le jour était venu pour l'Amant de partir. Il retournait en métropole. « Je t'attends là-bas. » Il l'avait embrassée. « Reviens-moi vite. Et libre... » Un sourire. Ils avaient passé la dernière nuit calédonienne ensemble, dans un cocon de mélancolie. Le club de Magenta serait repris par Thierry, son collaborateur. Jeanne rentrait en France avec lui. Mona soupira. La procédure de divorce serait longue – si André ne cédait pas, elle pouvait même s'éterniser. Il avait la justice de son côté. « Alors convaincs-le. » Elle se lova dans ses bras. « Imagine tout ce que les enfants pourront faire à Paris. Les meilleures écoles. Les meilleurs médecins. » Elle savait. Et en attendant Paris, il y aurait Nice. Son père ne lui avait pas encore répondu, mais elle n'imaginait pas une seconde qu'il puisse lui dire non. « Qu'est-ce qui te retient ici ? continuait l'Amant. Rien. Personne ! » C'était faux. Marthe, un peu. « Je lui paierai le voyage et elle viendra nous voir » disait-il. Mona avait un sourire pâle de fantôme.

Le ciel était couleur de lune quand il monta à bord de sa voiture, chargée de malles et de bagages. Il ne pouvait pas s'attarder : un dernier échange avec le gouverneur l'attendait. « Tu m'écriras ? » demanda-t-elle la voix étranglée. « Chaque jour. » Il colla ses lèvres sur les siennes et se fit violence pour s'arracher à elle. L'auto disparut à l'angle de la route.

C'était donc ça, l'amour ? Une douleur lancinante qui traverse votre corps. Mona se sentait tiraillée ; mille sentiments la pressaient, dont la tristesse n'était pas le plus désagréable. Elle regagna d'un pas lourd sa Renault Frégate. Sur la colline aux Oiseaux, la vie réelle la guettait.

André ne lui demanda pas où elle avait passé la nuit. Il s'habillait lorsqu'elle arriva, partit aussitôt. Elle se recoucha, en veillant à ne pas déborder sur le côté du lit encore chaud du corps de son mari.

En fin de matinée, le facteur sonna. Elle reconnut aussitôt l'écriture sur l'enveloppe.

Mona,

Toi seule sais ce qui est bon pour toi. Agis en conscience et sache que la maison t'est grande ouverte, à toi et aux gosses. Il y aura de la socca et quelques bouteilles de rosé. Préviens juste de ton arrivée, qu'on vienne te chercher.

La retraite niçoise est une sinécure, tu verras – si l'on excepte les fantaisies de ta mère. L'autre jour, elle est partie se balader dans le quartier mais s'est perdue. On l'a cherchée pendant deux heures. Tu ne devineras jamais où on l'a retrouvée. Sur un rond-point à la sortie de la ville. Je lui ai demandé ce qu'elle faisait là. « J'admire le paysage. » On ne s'ennuie pas.

Embrasse bien les enfants. À toi, de gros baisers.

Y.

Dessous, deux lignes ajoutées à la hâte, petites pattes de mouche bleues :

Ton père exagère, comme toujours. Mais c'est vrai que c'est un joli rond-point. On t'attend. Gros câlin.

Quelle vérité peut produire la fiction ? À l'heure où j'écris ces lignes, j'ai le sentiment de construire un puzzle. Je possède un certain nombre de pièces, données par Évelyne, par son manuscrit, ses messages, ses paroles. D'autres me proviennent du contexte, avec ses décors, ses hommes, souvent ses cauchemars. Je suis consciente d'être face à des trous. Il me manque bien des pièces. Les membres de sa famille, ses amis, peut-être ses étudiants, nombreux, me donneraient d'autres éléments, d'autres éclairages. Mais il s'agirait alors de témoignage. De biographie. Évelyne avait choisi la fiction, paradis de l'imaginaire, qui est trahison peut-être, liberté assurément. Le respect des faits est un leurre ; chauve-souris prise dans une pièce fermée. La fiction porte une certaine lumière sur une certaine histoire, elle s'affranchit de l'espace comme le font les notes de musique.

Reste la peur de blesser, de tomber à côté de la plaque. De ne pas réussir à dire, non pas qui était Évelyne Pisier, mais ce que mon esprit et mon cœur ont fait d'elle à travers ce roman. Cette peur, j'y réponds à la maison par une panique qui me conduit parfois, chose inquiétante, à rire et pleurer en même temps. Oui j'ai peur, peur du jugement, du mépris, des mauvaises interprétations. Peur surtout que le livre ne soit pas exactement celui dont elle aurait rêvé. Elle m'aurait répondu qu'aucun ne peut l'être. Alors je continue. Je vais au bout de ma promesse.

Depuis une heure qu'elle chevauchait, le ciel déversait ses eaux orageuses. La pluie lui fouettait le visage et collait son chemisier à sa poitrine, les mèches humides se plaquaient sur son front – Mona en redemandait, elle avait besoin de se laver de l'hystérie familiale des derniers jours, de la scène de la veille.

« Je renonce à Dieu » avait annoncé Lucie. Le visage de son père s'était illuminé. « Alors te voilà maurrassienne à ton tour ! » Il n'avait pas compris. Si elle renonçait à Dieu, elle renonçait aussi à l'église, à la messe, elle renonçait à tout. « Papa, comment peux-tu prétendre être catholique sans croire en Dieu ? Ce serait comme être français et détester ton pays ! » Il leva la main. « André, non ! » s'indigna Mona. La main retomba. « Tu m'as toujours menti ! continuait Lucie. Tu n'en as rien à faire de l'église ! Sinon tu serais venu à la messe ! – Lucie, ce n'est pas maintenant que je vais t'expliquer en détail la pensée de Maurras. Mais si tu veux une fessée, je suis prêt. » Mona se leva : « Tu ne la touches pas. » Lucie n'entendait plus. Elle se colla sous le nez de son père. « Tu n'es jamais allé te confesser ! C'est pas à cause de Maurras, ça ! C'est que tu ne veux jamais reconnaître tes torts ! »

Étrangement, cette remarque apaisa André. « C'est vrai. Je n'aime pas l'idée de la confession. Les confesseurs se prennent pour des psychanalystes. Et tu sais qui a inventé la psychanalyse ? Un Juif évidemment. » Mona intervint. « Peu importe que Freud soit juif, le problème est que sa science repose sur la découverte de l'inconscient. Rien de moins scientifique. Moi je sais que je n'ai pas d'inconscient et que l'inconscient n'existe pas. Ce n'est qu'un lâche prétexte pour s'excuser de ses fautes ! » C'est Marthe qui lui avait appris tout cela. L'existentialisme était un humanisme, mais aussi une école. Contre toute attente, son mari hocha la tête. Il approuvait. Elle sentit la chaleur de son regard sur elle, sa bouche se fit plus rouge, elle le savait, il n'aimait rien tant que voir ses idées partagées, il trouvait cela… excitant – et cette scène, songea Mona, en rappelait bien d'autres. « Ta mère est si intelligente, Lucie. » Il lui tendit la main, elle lui tendit la sienne, le laissa y déposer un baiser : « Mademoiselle, susurra-t-il, vous êtes plus ravissante qu'une gravure de mode. Mais les hommes peuvent-ils se fier à vous ? » L'allusion la fit sourire, l'émotion aussi, et soudain, elle retrouva l'amoureux de ses dix-sept ans. Comme avant, elle n'eut plus qu'un désir, plonger dans ses bras, se déshabiller, le déshabiller, guider ses caresses. Elle oublia Lucie et le suivit dans la chambre.

Pendant l'amour, ils firent tomber le perroquet de verre. Un bruit clair de ruisseau, ding, et mille petits éclats de couleur constellaient le sol. L'oiseau n'était plus. Il y eut un silence et Mona murmura : « C'est fini. » « C'est fini » répéta André. Ils se regardèrent. Le temps se figea. Puis, dans un soupir : « Le divorce, alors. »

Sur sa jument, Mona tâchait d'oublier. Son premier adversaire, elle le savait, c'était elle-même. C'était son corps. Malgré elle, elle revenait toujours à André, cédait toujours à ses sourires, à son regard, à leurs souvenirs communs. Sa peau contre la sienne. Leurs nuits amoureuses. Mais la pluie ne lavait de rien. Elle ramena Dune à l'écurie et prit la direction de Nouméa. Il fallait qu'elle parle à Marthe.

Les grilles de la bibliothèque étaient fermées. Mona regarda sa montre, onze heures. Rien ne justifiait cette fermeture. Elle cria le nom de son amie. Inutile. La voiture de Marthe n'était pas sur le parking. L'avait-elle prévenue qu'elle serait absente ce jour-là ? Elle n'en avait pas le souvenir. Elle interrogea un marchand quelques mètres plus loin. Non, il n'avait rien vu. Soudain inquiète, Mona se rassit au volant et démarra.

Rue des Acacias, la maison semblait endormie – volets clos, porte close. Un jour de congé imprévu ? Elle toqua à la porte. Rien. Elle recommença. « Marthe ! » Décontenancée, elle essaya de voir dans le jardin caché par la haie. L'un des buissons, desséché par le soleil, laissait un trou dans les branchages. Mona y colla l'œil, ne vit rien d'abord. Elle changea d'angle. Face à elle, une tête. Découpée. Celle de Lénine. Les yeux étaient révulsés et la langue déroulait un tapis rose sur le sol. À côté, le corps du chien était encore en position de sphinx, pattes avant croisées, comme en attente de son maître. Mona allait défaillir quand elle aperçut derrière une silhouette étendue sur le dos. Elle mit quelques secondes avant de comprendre.

Des voisins accoururent, la police arriva et très vite, la porte d'entrée fut enfoncée. Les ambulanciers se précipitèrent dans le jardin. Trop tard.

On demanda à Mona de reconnaître le corps.

Marthe avait de la terre sur le visage. « On l'a trouvée sur le ventre » expliqua un flic. Ses beaux cheveux argentés dessinaient une auréole sur le vert du gazon. Une mouche s'y posa. « Je vais vous poser quelques questions, d'accord ? » Mona faisait oui de la tête, incapable d'articuler le moindre son. « Vous reconnaissez formellement le corps de Mme Marthe Carreau ? » Oui. « Bibliothécaire à Nouméa ? » Oui. « Votre amie ? » Ses yeux se mouillèrent de larmes. Oui. « Mariée, des enfants ? » Non. « Son chien, c'est tout ? » Oui. « Il était agressif ? » Oh non. Elle fit un effort : « Il s'appelait Lénine. » Le flic fit la grimace. « Vous lui connaissiez des ennemis ? Des inimitiés, disons ? » Plein. Elle était communiste. Les policiers notèrent son adresse et son numéro de téléphone. « On vous tiendra au courant. »

L'enquête fut rapide ; l'autopsie sans zones d'ombre. Marthe avait succombé à un arrêt cardiaque, probablement dû à la découverte de son chien décapité. Elle avait par ailleurs une bonne dose de whisky dans le sang. Le canicide avait été commis par un type du quartier, ultracatholique et paranoïaque, qui s'était dénoncé avec fracas. « J'ai tranché la bête ! » vociférait-il. Il avait repéré le labrador depuis longtemps ; Marthe criait suffisamment son nom. Des voisins affirmèrent avoir entendu des aboiements terribles le fameux matin, mais ça n'avait pas duré. L'un d'eux avait même croisé le fou qui marmonnait : « Je vais tuer Lénine. » Il ne pouvait pas imaginer que l'homme parlait d'un chien, ni qu'il avait une machette dans son sac. Le type avait sauté par-dessus la haie. En tuant le chien, il avait tué la femme. Bientôt l'asile. Affaire classée. Et Marthe dans une petite boîte sous terre.

Les derniers jours à Nouméa plongèrent Lucie dans une tristesse infinie. Dès que le divorce fut prononcé, sa mère exhiba fièrement le document. « On a réussi, ma chérie ! » et elle la serra dans ses bras. Lucie ne comprenait pas ce « on » mais feignait de se réjouir. Son père fanfaronnait. « Ah, Mona, si tu savais ! Je ne me suis jamais senti aussi bien. Avec mon assistante… Tous les jours, tu sais. Je ne te cache pas que c'est torride ! » Et sa mère riait. « Tant mieux, tant mieux ! Cela veut dire que nous ne nous aimons plus, toi et moi. » Lucie pleurait en cachette. « Torride. » Ce mot recouvrait des choses inconnues et bourdonnait dans sa tête, sale insecte inquiétant. Son père faisait comme si de rien n'était. « Quand vous serez partis, je vais être tranquille… Ah ! comme ça va être bien ! » Lucie était choquée. Il ne les aimait donc plus, son frère et elle ? Soit. Elle avait su renoncer à Dieu, elle saurait renoncer à son père. Se délester de ce double amour serait une libération, douloureuse, mais définitive. Il pouvait prendre son bateau et aller plonger au milieu des requins ! Ah oui, qu'ils le bouffent, ce héros qu'elle avait tant aimé !

Pendant ce temps, Mona préparait les affaires. Il y aurait une gouvernante avec eux le temps de la traversée. Pour l'école, les jeux. Constance n'étant pas intéressée par un aussi long voyage, ils trouvèrent une Caldoche qui souhaitait rentrer en France. Tous étaient convenus de ne rien dire à Pierre au sujet du divorce ; il était trop petit. « On va rentrer en France voir papi et mamie. Papa restera un peu à Nouméa pour le travail, mais vous vous reverrez plus tard, d'accord ? » Bien sûr que c'était d'accord.

La fin de septembre peignait le ciel d'un bleu immaculé. Sur le port, *Le Résurgent* était prêt à partir. André avait tenu à les accompagner. « Pierre ne comprendrait pas autrement. » Elle devinait que ce n'était qu'un prétexte. Entourée de ses enfants, Mona se sentait le cœur lesté de pierres. Encore un paquebot, mais cette fois, André resterait à quai… Elle se revit à Hanoi, après la libération du camp. Ses larmes lorsqu'elle avait retrouvé son mari, si maigre, si affaibli, lui dont la seule pensée lui avait permis de tenir tous ces mois.

« Je vous laisse un peu en famille » déclara la gouvernante. Un porteur canaque la suivit avec les trois lourdes malles. Mona se répéta : « En famille. » Ce mot la brisa. André avait revêtu son plus beau costume, le gris perle qui faisait ressortir ses yeux et dans lequel elle l'avait tant aimé autrefois. Leur vie aurait pu être différente. Qu'avaient-ils raté ? Lucie serrait la main de son petit frère. Ne pas pleurer, rester droite. « J'espère que vous ferez bon voyage… » murmura André, la voix étranglée. Ils échangèrent un regard. Les mots n'étaient pas nécessaires. On peut continuer à aimer ceux qu'on n'aime plus. L'équipage héla les passagers. Il ne fallait plus traîner. Ce fut Lucie qui s'avança la première. Elle embrassa son père, raide, incapable de parler. Il voulut la serrer un peu plus dans ses bras mais elle s'esquiva aussitôt, lui laissant Pierre. « Tu viens nous voir bientôt, papa ? » De la tête, André fit signe que oui. La petite main de Pierre retrouva celle de sa sœur et ils montèrent sur la passerelle. Mona fit un pas, posa une main sur l'épaule de son mari. Il lui enserra la taille. « Plus ravissante qu'une gravure de mode… » avait-il dit un soir de novembre. Cette fois, seul le silence parlait. Elle glissa un baiser sur sa joue, aspirant une dernière fois le parfum d'ambre et de gâchis.

À peine s'était-elle installée dans la cabine, réglant avec la gouvernante l'emploi du temps des enfants, entre leçons, jeux et conversation, ainsi que l'avait souhaité André, qu'elle écrivit une lettre à l'Amant. Paris, disait-elle, soufflait déjà ses caresses. Elle n'avait qu'une hâte : le retrouver, l'aimer, l'étreindre. À chacune des escales, elle postait une nouvelle missive pour lui. Sitôt son courrier fini, elle songeait à André. Leur vie en Indochine. Leurs joies. Il lui en avait fallu du temps pour comprendre qu'elle n'était qu'un objet, une éternelle mineure. Dans le fond, c'était ça qu'elle reprochait à André : ne pas avoir été capable d'évoluer et d'accepter qu'elle change. D'avoir fait passer d'abord ses principes. D'avoir mieux aimé Maurras qu'elle. Mais il était le père de ses enfants – un lien ineffaçable entre eux. Alors elle lui écrivait. « André », « Cher André », « Mon André ». Donnait des nouvelles des enfants. « Lucie ne fait aucune faute en dictée. La gouvernante est très satisfaite. Quant à Pierre, il maîtrise l'alphabet à présent. » D'elle, Mona disait peu de choses. « La mer est houleuse. Je ne souffre pas trop. » Chaque fois qu'elle scellait les enveloppes, elle ne savait que penser. L'une partait vers la France ; l'autre retournait en Calédonie. Et elle était là, à mi-chemin entre les deux.

Sur le bateau, elle lut beaucoup – unique moyen de rester en contact avec Marthe. Elle voulait garder de son amie le plus beau, le plus enivrant. Oublier ce spectacle d'horreur de la rue des Acacias. Elle retournait régulièrement au livre à couverture beige bordée de rouge et de noir. L'exemplaire garderait pour toujours la cote de la bibliothèque et la tache de gras page 125. « La dispute durera tant que les hommes et les femmes ne se reconnaîtront pas comme des semblables, *c'est-à-dire tant que se perpétuera la féminité en tant que telle.* » Mona regrettait que Marthe ne puisse plus lui expliquer ce type de phrases. Elle sentait confusément que cela avait un rapport avec l'idée que les femmes étaient des hommes comme les autres, mais ne saisissait pas précisément comment ni pourquoi. Qu'importe. Marthe lui avait donné de la force pour mille ans.

Le Résurgent arriva à Marseille le 21 octobre 1953, pile le jour de l'anniversaire de Lucie, qui fêta ses douze ans sur le paquebot. Mona tenait son fils d'une main, sa fille de l'autre. Du pont supérieur, elle aperçut les silhouettes de ses parents qui s'agitaient sur le quai en leur faisant de grands signes. « Là ! Vous les voyez ? » Lucie cria : « Papi ! Mamie ! », aussitôt imitée par Pierre. Guillemette se pressa au pied de la passerelle et les serra fort dans ses bras. Elle avait maigri. Sa peau ridée était parsemée de taches brunes, mais son sourire illuminait tout. Quant à Yvon, les cheveux certes un peu plus blancs, il riait de bonheur, heureux de retrouver ses petits-enfants bien grandis. La gouvernante prit congé ; elle rentrait chez elle, à Brest, où elle allait s'occuper de sa vieille mère. Mona la remercia pour sa vigilance durant le mois en mer. Pierre sanglota en voyant la femme s'éloigner. Un chagrin en amenant un autre, il se mit à hurler « papa, papa ! ». Guillemette le cajola, « il ne faut plus penser à ton… » – sa fille la coupa. Pierre ne savait rien du divorce, chuchota-t-elle ; il fallait le laisser croire au retour d'André.

La famille s'entassa dans la Peugeot et Guillemette se colla à Lucie. « Tu vas voir, on vous emmène à Nice, dans notre jolie maison sur la colline. » Lucie bouda. « J'en ai marre des collines. Elles nous portent malheur. » Sa mère lui jeta un regard noir, Pierre pleurnicha et Yvon tenta de faire diversion. Quand apparut le mas couleur terre de sienne, Mona se sentit renaître. Maintenant, tout commençait vraiment.

Ma mère s'inquiète pour moi. Je ne dors plus, ou mal, pas assez en tout cas. Je mange n'importe quoi. Dès que je quitte le travail, je n'ai qu'une obsession : finir le livre. Cela donne des menus auxquels je n'aurais jamais touché en temps normal : Redbull-camembert ; café serré plus café allongé ; brocolis. J'en viens presque à comprendre les écrivains à bouteille. Tenir ou s'étourdir, c'est un peu la même chose. Atteindre cet état second au-delà de la fatigue quand le manuscrit s'étire devant vous comme un ruban sans fin.

Guillemette avait parfois des absences. Son regard se voilait et soudain, plus rien n'avait de prise sur elle. Mais le plus souvent, elle demeurait la femme pétillante et vive qui enchantait le quotidien. Quand elle sut que Lucie apprenait en classe l'italien, elle lui demanda de devenir son professeur personnel. Grand-mère et petite-fille se retrouvaient dans la cuisine autour d'un gâteau, et Lucie lui faisait répéter des phrases, mémoriser les conjugaisons. Guillemette s'appliquait, puis oubliait aussitôt. On la trouva un matin dans la cuisine avec des après-ski aux pieds. « Maman, qu'est-ce que tu fais ? – Tu le vois bien, ma chérie. Je m'entraîne. » Ou alors elle commentait à voix haute les magazines féminins : « Marlene Dietrich, ce n'est plus ce que c'était. » Mona s'asseyait à côté d'elle, regardait les visages des actrices. Les divas ne passaient pas la cinquantaine. Leurs corps s'affaissaient, les rides bien sûr, la taille gonflait, plus rien n'allait. Guillemette continuait, impitoyable. « Audrey Hepburn… Je l'aimais bien avant, oh oui, comme elle était jolie. Mais là. Regarde. Non, vraiment, elle n'est pas moderne. » Elle jetait les magazines à la poubelle. Mona les récupérait en secret.

Un jour, en pleine séance d'italien avec sa grand-mère, Lucie entendit Mona et Yvon discuter vivement.

« Je vous accueille volontiers, tu le sais. Mais le divorce, non ! C'était une très mauvaise idée.

— Papa, je n'avais pas le choix.

— On a toujours le choix.

— C'est vrai. Moi j'ai fait le choix d'être libre. »

Le ton montait derrière le mur du salon. « Je ne te parle pas d'amour. Mais socialement ? Financièrement ? Comment tu vas faire, toute seule ? – Comme font tous les hommes. Je vais travailler. »

Depuis leur retour, Mona multipliait les séjours à Paris. Elle laissait les enfants à ses parents et fuyait retrouver l'Amant.

Le premier jour, cependant, rien ne se passa comme prévu. Le gaulliste était toujours aussi élégant, d'un calme parfait, mais était-ce la lumière du Nord, l'automne, les rues encombrées, l'absence des plages de sable gris, sa beauté n'était plus la même. Il lui parut moins grand, moins solaire. Son sourire avait perdu son éclat. Tandis qu'il l'embrassait, elle avait ri, mais c'était de gêne et non de tendresse. Dans la chambre de l'hôtel, il demanda qu'on leur mette du champagne à glacer. Deux flûtes entouraient la bouteille sur le bureau. Lumières tamisées. Il lui offrait tous les clichés des retrouvailles. Mona était déçue. L'avait-elle aimé seulement parce qu'il lui donnait la possibilité de blesser André ? De le défier ? L'avait-elle aimé seulement à cause d'un décor, de plages et de chevaux, de forêts et de ciel brûlant ? Dans cette chambre au papier peint fané, il ne manquait que la rose rouge. « Tiens, mon amour… » Il tira de son dos une rose rouge. Elle éclata en sanglots. Il ne comprit pas.

Mais Paris. Paris et son bourdonnement de ruche, ses trottoirs aux vitrines clignotantes, ses écoles, et la Sorbonne aux pavés disjoints, Paris et ses grands hommes, le Flore, Sartre et Beauvoir, les intellectuels, les médecins, toute cette constellation de corps et d'esprits vifs, taillés dans la grandeur du siècle.

Alors elle revenait. Une semaine par mois, environ. C'est par Paris qu'elle se réappropria l'Amant. Par Paris, c'est-à-dire par le rêve.

Un jour, le gaulliste lui apprit sa nouvelle affectation. On le nommait gouverneur de Dakar ! Il partait dans quatre mois. Le Sénégal connaissait quelques remous, mais c'était un pays où il faisait bon vivre. « Si tu le souhaites, tu viens avec les enfants. » Elle lui sauta au cou. Il la bascula sur le lit. L'Afrique ! Entre ses bras enfin, elle s'abandonna. Après l'amour, tandis qu'ils partageaient une cigarette en rêvant au futur, elle détailla chaque parcelle de sa peau, ses lèvres, ses yeux calmes. Elle le retrouvait enfin. Elle posa sa tête sur son torse et lui dit : « Tu es beau. »

Pendant quatre mois, elle vécut dans l'attente du voyage. Au Sénégal, il y avait des lions, des antilopes, des girafes. Elle enchantait les songes de Lucie, lui transmettait son impatience. « Et Pierrot ? » demandait sa fille. « On ne lui dit rien. Au dernier moment seulement. » Et les jours passaient, fébriles et excitants.

LE SACRIFICE

Au 55e jour de lutte, la forteresse de Diên Biên Phu vient de succomber.

Le courage dépensé sur ce lambeau sanglant au plus épais de la jungle, la valeur du général de Castries et de ses troupes, les prodiges des aviateurs et des parachutistes, la chaîne ininterrompue de leurs sacrifices, l'élan de ce volontariat fraternel et désespéré, tout ce que nous savons des combats sans merci livrés par des hommes libres contre le fanatisme a rempli d'admiration l'univers et nous laisse, au moment où j'écris ces lignes, dans une inexprimable émotion.

L'éloge reste au-delà des mots. Toute éloquence serait hors de mise.

Ce que les sacrifiés exigent de nous ce soir c'est un examen de conscience.

Nous pouvons nous rappeler l'épitaphe dédiée par Kipling aux victimes de la Première Guerre mondiale : « Nous sommes morts parce que nos pères nous avaient menti. »

Les combattants de Diên Biên Phu sont morts parce que nous nous sommes menti à nous-mêmes.

Mona reposa *Le Figaro*. 8 mai 1954. Depuis la veille, l'Indochine était morte, et pour de bon cette fois. L'article de Brisson pointait la responsabilité des communistes, « les amis de MM. Thorez et Duclos », qui avaient cédé au chantage du Viêt-minh et lancé cette guerre innommable. Mona ne put contrôler ses tremblements. Elle imaginait l'état dans lequel se trouvait André. La rue Catinat, le Cercle sportif, l'hôtel Continental… Terminé. La vie qu'ils avaient connue là-bas ne serait plus qu'un tas de cendres. Leur amour aussi, un tas de cendres. Elle s'enferma dans sa chambre pour pleurer. Des pensées contradictoires pressaient son esprit. Elle avait haï l'Indochine, elle avait adoré l'Indochine. Plus exactement, elle avait aimé ce que l'Indochine avait fait d'eux : une famille. Bien sûr, elle n'oubliait rien. Les cris, la violence qui noyait tout, les accès de rage. Les trahisons. Il n'avait pas su la retenir – et pourtant le voulait. Ce que l'Amant, « le gaulliste », lui donnait, c'était exactement ce qu'André ne pouvait se résoudre à lui offrir : de la liberté. Les femmes n'étaient pas des sous-hommes. Pas des enfants, pas des mineures ! Mona ne voulait plus qu'on lui dise quoi faire ou penser. Mais Diên Biên Phu. Mais la défaite. Elle jeta le journal dans un geste dérisoire – la blessure ne se refermerait pas si vite.

Tous les matins depuis plusieurs mois, Lucie passait sous le fronton du grand bâtiment jaune qui annonçait : « Liberté. Égalité. Fraternité. »

Le premier jour du collège, elle avait pris place à côté d'une fille brune, très belle, avec qui elle sympathisa et qui lui prêta ses cours pour qu'elle rattrape le mois de septembre qu'elle avait manqué. Judith. À la récréation, alors qu'elles bavardaient, Lucie lui avait demandé : « Tu es juive ? – Oui. Toi aussi ? » À ces mots, Lucie avait manqué de s'étrangler et pouffé. « Non, non, ah non… Si j'étais juive, mon père m'aurait tuée ! » Judith avait éclaté de rire. « Tu es drôle, toi ! »

Judith fascinait tous les élèves de la classe. Par sa beauté, son nom et son histoire. Seul son père était revenu des camps. Sa mère, ses sœurs, ses grands-parents avaient perdu la vie à Auschwitz. Son salut, elle le devait à un couple de fermiers qui l'avaient fait passer pour leur fille. Judith avait dans l'œil cette blessure froide qui attire. Lucie fascinait pour d'autres raisons. On savait qu'elle venait des colonies. L'Asie, la Nouvelle-Calédonie… Blondeur et exotisme. On savait surtout que ses parents étaient divorcés, qu'elle ne voyait plus son père. Les deux filles réunies dégageaient un parfum de malheur irrésistible.

Elles se connaissaient depuis plusieurs mois déjà quand Judith lui posa des questions sur sa vie passée. N'avait-elle pas de regrets ? Nouméa, le lagon, les chevaux… « Si, j'ai un regret. Madeleine. C'était ma seule amie. Mais comme son père était proche du mien, il lui a interdit de continuer à m'écrire. Je ne sais pas ce qu'elle devient.

— Comment ça s'est passé, le divorce ?

— Oh, très mal. Ils hurlaient tout le temps, ils se faisaient mal, et la minute d'après, ils s'embrassaient. Et la minute d'après encore, la dispute recommençait. Comme si mon frère et moi on ne comptait plus. »

Elle marqua une pause. Le soleil dans le ciel annonçait le printemps. Les mouettes se chamaillaient pour un bout de poisson. « J'ai renoncé à Dieu, là-bas. » Judith écarquilla les yeux. « Oui, j'étais croyante à l'époque. Très. C'est fini, tout ça. Je n'y crois plus du tout. Il n'y a pas de Dieu, il n'y a que des hommes. – Il n'y a pas de Dieu, mais il n'y a pas toujours des hommes. »

Les yeux embués de larmes, Judith sortit de son cartable une photo. Lucie y découvrit la silhouette d'un homme à moitié nu, d'une maigreur inqualifiable. Ses os perçaient la peau, son nombril faisait comme un trou minuscule. Il souriait pourtant, mais ce sourire-là était celui d'un cadavre. « C'est mon père. » Derrière lui, on devinait des sortes de baraquements, et d'autres formes, et d'autres cadavres en vie. « La photo a été prise à la libération du camp. » Lucie ne pouvait détacher ses yeux de l'horreur. Elle s'en voulait de s'être plainte : un divorce, à côté de ça, qu'était-ce ?

« Je voudrais brûler cette photo, continua Judith. Seulement je ne peux pas.

— Pourquoi la brûler ?

— Parce que chaque fois que je regarde mon père aujourd'hui, même s'il a repris du poids, je vois cette image. La mort a pris possession de lui et c'est ce visage de mort qui se superpose à l'autre à tout instant. »

« Maman ! » Lucie était hors d'elle. « Judith m'a montré la photo de son père ! Comment papa a pu accepter ça ? » Elle sortit son cahier d'histoire et l'ouvrit à la page de cours. « Dès le début de la guerre, les Juifs ont été accablés. Papa faisait appliquer les lois antijuives en Indochine. L'Holocauste, c'est lui aussi ! La déportation de la famille de Judith et son père détruit, c'est lui aussi… » Elle était en larmes. Mona, gênée, essaya de la raisonner. « C'est du passé. Ton père a fait ce qu'il croyait juste à l'époque. » Lucie lui tourna le dos. « Arrête avec ça ! Ça vire à l'obsession ! » Elle n'entendait plus. Tout ce que son père lui avait inculqué était à revoir. Avant de quitter la pièce, elle lança à sa mère : « Auschwitz, Birkenau, Dachau… J'ai honte ! »

L'empire paternel s'effondra en quelques jours. Lucie passa une journée à la bibliothèque. À chaque vérité d'André s'opposait une réalité écœurante, illustrée par des photos, des dessins, des témoignages et des livres. La distinction des races – l'esclavage et la souffrance de peuples massacrés. Le bien-fondé d'Hiroshima – les cris des civils brûlés par la bombe. L'Empire colonial – l'Exposition universelle de 1931, à Paris, et les cent onze Canaques présentés comme des cannibales avides de chair d'enfant. Et tout le monde, dans la rue, dans les journaux, parlait de Diên Biên Phu. Lucie réfléchissait, prenait sa mère à témoin. Son père répétait à longueur de temps que l'Indochine était française, mais s'il était si attaché à l'idée de nation, il aurait dû comprendre que les Vietnamiens aussi défendaient leur pays ! Mona ne savait que répondre. Dans le fond, la politique ne l'intéressait pas, elle réagissait à ce que lui dictaient son cœur et sa découverte de la liberté.

« Ton père a été un grand homme. Il s'est battu courageusement… Il était très respecté…

— Je rêve, ou tu le défends ?

— Ce n'est pas que je le défends. C'est que je ne veux pas que sa fille dise du mal de lui.

— Eh bien j'ai hâte que ton amant nous emmène tous en Afrique ! Je préfère de Gaulle à Pétain ! »

C'était un jeudi. Le jour préféré de Guillemette, celui où les enfants n'avaient pas école. Pour le déjeuner, elle avait fait préparer de la chiffonnade de jambon avec du melon, une tarte à la tomate, des sardines grillées avec des pommes sautées, et en dessert, un gâteau de riz. Lucie avait voulu aider à préparer le repas mais sa mère l'en avait empêchée. « Ma fille, il y a deux choses que je t'interdis de faire. Ton lit et la cuisine. La femme a toujours été cantonnée à ces tâches ménagères. De quel droit ? Je préfère que tu étudies. » Lucie riait. « Ce n'est pas parce que je coupe une tomate en tranches que je ne réussirai pas mes études. – Je ne veux rien savoir. La cuisine, le ménage, la broderie, tout ça, tu n'y touches pas. »

Alors qu'ils allaient passer à table, la sonnette retentit. Yvon se leva pour aller ouvrir mais, à leur grande surprise, Mona se précipita pour l'en empêcher et ouvrit la porte à sa place. Ils n'eurent pas le temps de voir l'invité qu'elle se jetait à son cou pour l'embrasser. Lucie soupira. L'Amant avait fini par se décider, ce n'était pas trop tôt. Quand il fit un pas dans le salon, cependant, elle crut qu'elle allait s'évanouir. Ses joues devinrent rouges, son cœur accéléra. Ce n'était pas l'Amant. C'était son père.

Pierre courut se jeter dans ses bras. Lucie ne bougeait pas. Ce n'était pas possible. Le monde entier s'amollissait sous ses pieds. Yvon commenta sobrement : « Le revoilà. » Guillemette semblait absente, fascinée par les plis roses et transparents de son jambon. Mona fit entrer André en le tenant par la main. Son front accusait quelques rides, mais il avait toujours son allure virile, cette élégance qui en imposait. « Tu ne me dis pas bonjour, Lucie ? » Elle se laissa embrasser froidement. Pourquoi était-il là ? Comment sa mère avait-elle pu se remettre avec lui, sans rien lui dire, sans rien préparer ? Et l'Amant, alors, et l'Afrique ? Elle croisa les yeux gris, du même gris que le pyjama du père de Judith.

L'amour, à nouveau. Transgressif, coupable. Mona s'en voulait ; elle n'avait pas eu la force de prévenir Lucie, savait que sa fille lui ferait le reproche de ne pas aller au bout de ses idées. Marthe aurait hurlé, elle aussi. C'était une bêtise, une erreur sans doute, mais André lui manquait. Contre cela, elle ne savait pas lutter. L'amour était son moteur et sa prison.

Ils se retrouvaient dans la chambre deux, trois, quatre fois par jour. Elle redécouvrait sa peau, son parfum et sa chair. Il retrouvait les caresses qui la rendaient folle. On eût dit deux chats qui se tournaient autour. Elle adorait qu'il la déshabille, lentement d'abord, puis très vite, au bord de l'asphyxie. Yvon les observait sans rien dire. Guillemette chantait : *« L'amour est un bouquet de violettes... »* Lucie boudait et Pierre, heureux de voir ses parents ensemble comme avant, ne soupçonnait rien du divorce.

Un soir, Mona entra dans la chambre de sa fille. Il était tard déjà, au moins onze heures. Lucie somnolait, sans dormir vraiment, car elle avait lu longtemps. Sur la table de chevet, *Corydon*. « Ma chérie, il faut que je te montre quelque chose ! » Lucie alluma sa petite lampe et découvrit la bague qui ornait le doigt de sa mère. « Il m'a demandée en mariage ! » chuchota-t-elle. Lucie se redressa. « Enfin, en remariage… » Elle eut un petit rire léger qui buta contre le silence de tombe. « On se remarie samedi prochain… À Paris ! » Quoi ? Sa mère avait un sourire rayonnant. « Encore une fois, je t'en supplie. Ne dis rien à ton frère. Il ne comprendrait pas qu'on se remarie puisqu'il ne sait pas qu'on a divorcé. » Lucie voyait des ombres danser devant ses yeux. Sa mère lui parlait de la cérémonie, « on ira à la mairie du 16e, avec le moins de monde possible, et puis on déjeunera tous les quatre sur les Champs-Élysées ». Écœurée, Lucie ne comprenait pas. Sa mère ne supportait plus André, elle l'avait accusé à tort de l'avoir frappée et maintenant, elle se remariait avec lui ? Une vague de rage déferla dans sa tête. « Et après ? On retourne à Nouméa, c'est ça ? » demanda-t-elle avec horreur. « Eh bien oui… On va d'abord passer quelques mois à Versailles. Ton père a trouvé une maison là-bas et il doit régler des affaires avec Robert Buron. » Ce nom ne lui disait rien. « Mais si, tu sais. Le ministre de la France d'outre-mer ! » Lucie hocha la tête. Elle savait parfaitement que sa mère ignorait tout de ce nom, que seul le retour d'André l'avait forcée à connaître. Elle le lui dit. Comme elle lui dit son dégoût. Mona s'était battue pour obtenir le divorce. Et voilà qu'elle cédait de nouveau. « Il a fait des efforts, tu sais. Il me trouve très bien en pantalon, il est fier que je sache conduire. » Lucie cria presque : « Il est antisémite, hypocrite et menteur ! » Mona lui colla sa main sur la bouche. « Tais-toi, tout le monde va t'entendre ! »

Puis elle se radoucit. « Je ne l'excuse pas, Lucie. Il a commis des fautes, c'est vrai. Mais ce n'était pas par méchanceté. Il pensait vraiment bien faire. Bien faire pour la France, pour nous. – Hitler aussi pensait bien faire pour l'Allemagne. » Sa mère se leva, piquée. « Puisque tu le prends comme ça. » Elle ferma la porte et la rouvrit aussitôt. « Ce que tu n'as pas compris, c'est que je suis toujours amoureuse de lui. Tu verras quand ça t'arrivera. L'amour fait faire de drôles de choses. » La porte se referma pour de bon.

Cet épisode du remariage n'était pas développé dans le premier jet du manuscrit. Il me semblait pourtant fascinant. Évelyne ne savait pas vraiment pourquoi ses parents s'étaient remariés. Elle m'a parlé d'une sorte de pacte, comme quoi *André* viendrait de toute façon récupérer son frère lorsque celui-ci aurait sept ans – l'âge de raison, encore. Mais je n'ai pas eu de détails ; je crois qu'Évelyne elle-même ne les avait pas. Sa colère l'emportait.

L'argument romanesque est celui de l'amour. D'une certaine manière, c'est le plus pertinent. *Mona* avait obtenu le divorce. Rien ne l'obligeait à céder de nouveau à *André*, hormis l'envie.

Ce remariage, aux conséquences terribles, est à mon sens un élément qui permet d'éclairer la figure de *Mona*. Il dit bien toute l'importance du désir dans sa vie, quitte à se doubler d'une mise en danger – d'un comportement suicidaire.

Versailles, monolithe de grandeur, d'églises et d'ennui. Tout était lisse et bien rangé ; au moins à Paris y avait-il du monde dans les rues, des cafés bruyants, des femmes en pantalon. Versailles, années cinquante, ce sont des vieilles et des jeunes qui paraissent vieilles, des mangeuses d'hosties, de petits messieurs à cravate, des expatriés fatigués qui en appellent à la France et à Dieu. Sa mère ne le disait pas, mais elle s'ennuyait terriblement elle aussi, sauf lorsqu'elle montait à cheval, s'étant inscrite au club local. Au collège, Lucie n'avait aucun ami, n'en cherchait pas. À quoi bon ? Dans trois mois, elle retournerait à Nouméa. En attendant, elle écrivait à Judith des lettres qu'elle ne postait pas. Elle lui racontait ses heures, ses journées, ses semaines où rien n'arrivait. Depuis qu'elle lui avait annoncé le retour de son père et son départ pour Versailles, Judith avait mis un terme à leur amitié. L'ombre noire de Vichy était trop douloureuse. Lucie en voulait à son père aussi pour ça, l'avoir privée de cette amie dont il ne connaissait pas même l'existence. Lucie avait dit adieu à Judith le cœur serré. La vie les avait réunies le temps d'un échange, d'une révolte ; maintenant, chacune devait tracer son chemin.

Le sentiment de solitude était extrême. Pareil à la glu de l'araignée, dont la toile s'enroule autour de votre gorge. Un jour qu'elle se sentait encore plus mal que d'ordinaire, Lucie entra malgré elle dans une église et demanda à voir le prêtre pour se confesser. Non pas qu'elle crût à Dieu de nouveau, Dieu était une invention des hommes qui décidaient de le faire exister ou pas, et Lucie ne lui donnait plus cette chance-là, mais elle avait besoin de parler, et besoin de conseils. Un homme de petite taille, la cinquantaine, l'accueillit gentiment. La pénombre du confessionnal l'enveloppa. « Que dois-je faire ? Les empêcher de retourner dans cette île de malheur ? Les forcer à se séparer à nouveau pour que ma mère retrouve celui qu'elle a abandonné et qui voulait nous emmener en Afrique ? » Le curé écarquillait les yeux à chaque précision, chaque événement relaté. Il soufflait, lâchait de petits « oh » de surprise. Lorsqu'elle eût terminé, il soupira longuement. « Mon enfant », et ce « mon enfant » toucha Lucie à un point qu'elle n'aurait su expliquer. « Je ne vais pas vous parler de Dieu, de religion ou de pénitence. Ce que je vois, et qui m'inquiète, c'est que vous avez treize ans et qu'on vous demande d'agir comme une adulte. Les péchés de vos parents ne sont pas les vôtres. Les actions de vos parents ne sont pas les vôtres. Il faut que vous pensiez à vous. À votre avenir. À ce que vous voulez faire, à celle que vous voulez devenir. Cessez de vivre leur vie à la place de la vôtre. »

Elle fut si émue de ces mots qu'en sortant elle eut un geste impropre mais parfaitement sincère : elle avança ses lèvres sur la joue rose du prêtre et y déposa une bise enfantine. « Merci. » Toujours souriant, l'homme eut un petit geste qui pouvait signifier « de rien » comme « courage », puis il s'en retourna, paisible, dans sa sacristie.

Elle s'y était préparée. Revoir la villa aux Oiseaux, les plages de l'anse Vata ou la baie des Citrons. Le cimetière de Nouméa où Marthe reposait. Le club équestre de Magenta, mais sans l'Amant, qui devait déjà être à Dakar, loin d'elle pour toujours, et sans Dune, vendue à de riches Australiens. Revoir l'île mais y trouver autre chose : de mauvais souvenirs, des images pesantes. Des regrets. Ce fut pire. À peine de retour, André redevint cruel, dur. Il la promenait comme un animal domestique parti en fugue quelques semaines et qui rentre au bercail pour réclamer sa pâtée. Il la forçait à s'afficher dans les clubs, les restaurants huppés, les lieux du pouvoir où se divertissaient ses collègues. Surtout, que personne n'ignore son retour. Elle était revenue, la traîtresse. Il l'exhibait.

Mona voulait tout reprendre à zéro, construire avec André une histoire nouvelle, dans laquelle elle ne serait pas l'éternelle suiveuse. Lucie ne retourna pas chez les religieuses mais à l'école publique. Elle avait le visage fermé, ne riait plus comme avant. Elle dut aussi changer de langue, l'italien ne se pratiquant pas au collège de Nouméa, et se tourna vers l'espagnol – le professeur avait été clair : ses camarades avaient déjà les bases, elle devrait travailler sérieusement pour les rattraper. Pour l'aider à se concentrer, Mona lui offrit son premier paquet de cigarettes. « Tout le monde le dit. Le tabac est excellent pour la mémoire et l'intelligence. Tiens. » Lucie alluma sa première cigarette. Une fumée épaisse, épicée, envahit sa gorge, sa bouche, son nez. Elle s'étouffa un peu, puis recommença, prenant peu à peu plaisir au geste. La dernière bouffée fut la meilleure et lui donna envie de recommencer aussitôt. Au bout d'un mois, elle fumait presque un paquet par jour et parlait l'espagnol au moins aussi bien que ses camarades.

Il était grand et avait les cheveux dorés. Un large sourire, des yeux très clairs, une drôle de fossette au menton. Elle l'avait surnommé Redford. Le collège public avait ça de bon : filles et garçons étaient mélangés. Dès la rentrée de troisième, elle l'avait remarqué, lui, le nouveau. Elle avait quinze ans depuis cinq mois, sentait que certains la trouvaient jolie, sans qu'elle comprenne bien pourquoi – Redford ne pouvait pas s'intéresser à elle. Pourtant, elle était magnifique. Solaire, avec son teint légèrement hâlé, ses yeux d'un bleu rare, ses cheveux de sable et son joli corps, menu et énergique. En venant la récupérer un soir, sa mère avait dit : « Oh ! Il est mignon, celui-là ! » Puis : « Vous êtes ensemble ? » Le cœur de Lucie trembla. « Il te dévore des yeux… Hum. Attention ! Vous ne couchez pas ensemble, hein. Pas avant le bac ! » Mona gardait de sa propre expérience l'angoisse que sa fille tombe enceinte trop tôt.

« Sois prudente.

— Maman, il n'y a aucun risque. Il ne m'a jamais adressé la parole.

— Et moi je te dis qu'il a le béguin. »

En classe, leurs yeux se croisaient de plus en plus souvent. Lucie soignait sa tenue le matin, brossait bien ses cheveux, vérifiait sa mise. André ne s'apercevait de rien. Maintenant qu'il avait étalé au grand jour sa fierté, l'épouse mauvaise rentrée dans le droit chemin, il semblait presque absent. Mona avait confié à sa fille qu'il avait une maîtresse, plusieurs peut-être. « Peu importe. Moi aussi je vais prendre un amant. On sera quittes. » Lucie demanda : « Vous ne vous aimez plus ? » Avec une tristesse lasse, sa mère avait répondu : « Je ne sais pas. »

Redford vint l'aborder un jour dans la cour. Ses mains devinrent moites. Tous les autres les regardaient. « Bonjour. – Bonjour. » Gênés tous les deux, ils commencèrent par échanger des banalités. Puis Redford lui proposa une promenade place des Cocotiers. « D'accord. » Et comme elle ne savait pas quoi dire, elle précisa : « Mes grands-parents habitaient là avant. » Cette remarque anodine brisa la glace. Il l'interrogea sur sa famille, parla de ses propres voyages, lui dont les parents avaient été diplomates au Brésil par le passé. Ils n'attendirent pas d'être arrivés sur la place. À l'angle d'une petite rue, il la poussa doucement contre le mur et approcha ses lèvres des siennes. Lucie tremblait, mais elle n'avait pas peur. Elle avança les siennes en retour et se laissa envelopper par le goût de la chair d'un autre. Plus rien ne comptait. Son cœur cognait fort, et le baiser ne s'arrêtait pas. Elle aima ça. Elle sut, immédiatement, comme si elle l'avait toujours su, qu'elle serait comme sa mère. Amoureuse de l'amour.

Elle découvrit le désir, l'appel du corps. Redford savait où poser ses mains, sa langue, ses regards pour la faire céder. Elle ne pourrait pas le tenir à distance longtemps. Elle n'en avait pas l'envie. Un jour qu'elle faisait du cheval sur la plage de Magenta, tout comme sa mère des années plus tôt, elle lança sa monture au galop et se détacha du groupe. La bête semblait heureuse d'aller plus vite et de sentir la bride sur le cou. La course se faisait de plus en plus rapide et Lucie accompagnait les mouvements du cheval de son corps. À un moment, sans qu'elle comprenne, elle eut très chaud, quelque chose d'étrange se pressa dans son ventre et puis un cri jaillit de sa bouche. Le cheval continuait sa course. Lucie ne contrôlait rien. Son premier orgasme. Quelques secondes s'écoulèrent avant qu'elle ne reprenne ses esprits. Puis elle attrapa les rênes et freina l'animal. Quand le reste du groupe la rejoignit, elle riait aux éclats. « Qu'est-ce qui t'a pris ? » Elle rit plus fort encore. Ils ne surent jamais.

La première fois avec Redford fut moins réussie. Tout se passa si vite que Lucie n'eut pas le temps de ressentir grand-chose. Elle lui avait demandé de faire attention surtout, et il n'en avait pas été capable. Elle fut si fâchée contre lui, et plus encore contre elle-même, qu'elle le quitta sur-le-champ. Redford en pleura. Elle s'en moqua totalement. Maintenant, il n'y avait plus qu'à croiser les doigts jusqu'aux prochaines règles. Heureusement, celles-ci arrivèrent à la date prévue. Mais pas pour sa mère. Mona la prit à part un matin, les yeux brillants, et lui annonça avec joie qu'elle était enceinte. Lucie la regarda, consternée.

Était-ce vraiment une si bonne nouvelle compte tenu du contexte ?

« Je n'ai pas encore prévenu ton père. Ce sera mon cadeau de réconciliation…

— Ton cadeau ?

— Oui, mon cadeau pour sceller nos retrouvailles. »

Lucie crut devenir folle. « Et toi qui me disais que chacun avait son amant, sa maîtresse de son côté ? » L'enfant était-il bien d'André ? « C'est du passé, tout ça. On s'aime vraiment maintenant. » Lucie souffla, respira, se rappela les paroles du bon curé de Versailles. « Cessez de vivre leur vie à la place de la vôtre. » Elle se força à sourire. « Si tu es contente, maman, je suis contente aussi. » Mona la serra dans ses bras. « Oh ma Lucie… Quelle chance j'ai de t'avoir ! Je t'aime tant. » Elle eut un petit rire. « Cette fois, j'espère que ce sera une fille ! »

La réponse d'André fut cinglante. Il n'accepta pas le « cadeau ». Mona crut qu'on lui arrachait le cœur lorsqu'il ricana en faisant non de la tête. « Quoi ? – Pas de cadeau. Pas d'enfant. » Il planta ses yeux d'acier dans les siens : « Il faut fixer une date pour l'avortement. » Elle en resta sciée. Lui, le chantre des valeurs éternelles de la famille, la forçait à avorter ? Lui, qui n'avait eu de cesse de lui réclamer des enfants, la forçait à avorter ? Elle refusa. « C'est mon bébé. Je l'aime, je le garde. » Il éclata d'un rire mauvais. « La belle féministe que tu fais ! Je te croyais plus moderne, plus… Comment tu dis, déjà ? progressiste ? » Elle explosa en sanglots : « Mais André ! Ça n'a rien à voir ! Si une femme souhaite avorter, qu'elle en ait le droit est une chose. C'est juste que moi, je ne veux pas avorter ! – À ta guise. Seulement cet enfant, je ne le reconnaîtrai pas. Et si tu le gardes, c'est moi qui demande le divorce. Tu n'auras pas un sou de ma poche. Bon courage pour élever trois gosses toute seule. » C'était un cauchemar. Elle ne l'imaginait pas capable de ça. Non. Vraiment pas. Lui écrire après Diên Biên Phu avait été une erreur ; une faute même. Elle la payait au prix fort. Lui, de son côté, tenait sa vengeance. Le divorce, c'était la mort sociale. Il n'avait jamais digéré cette humiliation publique. Maintenant qu'il la tenait, elle ne l'intéressait plus. Elle sécha ses larmes. Elle avorterait.

En France, l'avortement restait un crime puni par la loi et trouver un médecin complice sur l'île était trop dangereux. Pas seulement pour Mona, mais aussi pour André, qui risquait de perdre sa position si on le dénonçait. Décision fut prise de trouver secrètement un praticien en Australie. André s'occupait toujours des devises internationales. Il réunirait les dollars nécessaires pour le voyage et la petite opération.

Lorsque Mona lui apprit la nouvelle, Lucie étouffa un cri. C'était trop dangereux ! « Maman, j'ai peur pour toi… Je ne veux pas… » Hélas, il n'y avait pas d'autre possibilité. « Si je ne le fais pas, c'est ta vie qui sera gâchée. Je ne peux pas vous laisser ici, ton frère et toi, avec votre père. » Elle lui passa une main dans les cheveux et l'embrassa, « ma fille, ma petite fille ». Lucie ressentait une tristesse nouvelle, intense, qu'il fallait bien se résoudre à nommer désespoir. Deux jours plus tard, elle regardait sa mère décoller de La Tontouta. Peut-être ne reviendrait-elle jamais. André n'attendit pas que l'avion ait disparu dans le ciel pour tourner les talons.

Pendant six jours, sans nouvelle aucune, Lucie s'étourdit pour chasser l'angoisse. Elle rencontra un garçon, vingt ans au moins, qu'elle trouva bien bâti. Elle coucha avec lui. Elle en rencontra un autre, canaque, et le retrouva après la fin des cours dans une petite cabane. Aucun ne faisait trembler son cœur, mais elle continuait car ainsi elle se vengeait, de son père, du malheur, de la vie. Elle fumait, lisait. Le soir, elle plongeait dans des livres sur les risques de l'avortement car, bizarrement, il en existait quelques-uns à la bibliothèque Bernheim, où sa mère l'avait inscrite sitôt de retour à Nouméa. Parfois aussi, elle lisait des histoires à son petit frère, lui apprenait des mots, l'emmenait voir les poules dans le jardin. « Est-ce que tu as essayé d'appeler là-bas, au moins ? Le fameux docteur ? » André faisait non de la tête. Il n'avait pas le numéro. « Tu l'as bien eu pour fixer le rendez-vous. – Lucie, tu as quinze ans. Je ne me laisse pas dicter ma conduite par une gamine de quinze ans, c'est bien clair ? » Seule, elle s'enfermait dans sa chambre et écrivait à Judith des lettres qui finissaient dans une petite boîte à chaussures. Dans son journal intime, elle avait écrit : « Maman, si tu ne rentres pas, je le tue. »

Mona était rentrée. Blême, épuisée, vieillie. Lucie la serra contre elle. « Ma chérie… Oh, ces longues aiguilles… » Les sanglots redoublèrent.

André, lui, ne posa que deux questions. « C'est fait ? » Ensuite : « Et Sydney, c'est comment ? » Lucie pensa très fort : que maman le quitte, pour toujours.

L'entrée au lycée de Nouméa, en février 1956, se fit dans un climat délétère. Lucie sentait qu'elle ne resterait pas longtemps dans cet établissement. Ses parents ne s'entendaient plus, vraiment plus. L'avortement forcé avait emballé la machine. Lucie décida d'accélérer le processus. En plus de l'équitation et du tennis, elle faisait de l'escrime. Quand elle apprit que son professeur, qui la draguait ouvertement du haut de ses quarante ans, était marié à une certaine Nicole – que son père voyait en cachette, mais sans vraiment le cacher, les mercredis et vendredis soir, à l'heure même où Lucie prenait ses cours d'escrime –, elle finit par aborder le sujet franchement. André entra dans une colère noire. Pas tant parce qu'il était démasqué, que parce qu'il apprenait que le blanc-bec draguait sa fille. Mona haussa les épaules. Elle-même entretenait une relation avec un voisin, et savait que Lucie savait. « Qu'est-ce qu'ils ont, papa et maman ? » demandait Pierre. Lucie tentait de le rassurer et lui disait de ne pas se mêler des histoires des grandes personnes. La réalité était que tout partait à vau-l'eau, c'était un triste boulevard, les portes claquaient, tout le monde trompait tout le monde, mais sans conviction, plus personne ne comprenant le rôle qu'il devait jouer. Alors, d'un commun accord cette fois, Mona et André décidèrent de divorcer. Cette fois serait la bonne. Pierre pleura, pas Lucie. Mona ne ressentit pas le moindre pincement au cœur en disant adieu à celui qu'elle avait tant aimé. C'était fini. Elle était allée au bout de sa démarche, n'avait plus de regrets. Juste avant de reprendre le bateau pour Marseille, elle alla au cimetière. Sur la tombe de Marthe, une pierre sobre, sans fleurs, elle déposa son exemplaire du *Deuxième Sexe*.

Troisième partie

Février, soleil froid sur les quais de Seine. Une semaine après les obsèques, Olivier me remet une besace avec de nombreux documents : la clé USB d'Évelyne contenant tous ses fichiers du livre, des articles de journaux, une version antérieure de son manuscrit imprimé et relié et surtout un dossier sur lequel elle a écrit au crayon gras : « CUBA. » À l'intérieur, se trouvent quantité d'articles de journaux découpés avec soin, notamment cette une de *Libé* qui me fait sourire : on y voit un portrait de François Hollande à la sauce Che Guevara – la fameuse photo d'Alberto Korda –, sous lequel on peut lire : « Cuba. L'île de la Réunion. » J'avance dans le dossier, lentement, retenue par une forme de pudeur. Les voilà. Les lettres. Je ne pensais pas les trouver là, ou alors je n'attendais que ça. Elles sont tapées à la machine et ont bien cinquante ans – papier jauni, caractères flottants, odeur de lointain. L'en-tête indique :

Dr. René Vallejo Ortiz
CIRUGÍA Y GINECOLOGÍA
Calle Este N° 8
Nuevo Vedado
Telf. 30-5182
HABANA

Mon cœur s'affole. Le docteur Vallejo, médecin personnel du Líder Máximo, servait d'intermédiaire et de messager. De couverture. Les lettres commencent toutes par *« Mi amor »* ou *« Mi cielo »*. Elles sont de Fidel Castro. J'ai l'impression de pousser une porte et d'entrer dans un secret plus grand que moi – l'Histoire au bout des yeux, au bout des doigts. Je les parcours rapidement : bien entendu, il y est question de révolution, c'est-à-dire d'amour et de politique. Pouvait-il en être autrement ? Je les lirai en détail plus tard ; je ne m'en sens pas encore la force.

Suivent d'autres lettres, d'autres articles, comme des morceaux de temps arrachés au mythe, et des photos – de grands tirages en noir et blanc. J'en reconnais une qu'Évelyne m'avait montrée le jour de notre rencontre. À gauche de l'image, Castro apparaît en polo à manches longues. Bouche ouverte, il argumente, il exhorte, il condamne peut-être, les yeux tournés vers la droite, hors champ. J'ai l'impression qu'il ne regarde personne, c'est un regard pour lui-même, intérieur, qui flotte dans un monde inaccessible aux autres. À droite, par contraste, une jeune fille blonde le dévore des yeux. C'est un regard qui regarde vraiment. On le sent, elle est happée par le discours. Une vingtaine d'années, le visage farouche, Évelyne a l'intensité de l'espoir.

D'autres clichés me font sourire. Fidel à la pêche, Fidel en maillot de bain, Fidel et ses amis lors d'un pique-nique… Là encore, on distingue clairement la *señorita* Pisier, faux airs de gavroche et regard fixe sur le « héros ». Ce sont des photos incroyables. Mais la dernière est pour le cœur.

Scène d'intérieur. Des jeunes gens autour d'une table – on ne voit qu'elle. Au premier plan à droite, de profil, le visage est solaire, d'une beauté absolue. Tout est dans l'attitude, cette main sur laquelle est posé le menton, le regard concentré et l'iris incandescent, et cette tension, le sérieux qui en émane. Elle porte une casquette militaire ornée de petites perles de princesse. Une coiffe entre deux âges. Je m'arrête devant cette photo et je sais. Ce sera la couverture du livre.

Roland Barthes, dans *La Chambre claire*, sorte d'enquête intime sur la photographie, explique combien lui sont cruelles les images de sa mère disparue. Il a beau scruter les clichés, la femme immortalisée n'est jamais celle qui le berçait, le consolait, l'entourait d'amour… jusqu'au jour où il tombe sur un portrait d'elle enfant. La petite fille en noir et blanc est un miracle ; c'est sa mère pleinement retrouvée. Le sémiologue écrit : « C'est bien cette déception triste que j'éprouve devant les photos courantes de ma mère, alors que la seule photo qui m'ait donné l'éblouissement de sa vérité, c'est précisément une photo perdue, lointaine, qui ne lui ressemble pas, celle d'une enfant que je n'ai pas connue. »

« Mon » Évelyne avait soixante-quinze ans. Je n'ai pas connu la jeune femme de vingt ans qui irradie sur la couverture. Mais c'est elle d'éternité, dans sa beauté, son regard d'eau et de lumière – cette inquiétude silencieuse qui la rend si vivante.

Les nuits ne finissaient jamais. Nice, 1956. La belle vie. Quand minuit sonnait, Lucie attrapait son casque, déposait une bise sur la joue maternelle et enfourchait sa mobylette pour rejoindre la bande. Mona avait fixé les règles : pas de sortie *avant* minuit. La soirée se consacrait d'abord exclusivement à l'étude, baccalauréat oblige. Pour le reste, surprises-parties, boîtes de nuit et hula hoop, cela regardait sa fille, du moment qu'elle se présentait à l'heure au lycée. Mona savait qu'on la jugeait – ce n'est pas ainsi qu'on éduque les demoiselles. Quand Lucie débarquait, les bourgeoises paniquaient : « Planquez vos garçons ! » Elle n'aurait pu rêver plus beau compliment. Le moteur de la mobylette pétarada et emporta sa fille dans le feu de la nuit.

Elle alluma une cigarette et rapprocha sa machine à écrire. La dernière leçon avait porté sur le *« speed writing »*, une méthode d'écriture abrégée qui devenait la norme dans les bureaux. Sur les quinze femmes inscrites au cours Pigier de sténo-dactylo, elle n'était pas la plus jeune, mais assurément la plus assidue.

D'ici un ou deux mois, elle pourrait être engagée comme secrétaire. Depuis son second divorce, travailler était une obsession. Marthe le lui avait suffisamment répété : une femme qui travaille est une femme libre. Et puis elle avait promis à son père. Ce dernier lui avait offert une Hermès H7 Ambassador, un modèle gris acier, compact, sur lequel elle s'entraînait chaque nuit. Guillemette trouvait cela assommant : « Pourquoi se fatiguer quand les hommes le font si bien pour nous ? » Parce que la société changeait ! s'énervait Lucie. Les femmes des années cinquante aspiraient à autre chose qu'une vie de potiche. « Moi aussi je travaillerai plus tard, mamie. » Guillemette bâillait en prenant des poses de duchesse : « Mes chères petites, vous êtes folles. »

Mona aimait le bruit des marteaux métalliques sur le ruban, cette percussion d'encre et de bois qui caressait le papier. Quand Pierre, maintenant âgé de six ans, s'endormait, elle allumait la lampe de son bureau, goûtant le silence de l'instant. La nuit lui appartenait. Elle reprit son exercice. Écrire sans jamais regarder le clavier, seulement la feuille devant elle. Ses doigts confondaient les touches. Recommencer, recommencer. Jusqu'à atteindre la perfection.

Buddy, le fou de bandes dessinées ; Flouze, qui n'avait pas un rond ; Macha, la fausse Russe ; Bibi, la vraie rousse ; Jo, son chevalier servant au physique athlétique, et elle, rebaptisée Louks. Sur la plage, la glacière plantée dans le sable, les filles viraient précipitamment leurs habits et, en maillot, passaient le cerceau autour de leur taille. Elles commençaient à faire des mouvements de hanches, lents d'abord, puis de plus en plus rapides. Elles accéléraient, accéléraient, sous le regard des garçons qui jouaient les arbitres. Celle qui faisait tourner le cerceau le plus longtemps gagnait, et si par hasard l'une d'elles arrivait à le faire remonter jusqu'aux aisselles, c'étaient des applaudissements à tout rompre. Ils se baignaient ensuite, jouaient au volley, imaginaient la vie des vieux couples remplissant leur grille de mots croisés à côté.

Jo portait des polos de couleur qui faisaient ressortir sa peau hâlée. Pieds nus sur la plage, il retroussait son jean d'un air faussement négligé. Une mèche lui tombait sur les yeux – il appelait ça « la coupe Alain Delon ». Lucie laissait traîner sa main sur son épaule, lui effleurait le visage de ses longs cheveux blonds. Chaque fois qu'elle partait le retrouver, elle se glissait dans la salle de bains pour voler un peu de Shalimar à sa mère. Jamais Mona ne l'aurait empêchée d'en mettre, mais en parler, c'était saboter tout le charme de l'opération : s'arroger, à seize ans, un peu de féminité clandestine.

La vie passait, les nuits brûlaient d'une pureté qu'ils ne retrouveraient jamais plus. Il y avait des bières, des chips et des éclats de rire, du hula hoop à en mourir. L'adolescence se nourrissait de soleil et de sable ; elle leur offrait le meilleur. L'amour. L'amitié. L'insouciance de soirées baignées de lune. Jusqu'à ce que Lucie tombe enceinte.

Il se dégageait du cabinet une chaleur irrespirable. Les volets étaient clos, les fenêtres étaient closes, la porte était close. La mine sévère, le médecin lui posait des questions. « Aménorrhée de combien ? » Elle écarquilla les yeux. « Depuis quand n'avez-vous pas eu vos règles ? » Elle déglutit. « Deux mois. » Il lui demanda de se déshabiller et de prendre place dans le fauteuil. Lentement, les mains tremblantes, elle ôta sa jupe. « La culotte aussi ? » Elle savait bien que oui, mais… Le médecin lui jeta un regard blasé, ne répondit même pas. Elle retira sa culotte. Prise dans son élan, dégrafa aussi son corsage. « Mais non, pas le haut » dit-il agacé. Elle reboutonna le chemisier, les larmes au bord des yeux, et s'installa. « Les pieds dans les étriers. Avancez bien au bord du fauteuil. » Il enfila des gants et commença à la palper. « Je vois. Bon, on va le faire maintenant. » Il s'absenta une seconde puis revint avec une serviette en éponge d'une blancheur immaculée.

« Dans la bouche.

— Quoi ?

— Il n'y aura pas d'anesthésiant, alors la serviette : dans la bouche. Mordez-la bien fort, je ne veux pas vous entendre crier, sinon j'arrête tout et tant pis pour vous. » Puis, comme s'il lui en voulait terriblement : « Vous vous rendez compte de ce que je risque à cause de filles comme vous ? »

Lucie glissa la serviette entre ses dents. Elle ne vit que le reflet métallique des longues aiguilles et plus rien n'exista que la douleur, étouffée dans le tissu mouillé de salive et de larmes.

Mona l'attendait sur le palier, l'estomac noué. Elle savait exactement ce que son enfant traversait de l'autre côté. Elle ne pouvait rien faire pour elle, et cette pensée la rendait malade. L'histoire se répétait. De Sydney, ce grand phare tourné vers le monde moderne, elle ne gardait que l'image d'une longue clinique grise à l'odeur de javel. Le médecin qui l'avait reçue était détendu – des avortements, il en pratiquait six par jour. *« Good job and good for the business... »* L'opération n'avait pas duré très longtemps ; assommée de cachets antidouleur et d'anxiolytiques, il lui était resté, comme une marque au fer rouge sur le flanc de la bête, le sentiment d'humiliation.

La porte grinça et le médecin lui fit signe d'entrer. Lucie, à la fois pâle et rouge, était assise sur une chaise, prostrée. « Vous surveillez la fièvre surtout. Panadol et compresses de glace. » Puis il lui tendit une feuille de papier sur laquelle figurait le montant de l'opération. Mona ravala un cri d'indignation. Il en profitait vraiment, le salaud. Elle sortit l'argent qu'elle avait économisé sur la pension d'André et repartit aussi vite que possible. Sa fille grelottait. Mona la serra fort contre elle et ne se retourna pas pour remercier le docteur.

Lucie fit de la fièvre pendant trois jours. Mona prétexta auprès du secrétariat Pigier une grosse crise de foie. Quand sa fille dormait, elle révisait le système de *« speed writing »*, pianotait sur son Hermès Ambassador. Mais elle lâchait tout dès que Lucie se réveillait, lui changeait les compresses de glace. Pierre demanda ce qu'avait sa grande sœur. « Elle est très fatiguée, mon trésor. Une vilaine grippe. Il faut qu'elle se repose. » Le quatrième jour, la fièvre tomba. Progressivement, la santé revenait. Le retour au lycée ne tarderait guère. La veille de sa reprise, Mona posa devant elle une assiette de boudin noir. « C'est plein de fer, mange. » Lucie esquissa un maigre sourire : « C'est moins bon que l'herbe, tu sais… » Ce fut comme un coup en pleine poitrine. Mona crut avoir mal entendu, mais le regard de son enfant était sans équivoque. Elle n'avait pas oublié.

La cour du lycée flottait encore dans l'aube que la bande était déjà réunie, Jo en tête. Elle ne voulait pas le voir. « Hé Louks ! Qu'est-ce qui t'est arrivé ? On commençait à s'inquiéter… » Il l'entoura de ses bras, prêt à lui donner un baiser. D'un léger mouvement d'épaules, elle se dégagea de lui. Il la regarda avec surprise. « Quoi ? » Elle tourna les talons. « Lucie ! Oh ! Qu'est-ce que j'ai fait ? » Elle ne répondit pas, pressa le pas vers la salle de cours. Il cria encore : « Mais dis-moi ! Je t'ai fait quelque chose ? »

Au sujet de son avortement, Évelyne ne m'a dit qu'une seule chose : « Je n'étais pas fière. » Lorsque j'ai risqué devant elle le mot « boucherie », elle a acquiescé, plusieurs fois même, et puis nous avons changé de conversation – la honte reste une douleur. Ce que sa bouche ne disait pas, ses yeux le criaient : « Il ne faudra jamais oublier l'histoire violente du ventre des femmes. » Comme je la comprends.

En 1943 ou 1944, ma grand-mère paternelle est passée entre les mains d'une faiseuse d'anges. C'était une femme coquette, d'origine italienne ou espagnole, je n'ai jamais vraiment su, dont le nom semblait curieusement prédestiné : Eugénie, étymologiquement la « bien née ».

Épuisée par ses deux premiers fils, les grossesses à répétition, les fausses couches, l'Occupation, les tickets de rationnement, Eugénie aspirait au repos. Voir ses entrailles enfler une troisième fois d'affilée, son sang se faire chair et sa peau se flétrir était au-dessus de ses forces. Elle rêvait d'une fille, une adorable petite fille, mais plus tard, quand son corps serait prêt. Son corps ne l'écouta pas et elle tomba enceinte à nouveau. À bout, elle décida d'avorter. J'ignore si mon grand-père était au courant. Ce que je peux dire : la faiseuse d'anges ce jour-là a bien regardé avant de jeter le fœtus. Elle lui a dit : « Ç'aurait été une fille. » Une dizaine de mois plus tard, mon père venait au monde.

Eugénie me raconte tout cela dans son salon. C'est la première fois qu'elle en parle. La première fois aussi, sans doute, que quelqu'un la force à parler. Si je suis avec elle ce jour-là, c'est que j'ai besoin de comprendre pourquoi, sur ses cinq garçons, c'est mon père qu'elle a choisi d'abandonner.

Depuis l'avortement clandestin de Lucie, Mona recevait dans un petit bureau de la rue Lascaris des jeunes femmes perdues, « enceintes malgré elle », comme elle aimait le dire : des insouciantes qui n'avaient pas mesuré les risques ; ou alors des filles violées muselées par la honte. Elle les écoutait, les guidait, les mettait en relation avec des médecins. La Maternité heureuse, puisque c'était le nom de l'association, avait été fondée un an plus tôt, le 8 mars 1956, se donnant pour mission de « lutter contre les avortements clandestins, assurer l'équilibre psychologique du couple, améliorer la santé des mères et des enfants ». Mona y passait deux ou trois fois par semaine, samedi inclus. Elle divisait le reste du temps entre les cours Pigier, ses enfants et ses amants, aussi nombreux qu'éphémères.

Beaucoup de ces jeunes femmes étaient sans ressources. Milieux modestes, ouvrières, étudiantes qui ne pouvaient rien dire à leurs parents, petites employées de bureau. Les plus riches se faisaient avorter à l'étranger dans des cliniques équipées. En France, les lois se dressaient comme des murailles. Mona suivait avec attention les discours de la cofondatrice de l'association, Marie-Andrée Weill-Hallé, médecin de formation. Cheveux courts et bouclés, lunettes cerclées en écaille, elle vint un jour donner une conférence au bureau de Nice. « Il ne faut pas manquer ça, Lucie. »

Une trentaine de femmes occupaient la salle. Aucun homme. Pendant une heure, dans un silence d'église, le docteur Weill-Hallé exposa ses idées, insistant sur les risques des avortements pratiqués à la va-vite dans des conditions d'hygiène déplorables. On ne pouvait plus tolérer ça ! Mona n'eut pas besoin de regarder sa fille ; en elles, les mêmes images, la même tristesse, pareille à la pluie fine qui battait la vitre. « La sérénité d'un couple tient à l'équilibre entre le désir de l'homme et celui de la femme. Une femme enceinte contre sa volonté en voudra à son mari. Elle détestera son corps et finira par détester celui de l'homme. Alors tout chavire. »

À la fin de la conférence, Mona s'en alla trouver Marie-Andrée Weill-Hallé et se présenta. « J'admire votre combat, sincèrement. Et pour cause. » Elle posa une main sur l'épaule de sa fille d'un air entendu, puis déclara : « Moi-même… » La femme hocha la tête, attendant la suite. « Seulement, il me semble que vous n'allez pas assez loin. – Ah oui ? Que voulez-vous dire ? » Mona marqua une pause. « Eh bien, vous défendez les mères. Pas les femmes. » Le médecin eut un petit « oh » d'étonnement, plus intrigué que vexé. « La ''Maternité heureuse'', ça dit tout, non ? Pardonnez-moi, mais c'est encore une vision très petite-bourgeoise de la société. Ce qui serait beau, c'est que les femmes puissent décider avant même d'être enceintes de ce qu'elles vont faire de leur corps.

– La contraception est déjà un axe fort de l'association, vous savez » répondit la scientifique. Elle eut un geste vague d'excuse et disparut, entraînée par un autre groupe de femmes. Agacée, Mona arracha une page du carnet qu'elle gardait toujours dans son sac, chercha un stylo. Lucie découvrit sur la porte d'entrée les trois mots : « RADICALISONS LE MOUVEMENT ! »

Noyées dans la brume de l'hiver, les assurances du Soleil avaient leurs bureaux rue Cronstadt, derrière la promenade des Anglais et non loin du Negresco. Grandie de dix centimètres par son chignon coque, elle poussa la porte d'un air faussement dégagé, s'annonça d'une voix affable : « Mona Magalas. J'ai rendez-vous avec M. Cioto pour l'entretien. » La réceptionniste confirma du bout des lèvres et lui indiqua la rangée de chaises en face. Feuilletant quelques magazines pour patienter, Mona inspecta secrètement ses ongles afin d'en vérifier la netteté. Le téléphone sonna. « M. Cioto va vous recevoir. » La femme l'accompagna au fond du couloir sans le moindre sourire. « Très aimable, merci » répondit Mona.

Le directeur des assurances du Soleil était un homme d'une cinquantaine d'années, le ventre proéminent, les cheveux clairsemés. « Entrez, je vous en prie. » Elle s'enfonça dans la banquette en skaï, impressionnée, veilla à se tenir droite et à bien articuler. La principale tâche, ici, était le traitement du courrier. Taper des lettres, faire des enveloppes, coller des timbres. « Voilà qui me convient parfaitement. – Bon. Je veux bien vous prendre. Un mois à l'essai et si tout se passe bien… Pour la vie ! » Il gloussa. « À demain, huit heures. » Elle lui serra la main. L'entretien avait duré moins d'un quart d'heure. Elle sortit. La réceptionniste au profil de belette lui dit à peine au revoir.

Le lendemain, levée dès l'aube, elle passa un chemisier orange sous son tailleur noir. Après avoir déposé Pierre au centre aéré, elle fila vers la rue Cronstadt et arriva au travail avec une excitation d'écolière qui fait sa rentrée. Elle salua la réceptionniste, coincée derrière son comptoir et toujours aussi peu avenante, se dirigea vers son bureau qui jouxtait celui du patron. Un téléphone, une machine à écrire, des stylos et un bloc-notes étaient posés sur la table. Derrière elle, des ramettes de papier et des enveloppes. Un classeur de timbres. Du bruit lui parvint de l'autre côté de la porte. Elle s'ouvrit brutalement. « Bonjour Mona. Alors, que je vous explique. Tous les matins, je prends un café allongé à mon bureau. Avec un sucre. La machine est là. » Il indiqua une armoire dans laquelle elle trouva effectivement une cafetière. « Vous avez le droit de vous en faire un aussi. Pendant que vous le préparez, je vous apporte le courrier. » Étourdie par le flot de paroles du patron, elle alluma la cafetière, installa le filtre, dosa le café, appuya sur le bouton. Tout ce qu'elle interdisait à sa fille. « Voilà. Il faut plier les lettres et préparer les enveloppes. Barbara vous donnera les adresses. » Elle se retourna. Le courrier faisait une pile d'au moins trente centimètres. Elle versa le café dans une tasse, le déposa sur le grand bureau, s'aperçut qu'elle avait oublié le sucre, le lui apporta précipitamment, referma la porte.

« Barbara, puis-je vous demander les adresses, s'il vous plaît ? » Sans un mot, la réceptionniste lui tendit l'annuaire. « Vous n'avez pas un carnet d'adresses ? Avec seulement les noms des clients ? » Sur les lèvres de la femme s'étira un sourire carnassier. Mona repartit avec l'annuaire. Elle passa la matinée entière à tourner les pages pour trouver les coordonnées des destinataires. À midi, son patron passa une tête. « Vous n'avez pas fini ? Mais ce que je vous ai donné, c'était le courrier du matin. Vous en avez autant qui arrive cette après-midi ! Vous êtes en retard. » Elle se sentit rougir : « Je suis désolée, monsieur. Tout sera fait lorsque vous rentrerez de déjeuner. – Mais j'espère bien. » Il sortit.

Elle passa son heure de pause à lécher et coller les enveloppes, au point que sa langue en devint amère et pâteuse. À une heure de l'après-midi, le courrier du matin était prêt à partir. Le patron ne le remarqua pas, déposa sur sa table une autre pile, s'arrêta une seconde pour regarder sa montre et jura dans sa barbe. Elle était là, devant lui – elle n'existait pas.

[illegible]

[illegible] n'a pas tant d'éloges, [illegible]

[illegible]

« Tu ne diras pas que j'ai été secrétaire » me demande ma mère à qui j'expose l'avancée du roman.

La secrétaire est une image. Elle porte un col Claudine ou une robe droite façon Courrèges, endosse une veste en tweed l'hiver, imitation de chez Chanel ; elle est bien coiffée, maquillée – impeccable mais jamais vulgaire. Ses petits talons claquent sur le sol avec un bruit ravissant. Sa pudeur naturelle est une fraîcheur qu'on savoure. Car elle est jeune, bien sûr. Pas plus de quarante ans. Elle n'a pas fait d'études, mais elle est débrouillarde. Sait recevoir. Ce que d'aucuns appellent : des manières, et une éducation. Elle arrose les plantes vertes, touille le café – un ou deux sucres ? Tape le courrier urgent et court le porter au service concerné. Classe les documents dans des dossiers suspendus. Réserve les billets, organise les voyages. « Une table pour deux au nom de M. Untel. Oui, pour treize heures. Merci. » Son arme de guerre est le téléphone, dont le câble en plastique s'enroule toujours n'importe comment. Et surtout, quoi qu'il advienne : elle sourit.

La France venait de basculer dans la Ve République. Son bac en poche, portée par les thèses féministes, Lucie s'inscrivit à la faculté de droit de Nice et se rapprocha de la frange gauchiste des étudiants, massivement communiste. La nouvelle Constitution était au cœur des débats. Lucie, comme tous les autres, était outrée par l'article 16 voulu par de Gaulle, qui accordait au président des *pouvoirs exceptionnels* en cas de menace… Il fallait rester vigilant, ne pas céder aux sirènes du Général. Il n'était pas du côté du peuple. « Et surtout pas des peuples opprimés » grinçait-elle, écœurée par les lenteurs de la décolonisation. Pour ses dix-sept ans, sa mère lui avait offert l'ouvrage de Frantz Fanon, *Peau noire, masques blancs*, qui était devenu son livre de chevet. Elle l'avait lu d'une traite, exaltée : Fanon lui parlait du racisme de son père, de l'arrogance blanche et du long chemin qui attendait les colonisés, prisonniers de leur propre faiblesse. Elle avait souligné ici et là des passages entiers, parole-totem, qu'elle lisait à voix haute à ses camarades : « L'estropié de la guerre du Pacifique dit à son frère : "Accommode-toi de ta couleur comme moi de mon moignon ; nous sommes tous les deux des accidentés.” Pourtant, de tout mon être, je refuse cette amputation. Je me sens une âme aussi vaste que le monde, véritablement une âme profonde comme la plus profonde des rivières, ma poitrine a une puissance d’expansion infinie. » Tous applaudissaient. Des réunions politiques s’organisaient régulièrement dans les couloirs de la fac, ou bien dans les cafés alentour. Sur des tee-shirts blancs qu’ils passaient ensuite par-dessus leurs chemises, les étudiants écrivaient au feutre des slogans : « Prolétaires de tous les pays, unissez-vous ! », « Défense des libertés démocratiques ! », « Contre l’exploitation de l’homme par l’homme ! » Jean, Samuel, Caryl, Giacomo, Patricia, Aline, Fanny et Raphaël, toute une petite bande qui exaltait les valeurs révolutionnaires et organisait des manifestations en faveur du monde ouvrier. Lucie appréciait particulièrement Raphaël, le plus réservé du groupe, l’un des meilleurs étudiants de leur promotion, qui avait pour charge d’écrire les tracts que les autres distribuaient ensuite. De taille moyenne, les cheveux châtains, il avait la peau lisse comme un galet poli par le torrent, presque transparente de blancheur. Contrairement à Jean, Samuel, Caryl ou Giacomo, des forts en gueule taillés dans le roc, Raphaël semblait vivre en apesanteur. Ses amis le surnommaient « Lancelot du lac », rapport à sa courtoisie parfaite. Il mesurait chacun de ses mots, n’avait pas besoin de crier pour se faire entendre ; c’était l’âme lumineuse du groupe.

Un jour d’hiver, tandis qu’ils partageaient un sandwich dans le jardin de l’université, Lucie et Raphaël virent un jeune homme approcher de leur stand. En fait de stand, il s’agissait d’un simple tabouret de bar sur lequel s'amoncelaient des tracts marqués de la faucille et du marteau. « Le soviétisme a permis l'alphabétisation des peuples ! » criait plus loin Giacomo. L'œil bleu Baltique, la mèche claire, l'étudiant saisit un prospectus. « Il nourrit les ouvriers ! » renchérissait Caryl de l'autre côté. Le tract finit roulé en boule dans sa main. « Tu as vu ? » s'écria Lucie. Lancelot du lac garda le silence, les yeux rivés à la scène. Jean, auquel le geste rageur n'avait pas échappé, fit un pas vers le blond. « Salut camarade ! Nos idées ne te plaisent pas ? » Il pointa le tract chiffonné. « Disons que vos idées ne tiennent pas compte de la réalité soviétique. » Lucie reposa son sandwich. Caryl et Giacomo suspendirent leurs slogans et s'approchèrent du blond. « Nos idées ne tiennent pas compte de la réalité soviétique, qu'il dit. » Sur le visage de Jean filait un sourire mauvais. « Mais c'est vrai ! J'en sais quelque chose, je suis lituanien. – Et de quoi tu te plains ? » demanda Samuel en rejoignant le cercle. « De quoi je me plains ? Plus de deux cent mille déportés dans mon pays ! Juste parce qu'ils s'opposaient à la collectivisation de leurs terres ! » Giacomo fronça les sourcils. « Ma famille et moi avons dû fuir notre pays, abandonner notre maison, nos souvenirs, nos morts au cimetière de Vilnius ! C'est ça la liberté soviétique ? » Samuel lui fit signe de se calmer mais le jeune homme ne s'arrêtait plus. « Vous les adorateurs de l'urss, vous ne savez pas de quoi vous parlez ! Les gens crèvent en urss, les gens s'ouvrent les veines en urss, ils se dénoncent, ils s'épient, ils se trahissent ! C'est ça, la liberté soviétique ? » Lucie et Raphaël se levèrent en même temps. Une rumeur sourde commençait à s'élever autour du jeune homme. Caryl cracha : « T'es quoi, toi ? T'es un facho ? Un putain de facho ? » Le blond se retourna, ne vit que les cous épais, les mâchoires contractées. « Je ne suis pas un facho. » Jean lui donna un premier coup d'épaule. « Tant mieux parce que nous, on n'aime pas les fachos. » L'air se chargea d'électricité et Lucie chercha la main de Raphaël. « Mais je ne suis pas un facho ! » D'une tape dans le dos, ils le firent trébucher, ricanant. « Tu crois que c'est pas un facho, toi ? – Oh si, je crois bien… » Le cercle se resserra. « Laissez-moi… J'ai juste dit ce que je pensais. » Sa voix arrivait déjà étouffée. Il y eut un silence. « J'suis pas un facho » murmura-t-il une dernière fois. Puis Lucie ne vit plus rien. Ses camarades lui tombèrent dessus et se mirent à le rouer de coups. « Arrêtez ! » Elle tira sur la veste de Jean, supplia Caryl ; rien à faire, ils cognaient, cognaient, et le pauvre corps se recroquevillait à terre. « Raphaël ! » appela-t-elle, mais Raphaël ne bougeait pas, pétrifié, pâle comme la mort. Paniquée, elle courut chercher du secours, en vain – ce genre de règlements de comptes, c'était chacun chez soi.

Quand elle revint, les « camarades » avaient disparu. Par terre, le jeune homme avait du sang sur le visage, que Raphaël essuyait doucement à l'aide d'un mouchoir. Le nez n'était plus qu'une bouillie de blanc et de rouge. « Pardon, Lucie… Je n'ai pas pu… » Lancelot pleurait. Il y avait tant d'effroi et de honte dans ses yeux qu'elle lui pardonna instantanément. Le Lituanien gémissait de douleur. Elle tamponna ses lèvres tuméfiées, lui mouilla la nuque, les paupières, le front. Tout se mêlait dans sa tête. Le temps lui-même avait volé en éclats. « Merci » chuchota le blessé. Elle se pencha vers lui, glissa une main sous son aisselle et, aidée de Raphaël, l'accompagna à l'infirmerie.

J'appartiens à une génération désengagée. Je n'ai jamais été encartée. N'ai jamais milité. La seule fois où je suis descendue dans la rue, et encore pas pour manifester mais pour me sentir moins seule, ce fut le dimanche 11 janvier 2015, après les attentats de *Charlie Hebdo* et de l'Hyper Cacher. Je suis la politique pourtant, j'ai des idées. Néanmoins, le mouvement qui pousse à choisir un camp et revendiquer une couleur m'est totalement étranger.

Dans les années soixante et soixante-dix, la politique était partout, elle modelait la vie, le quotidien, le décor des maisons ou des appartements. Évelyne a donné des cours particuliers au fils d'un ancien Premier ministre de droite dans une chambre tapissée de portraits de Fidel Castro et du Che. Cela ne l'empêchera pas, des années plus tard, de féliciter son ex-mari, autrefois à la tête de l'Union des étudiants communistes, pour son poste de ministre des Affaires étrangères sous Nicolas Sarkozy. « Il s'attendait à ce que je l'insulte, je crois ! Quand je l'ai applaudi, il n'en revenait pas. » Comme quoi, tout passe.

La liberté s'accommodait mal des systèmes. Depuis l'agression de Tomas, devenu l'un de ses meilleurs amis, Lucie avait pris ses distances avec le communisme. Sur le nez du jeune Lituanien, une cicatrice mauve rappellerait pour toujours la folie des hommes, gravure du mal dans la chair. Elle qui était convaincue que la révolution devait se faire, ou plutôt ne pouvait se faire, que dans la violence, comme le clamait Frantz Fanon, venait à en douter. La rixe avait été tellement inégale. La violence, vraiment ? Le communisme, vraiment ? Comment l'URSS pouvait-elle se dire du côté du peuple, des opprimés, et étendre son empire sur les pays voisins, les privant de toute souveraineté ? Tomas n'avait pas de mots assez durs pour qualifier la politique stalinienne que Khrouchtchev continuait à mener. L'impérialisme, quel que soit son nom ou sa bannière, était un colonialisme. Liberté ! Et rien de plus précieux que l'indépendance.

Avec Raphaël, qui redoublait d'efforts militants depuis la triste scène, Lucie et Tomas écumaient les brocantes en quête de vestes kaki, de casquettes révolutionnaires, de chichas aux saveurs de l'Algérie.

Ils organisaient des soirées pour « le droit des peuples à disposer d'eux-mêmes » durant lesquelles ils chantaient Ferrat, Ferré et Mouloudji. « S'il faut donner son sang, / Allez donner le vôtre, / Vous êtes bon apôtre / Monsieur le président. » Chaque fois, *Le Déserteur* déclenchait des salves d'applaudissements, distillant un parfum noir d'interdit : le disque était censuré en France depuis 1955. Par chance, on en trouvait en Suisse, assurait Raphaël. Lucie et Tomas se regardèrent. Un sourire suffit.

Nice-Genève, sept heures de route. « Tu as bien pris les sandwichs ? » Tomas doubla une voiture, la rassura, « mais oui, on a tout ce qu'il faut ». Avec lui, Lucie découvrait l'amitié des garçons, l'amour sans le sexe, la complicité d'esprit. C'était nouveau pour elle qui collectionnait les aventures d'un soir – une griserie apaisée, un torrent joyeux et limpide.

Les coteaux mordorés de Provence cédèrent progressivement la place à un paysage plus froid, plus minéral. La route dessinait des lacets infernaux. Vers deux heures de l'après-midi, la 4 CV s'arrêta au poste frontière de Bardonnex. Des douaniers en uniforme s'approchèrent. Lucie et Tomas expliquèrent qu'ils n'étaient là que pour le week-end, ils venaient visiter Genève – voir le lac. Ils durent présenter leurs papiers. Tomas les intriguait. Il avait beau être naturalisé français, cela sentait à plein nez le fuyard d'URSS et les Suisses n'aimaient pas vraiment ça. Au bout d'une heure de palabres, de coups de fil et d'échanges suspicieux, le douanier leur fit signe de passer, comme à regret.

Genève était un amphithéâtre bourgeois posé autour du lac. Une baleine invisible y crachait son jet d'eau sur une centaine de mètres. Ce n'était ni beau ni laid. Au-dessus du lac, le ciel gris devenait blanc, presque transparent. Les deux amis sortirent leurs gants, leurs bonnets et se mirent en quête des magasins de disques de la ville. On leur en indiqua trois. Dans le premier, ils trouvèrent une vingtaine d'exemplaires du *Déserteur* ; le propriétaire était un Breton expatrié qui suivait de près les événements. Dans le deuxième, pas un seul album des rebelles, question de principe visiblement. Dans le troisième, où une adolescente amollie taillait des crayons sans se préoccuper des clients, ils purent en acheter sept. Le butin fut caché au fond d'un sac, lui-même dissimulé dans le coffre, et la voiture mit le cap vers les forêts suisses. Ils trouvèrent un coin paisible, à l'écart de la route. Tomas récupéra les sandwichs. « Thon-mayo. » Ils mordirent dans le pain élastique, mastiquèrent en silence. La nuit glaçait l'air. « Si tu veux mon avis, on va se geler. – Si tu veux mon avis, on est déjà gelés. » Ils se sourirent. Tomas sortit deux vieilles couvertures râpeuses, en offrit une à Lucie, qui se roula en boule à l'arrière. Lui s'installa devant et abaissa le siège au maximum, passa la main sur sa cicatrice, comme pour vérifier qu'elle n'avait pas disparu. Les étoiles genevoises ne les réveillèrent pas.

« Si toi aussi tu es contre l'assassinat de l'Algérie, tiens. » Ils distribuaient les vinyles en secret dans les couloirs de l'université, choisissaient leurs cibles : des premières années et, surtout, des opposants à l'extrême droite. Vian, Mouloudji : des noms pour le rêve. Lucie avait offert un disque à sa mère, qui le faisait écouter à chacun de ses amants. « Libération de l'Algérie ! Liberté des peuples ! Tiens. » Ils avaient l'impression de risquer leur peau, se faisaient un peu résistants. « Apprends-la par cœur pour la manif' de samedi. » L'université résonnait de leurs combats. L'espoir était une affaire sérieuse.

Et la chanson passait en boucle dans leurs soirées de poètes égarés.

« Quatrième étage gauche. C'est là. » Mona et sa fille se trouvaient au pied d'un immeuble sans âme dans un quartier excentré de la ville. Elles montèrent. Deux coups brefs sur la porte.

Elles enlevèrent leurs manteaux en entrant dans le salon enfumé. Au milieu de la pièce, Lucie découvrit un divan couvert d'un drap blanc. Face à lui, une dizaine de chaises. Des femmes de tous âges bavardaient déjà. Une blonde d'une quarantaine d'années les accueillit, embrassa sa mère et se tourna vers elle. « Contente de faire ta connaissance, Mona m'a beaucoup parlé de toi. On va bientôt commencer. Vous voulez boire quelque chose ? » Son accent niçois broyait les consonnes. Elle avait la mâchoire épaisse, les yeux ronds. « Tu peux m'expliquer ce qu'on fait là, maman ? – Attends. Tu vas voir. » La blonde leur offrit deux verres de jus puis s'approcha du divan. « Mes amies ! s'écria-t-elle. Bichette sera là d'une minute à l'autre. Mais regardez, on a tout ce qu'il faut ! » Elle agita entre ses doigts une drôle de petite coupelle, jaune pâle, beigeâtre, qui évoqua à Lucie ces pâtes venues d'Italie du Sud et qu'on trouvait à Nice : les orecchiette. Devant elle, une poubelle et une boîte de gants chirurgicaux.

On frappa à la porte. Une femme spectaculaire fit son entrée : les cheveux rouges, les lèvres très maquillées, des talons aiguilles vernis. Sa mère et les autres applaudirent. Bichette esquissa une révérence et enleva son petit gilet en riant : « D'habitude, je n'ai pas tant de monde ! » Les applaudissements redoublèrent. La blonde, qui se prénommait Susanna, lui indiqua le divan. Lucie n'eut pas le temps de comprendre que la prostituée relevait ses jupes, dégrafait ses bas, ôtait sa culotte et s'allongeait sur le drap en écartant les jambes. Tandis qu'elle dévoilait son sexe en riant, Susanna annonça triomphalement : « Aujourd'hui, la pose du diaphragme ! »

Ravie, Mona chuchota : « Regarde bien. C'est un moyen de contraception efficace. » Susanna saisit le capuchon souple entre son pouce et son index gantés, donna des explications techniques que Lucie, malgré tous ses efforts, ne parvint pas à enregistrer. « Il faut bien plaquer le diaphragme contre le col de l'utérus » et elle enfonça l'objet entre les cuisses de Bichette. Un cri parcourut l'assistance, couvert par les rires de la prostituée dont les talons piquetaient le divan. Mona alluma une cigarette ; Lucie l'imita. Elle se sentait mal. « Vous avez compris, mesdames ? Allez, on y va. » Susanna ressortit le diaphragme humide et le tendit devant elle. Bichette, les jambes écartées, s'était à moitié redressée sur ses coudes et observait le public d'un œil espiègle. « Liliane, tu commences. » Une fille d'une vingtaine d'années protesta. « Pourquoi moi ? – Parce que tu veux être médecin. Tu ne veux pas être médecin ? » Elle fit signe que oui. « Eh bien vas-y. »

À voix basse, Lucie demanda à sa mère qui était Susanna. « Une ancienne gynéco, interdite d'exercice maintenant. » Elle chuchota plus bas encore : « Un avortement qui a mal tourné… Le mari de la patiente l'a dénoncée. » Lucie reporta ses yeux sur le divan. Le visage de Liliane restait figé. Bichette la guidait d'une voix joviale : « Tu n'y es pas. Plus haut. Ah ! Là ! – Pigé, Liliane ? » La jeune femme hocha la tête. « Bon. À qui le tour ? »

Pendant une heure, toutes s'exercèrent sur la prostituée. « Du premier coup, bravo ! » « Ah non, ça ne va pas, je le sens. » Lucie alluma sa cinquième cigarette, nerveuse – bien sûr que l'exercice était utile, nécessaire même, mais fallait-il vraiment qu'on leur impose ça ? Comment Bichette pouvait-elle supporter de… Sa mère jeta son gant dans la grande poubelle : « À toi ! » Lucie ne put bouger. « Mais enfin, ne sois pas stupide ! Allez ! » Bichette l'encouragea. « Ne t'inquiète pas, ma mignonne, ça ne me fait rien… » Elle sentait les larmes lui monter aux yeux. C'était impossible, elle n'y arriverait pas. Honteuse, elle balbutia : « Je crois que… que j'aimerais mieux la pilule… » Susanna éclata de rire. « Très bien, ce sera l'objet de notre prochaine séance. Où et comment se procurer la pilule ! » Sa mère boudait. « Laisse-la, tempéra Susanna, elle n'a que dix-sept ans, ta gamine. »

En novembre 1974, la mère d'Évelyne assiste à tous les discours de Simone Veil qui présente à l'Assemblée son projet de loi de droit à l'avortement.

La situation actuelle est mauvaise. Je dirai même qu'elle est déplorable et dramatique. [...] Lorsque les médecins, dans leurs cabinets, enfreignent la loi et le font connaître publiquement, lorsque les parquets, avant de poursuivre, sont invités à en référer dans chaque cas au ministère de la Justice, lorsque des services sociaux d'organismes publics fournissent à des femmes en détresse les renseignements susceptibles de faciliter une interruption de grossesse, lorsque, aux mêmes fins, sont organisés ouvertement et même par charter des voyages à l'étranger, alors je dis que nous sommes dans une situation de désordre et d'anarchie qui ne peut plus continuer.

Je cherche la vidéo sur Internet. Simone Veil, éclatante dans son chemisier bleu roi, est d'une élégance rare. Elle parle calmement, laisse de la place aux silences, déroule ses arguments avec clarté.

D'autres vidéos suivent ; le même discours prononcé au Sénat. La caméra balaie le public et soudain s'attarde sur un balcon rempli de femmes venues soutenir le projet. J'appuie sur « pause », je cherche, j'examine. J'aimerais tellement que surgisse devant moi le visage de *Mona*, celle dont il ne reste pas une photo, pas une image – en tout cas pas dans les tiroirs d'Évelyne, elle qui a tout brûlé au suicide de sa mère. Je cherche un fantôme ; un visage jamais vu et dont j'ignore tout, mais que je saurais reconnaître si je le croisais. Elle est peut-être là. La caméra se rapproche d'une femme distinguée, chemisier blanc et gilet vert d'eau. Un collier de perles autour du cou ; des perles aussi aux oreilles, rondes, imposantes. Lunettes noires, cheveux bruns tirés en arrière. Les bras croisés. Cela pourrait. Oui, cela pourrait. Mais en vérité, je cherche et ne vois rien.

Explosion de joie dans les rues, pétards, feu d'artifice, « bonne année ! bonne santé ! », et du champagne pour embrasser 1959. Lucie bénissait ce 1er janvier-là. Batista, le triste sire mis à la tête de Cuba par les Américains, venait de connaître une défaite sanglante et, roquet minable, s'était empressé de fuir en République dominicaine la queue entre les jambes. Fidel Castro, Che Guevara et tous les rebelles l'emportaient ! C'était David contre Goliath, la victoire d'une île minuscule contre l'impérialisme mortifère. « Bonne année ! – *Y Libertad !* » répondait Lucie, qui ne rêvait plus que de Cuba.

Avec Tomas et Raphaël, ils décidèrent de fêter ça le jeudi suivant dans un bar anarchiste. Dès qu'ils y pénétrèrent, Lucie repéra un groupe de garçons. « Pas mal, là-bas. » Tomas lui colla une petite tape sur le crâne. « Tu es vraiment infernale. » L'un des garçons se retourna pour passer commande et croisa leur regard. « Tiens ! Raphaël ! » Lucie vit son ami s'empourprer. « On va trinquer avec eux » déclara Tomas qui ne s'était rendu compte de rien. Raphaël restait muet, un sourire plaqué aux lèvres. Tomas se pencha sur la table, saisit le verre de quelqu'un et lança au-dessus des têtes étonnées un tonitruant : « À la révolution cubaine ! » Le garçon leva les yeux : « Tu ne me présentes pas ? – Un ami » dit seulement Raphaël. « Les amis de mes amis sont mes amis ! » répliqua Lucie. Il remua la tête d'un air gêné.

Le lendemain soir, elle se laissa tomber sur le canapé du salon, une grenadine à la main, attendant sa mère qui rentrait d'une semaine de vacances avec son amoureux du moment. C'était l'un de leurs petits rituels : se retrouver avant de dîner le vendredi pour bavarder et se raconter leurs vies. Mona était enchantée de son séjour ; ils avaient loué une villa en bord de mer sur la côte italienne pour le réveillon. « Et puis ce qui se passe à Cuba, vraiment… L'année commence bien ! » Lucie approuva. L'île envoyait un message d'espoir au reste du monde – la liberté avait à présent un visage, et des plus séduisants. « J'aimerais tellement y aller, maman… Voir La Havane, la Sierra Maestra, Santiago ! On en a parlé avec Tomas et Raphaël, tu sais, mes amis ?… » Elle piocha dans le bol de cacahuètes et marqua une pause. « En parlant de Raphaël… Il faut que je te dise quelque chose. » La cacahuète croqua sous sa dent. « Figure-toi qu'il est homosexuel. »

C'était déjà leur troisième sangría – tête bourdonnante et regard flou. Le groupe de garçons avait quitté le bar depuis quelque temps, au grand dam de Lucie. « Il est mignon, celui que tu nous as présenté… » Raphaël vida son verre : « Oublie. » Puis un peu ivre : « Il est homo… » Tomas s'étrangla. Lucie resta figée une seconde, revit brusquement les joues empourprées de son ami tout à l'heure. Elle comprit. « Tu veux dire, homo… comme toi ? » Raphaël hocha la tête et versa le fond du pichet dans son verre. Homosexuel, il l'était depuis l'adolescence, même s'il avait longtemps peiné à le reconnaître. « Mais pourquoi tu ne nous as rien dit tout ce temps ? » demanda Lucie. La honte, la peur d'être rejeté. Tomas se recula imperceptiblement. « Ne t'inquiète pas, tu n'es pas mon genre. » Lucie jeta un regard noir à son ami lituanien qui reprit aussitôt sa place, embarrassé par ce geste dont il n'avait pas même eu conscience. Elle serra Raphaël contre elle. « Je t'aime comme tu es. » Ajouta : « Tu restes mon Lancelot. » Il lui sourit et d'une voix soudain plus forte, nourrie d'alcool, se tourna vers Tomas. « Je voulais te dire… La fois où ils t'ont tabassé… Je voulais intervenir. Vraiment… Mais la violence me paralyse. Plus ils frappaient, plus j'avais l'impression qu'on me hurlait : "Tafiole, tafiole…" Et plus j'avais honte. Je suis désolé, vraiment. » Tomas se rapprocha de lui, saisit sa main qu'il posa doucement sur sa cicatrice. « Oublie ça, mon ami. L'avenir n'est pas derrière nous. »

À raconter la scène à sa mère, Lucie se sentait aussi émue que la veille. « Pour tout te dire, j'avais comme un doute. Maintenant au moins, c'est clair. » Mona avala une cacahuète et d'un ton détaché déclara : « Ces mecs, ils me dégoûtent. » Lucie ouvrit la bouche, le cœur suspendu dans sa poitrine. « Qu'est-ce que tu veux dire ? – Je ne sais pas… C'est sale, tu vois. Ce qu'ils font… Ce sont des malades. » Sa mère n'avait pas dit ça. Ce n'était pas possible. Elle alluma une cigarette, aspira une longue bouffée et tenta de se calmer. « C'est leur vie. Elle vaut bien la nôtre. » Mona pouffa et haussa les sourcils. « Non franchement ! Un homme avec un homme… Ah, pitié ! Arrête, je vais vomir. » Lucie explosa : « Tu te rends compte de ce que tu dis ? » Elle fit les cent pas dans la pièce, se tenant la tête dans les mains. « C'est les vieux qui pensent ça ! » Mona ne laissa pas passer l'insulte. Elle se leva et s'approcha : « Tu ne me parles pas sur ce ton. – Je te parle sur ce ton parce que tu ne me permets pas de te parler autrement ! » Elle agrippa la veste de Lucie. « Tu te tais ! Tu as dix-huit ans, tu n'es personne encore ! – Et toi, tu es comme papa ! » La gifle partit.

Elles restèrent pétrifiées toutes les deux, comme si la scène leur avait échappé. Puis, les yeux de Lucie se chargèrent d'eau et elle quitta la pièce en claquant la porte.

« J'aimais le football, les romans d'aventures, les baignades, les jeux. Comme n'importe quel garçon. À l'adolescence, je suis tombé amoureux, enfin vaguement, d'une fille de ma classe. Elle avait un drôle de nom. Pomme. Oui, ses parents l'avaient appelée Pomme. Et les mecs de la classe lui couraient après en disant : ''Viens que je te croque, Pomme'', ça la faisait rire. Je ne sais pas pourquoi elle a jeté son dévolu sur moi. Elle m'a invité chez elle ; j'y suis allé. Je pensais sincèrement être amoureux d'elle – tous les autres garçons l'étaient. Sa chambre était décorée de posters des Beatles et ça sentait la vanille. On s'est assis sur son petit lit une place. Pomme m'a regardé. Elle était jolie, c'est vrai. Elle s'est jetée sur moi. Mais là… Ses lèvres molles sur les miennes, son parfum sucré, sa chair, tout, tout m'a dégoûté. Affreux. Je ne voulais pas lui faire de peine, je t'assure, mais je l'ai repoussée violemment et me suis essuyé la bouche. C'était plus fort que moi. »

Lucie tendit son briquet à Raphaël. De ses doigts longs il alluma une Gauloise sans filtre et resserra son manteau. Devant eux, la mer était plus calme qu'un lac, miroir noir qui s'étirait à l'horizon. Lucie en voulait à sa mère – colère, incompréhension, tout cela formait une boule dans son estomac, lourde comme la pierre des condamnés. Raphaël tourna la tête vers elle. « Elle a mal réagi, alors ? » Lucie soupira. « Ça ne lui ressemble pas, je t'assure. On s'est disputées comme jamais. » Ce qui la blessait le plus, c'était de retrouver chez sa mère une attitude proche de celle d'André. « Mon père se comportait comme ça avec les Vietnamiens, les Canaques, les Juifs. Qu'elle ait la même attitude vis-à-vis des homos, ça me rend malade. Je suis sûre qu'elle va changer d'avis, mais ça sera long. » Raphaël lui sourit : « Sa réaction ne me surprend pas. » Quand il avait osé leur confier son secret, sa propre mère avait éclaté en sanglots avant de le pousser méchamment, son père devenu écarlate avait hurlé, aucun des deux n'acceptait l'idée, « on n'a jamais eu ça dans la famille » disaient-ils, et puis la honte, le dégoût, la peur du regard des autres. « Comment ça s'est réglé ?
– Ils m'ont foutu à la porte, soupira Raphaël. Ça fait bien trois ans que je ne les ai pas revus. »

Le jour commençait à décliner, répandant une ombre laiteuse sur la plage. Les deux amis gardèrent le silence. Nice était la ville la plus triste du monde.

« PLANNING FAMILIAL DE LA VILLE DE NICE »

Sous un soleil de plomb, la banderole s'étalait en rouge au fronton du bâtiment. 1960 marquait pour Mona la création officielle du Planning familial, issu de l'association La Maternité heureuse qui avait, grâce à Marie-Andrée Weill-Hallé, Évelyne Sullerot et les nombreuses femmes engagées derrière elles, opté finalement pour une ligne plus radicale. Lucie aidait à tenir le stand devant les bureaux. Susanna, toujours aussi imposante, distribuait des tracts sur le trottoir ; Liliane, la jeune femme qui voulait devenir médecin et qu'elle avait rencontrée lors de la séance de pose de diaphragme, expliquait les missions du Planning ; Bichette bronzait sur sa chaise en plastique. Bien d'autres les entouraient, proposant aux passantes un verre d'eau ou de sirop avant d'entamer la discussion. Certaines s'arrêtaient, admiratives, reconnaissantes, encourageant les activistes. D'autres vomissaient des injures : « Traînées ! Salopes ! » Un homme au chapeau de feutre les insulta : « Vous êtes des chiennes ! »

À ces mots, Lucie se mit à aboyer, le cou tendu vers le ciel, imitée aussitôt par sa mère puis par toutes les militantes, « waouh, waouh », ce fut un concert de chiennes, du plus aigu au plus grave, babines retroussées, pupilles dilatées, et Susanna fit semblant de lui courir après pour le mordre. L'homme s'enfuit en les traitant de malades et toutes éclatèrent de rire. Un teckel qui passait par là s'arrêta pour les contempler, ahuri.

Tout le samedi, les femmes se relayèrent sur le stand. Lucie s'éclipsa à l'heure du déjeuner. « Tu restes encore un peu, toi ? » demanda-t-elle à sa mère. « Oui, jusqu'à quatre heures. – Très bien. À tout à l'heure alors. »

Vers trois heures et demie, un jeune homme approcha. Mona le repéra immédiatement : grand, la peau très blanche, les cheveux châtains. « Ah ! Enfin un homme qui se soucie de la cause des femmes ! » s'exclama-t-elle avec un large sourire. « Absolument. Votre combat est aussi le nôtre, j'en suis persuadé. » Susanna tira sa chaise vers lui. « Si vous saviez comme ça fait du bien d'entendre ça ! » La conversation s'engagea. Le jeune homme, d'une courtoisie parfaite, était en faveur du droit à la contraception et à l'avortement ; les femmes devaient pouvoir travailler comme les hommes, avec un salaire équivalent, disposer d'un compte bancaire à elles et ne pas être les seules à s'occuper des enfants. « Il faut vraiment développer le principe des crèches, sans ça, les mères seront toujours coincées à la maison. » Mona le dévorait des yeux. Elle lui proposa un verre d'orangeade, qu'il accepta poliment. Ses yeux avaient un reflet doré.

Ils étaient encore en train d'échanger leurs idées lorsque Lucie débarqua, ravissante dans sa robe printanière. « Tenez, voici ma fille » déclara-t-elle à l'intention du jeune homme. Il lui répondit par un sourire qu'elle n'eut pas le temps d'interpréter, Lucie se penchait déjà pour lui faire la bise : « Salut, Raphaël, tu vas bien ? » Elle posa une main sur l'épaule du garçon. « Maman, je te présente Raphaël. Tu sais, l'ami dont je t'ai si souvent parlé ? »

Au milieu de la nuit, Mona se sentit étouffer et ouvrit en grand la fenêtre. L'odeur des pins balayait l'air, sève fraîche et miellée portée par le vent. Elle aspira longuement. La scène de l'après-midi passait en boucle dans sa tête. Raphaël. Sa fille lui avait tendu un piège, avec tant de finesse cependant qu'elle n'avait pu qu'applaudir. Il lui fallait bien l'admettre, son ami était attachant, et brillant. Ses convictions féministes l'avaient enchantée. Peau claire et regard d'ambre. « Lancelot du lac » disait Lucie. Un joli nom, qui lui allait bien. Mais il était homosexuel. Dans le rectangle de la fenêtre, les arbres découpaient leurs ombres. Mona crut voir passer des chauves-souris, ou étaient-ce des chouettes, elle ne savait pas. Partout le même silence épais. Elle retourna se coucher, contrariée, l'esprit parasité, et sombra dans un sommeil peuplé de cauchemars.

Le lendemain, elle traîna au lit plus longtemps que d'ordinaire, prolongea son petit déjeuner, resta une heure dans la salle de bains, comme alourdie par un poids dont elle sentait bien qu'il était lié à l'épisode de la veille. C'était désagréable, un mélange de culpabilité et d'écœurement. D'admiration pour sa fille aussi. Vers midi, désœuvrée, elle alluma la radio, se brancha sur Paris Inter. Chaque fois qu'elle le pouvait, elle suivait le jeu « Cent mille francs par jour », s'imaginait ce qu'elle ferait avec une telle somme – un voyage, une nouvelle voiture ou, plus sûrement, des économies pour les études des enfants. « Comment s'appelle le petit du zèbre ? » Elle étendit ses jambes sur le sofa, se prit au jeu. Le zébreau. Les notes de xylophone s'égrenèrent lentement. Ding, ding. « Le zébreau ? » risqua le candidat. Facile, n'importe qui aurait pu répondre. « Question d'histoire. En quelle année Charlemagne a-t-il été sacré empereur d'Occident ? » Ah non, pas de date ! Elle n'avait jamais pu en retenir aucune. « En 800 ? – Et c'est encore une bonne réponse de M. Buc, bravo ! » Elle regarda ses ongles, les trouva un peu ternes – il faudrait qu'elle passe chez la manucure prochainement. « Culture, à présent. Qui est l'auteur de la citation suivante : *Se vouloir libre, c'est aussi vouloir les autres libres* ? » Son cœur se mit à battre violemment dans sa poitrine. « Simone de Beauvoir ! » cria-t-elle à son poste. Le xylophone reprit ses droits, soulignant la respiration du candidat muet. Ding, ding. Elle se leva. « Beauvoir, enfin ! » L'animateur glissait des indices, en vain, M. Buc ne voyait pas. Ding. Ding. « Ah l'idiot ! Il va perdre ! » Ding. Trop tard. Elle se laissa retomber sur le sofa, dépitée. Le joueur malchanceux repartait avec un exemplaire du Larousse des noms propres et les félicitations de l'animateur. Simone de Beauvoir lui avait sifflé ses cent mille francs. « Ma pauvre Marthe, tu aurais entendu ça… » Elle se dirigea vers sa bibliothèque, sortit un exemplaire du livre dont était tirée la célèbre phrase, *Pour une morale de l'ambiguïté*. Et soudain, son sang se figea. « Se vouloir libre, c'est aussi vouloir les autres libres. » Chacun est libre. Bien sûr, chacun est libre. La liberté que les femmes réclamaient avec force, d'autres aussi y avaient droit. Elle revit le beau visage de Raphaël et eut l'impression qu'un poids s'ôtait de sa poitrine. En le jugeant, elle contrevenait à sa propre morale. C'était absurde, incohérent. Le malaise que suscitait en elle l'homosexualité demeurait, mais une sensation plus forte le concurrençait à présent : l'acceptation. Elle enfila une robe et sortit embrasser le soleil.

J'écris, et la nuit recouvre Paris. On est au début du printemps ; les cerisiers sont chargés de boules de fleurs roses et nacrées, les arbres sont d'un vert tendre presque jaune, mais à cette heure, qui le croirait ? Le noir avale tout comme une gueule maléfique. Dans mon salon, qui a pu être mieux rangé, encore qu'il ne le soit jamais vraiment, j'écris en pensant à Évelyne. Noir dehors, noir dedans – le noir est lumière. Une heure et demie du matin. Des gens crient en bas de mon immeuble, l'un d'eux répète en boucle : « Pourquoi t'as fait ça ? Pourquoi t'as fait ça ? », et j'ai envie d'ouvrir les fenêtres pour crier à mon tour : « C'est vrai bon sang, pourquoi t'as fait ça ? » Mon corps reste vissé devant l'écran.

Quand la rue se calme pourtant, mais cela ne dure qu'une seconde, à tendre l'oreille on surprendra, émerveillé, la capitale bruissant de grillons. Crissement musical et rythmé, presque imperceptible. Un vent tiède souffle sur la chaussée. Des parfums de chèvrefeuille couvrent ceux des moteurs.

Paris, la nuit, serait un jardin sauvage au bord de la Méditerranée.

Ses mains tremblaient tellement qu'il renversa un peu d'eau en portant le gobelet à ses lèvres. Sa peau à la pâleur de lune semblait grise à présent. Il n'avait qu'un mot à la bouche : « Banni. » Lucie et Tomas entouraient leur ami en larmes. Raphaël venait d'être convoqué par le tribunal administratif de la faculté. La sanction était tombée, affolante comme une tête coupée : il serait banni du système universitaire pour cause d'homosexualité. Lucie pleurait avec lui et Tomas serrait les dents. Comment les hautes autorités s'étaient-elles retrouvées avec des photos de lui et de son amoureux du moment, il n'en savait rien, mais c'étaient là des preuves, éclatantes, incontestables.

« Il faut faire quelque chose… Et casser la gueule à celui qui t'a balancé ! s'emporta Tomas. Même ici, vous avez des délateurs ? – Surtout ici, tu veux dire, répliqua Lucie. Les gestapistes recyclés… » Elle déposa une bise sur la joue triste de son ami. « Il doit y avoir un recours. On va faire appel de leur décision. » Au même moment, elle entendit la clé tourner dans la serrure et sa mère et son frère entrèrent dans le salon, les bras chargés de sacs de courses. Quand il les vit, Pierre se figea : « Pourquoi il pleure ? » À ces mots, Raphaël s'essuya les yeux de la manche de sa chemise. « Je ne pleure pas. » Pierre ne parut pas convaincu et Mona posa tous les sacs. « Qu'est-ce qui se passe ? » À mesure qu'il lui expliquait la situation, son visage changeait de couleur, se contractait. « Il est hors de question qu'ils te pourrissent la vie comme ça ! s'écria-t-elle. Je vais aller leur parler, moi ! » Il y eut une minute suspendue, un face-à-face redevenu tendresse, et Lucie se jeta au cou de sa mère pour la remercier. Elles restèrent ainsi enlacées quelques secondes. « Je ne veux pas qu'on fasse de mal à ton ami… » Raphaël baissa les yeux, touché, un peu gêné aussi par cet amour filial qui se déployait devant lui. Lucie finit par desserrer l'étreinte et fièrement, penchant la tête vers Mona, dit : « C'est ma mère. »

Quelques jours plus tard, Tomas et des copains de la fac retrouvèrent Lucie pour une fête surprise. Mona était rentrée deux heures plus tôt avec une bonne nouvelle : le tribunal universitaire renonçait au bannissement national. Certes, Raphaël ne pourrait pas continuer ses études à Nice, toutefois les autres universités françaises restaient ouvertes, Marseille, Montpellier, Paris… Oui, Paris lui disait bien. Et un jour peut-être, le barreau. En attendant, il devrait quitter Nice, ce qui teintait le triomphe d'une sérieuse amertume.

Pour l'heure, cependant, il s'agissait de fêter la victoire. Lucie lui avait demandé d'emmener sa mère en ville sous prétexte de lui offrir un cadeau. Entre-temps, elle avait alerté ses amis débarqués aussitôt avec de quoi boire et manger. Quand Mona entra au bras de son nouveau protégé, tous se levèrent et l'applaudirent frénétiquement. Raphaël surenchérit en improvisant une danse du soleil autour d'elle. « Oh ! Mais je ne m'y attendais pas ! Vous êtes fous ! Merci… – Il faut que tu nous racontes ça » la pressa Tomas. Rieuse, Mona s'assit sur le tapis du salon et raconta, griot magnifique d'un soir.

La confrontation s'était tenue dans un bel amphithéâtre en bois clair. Face à elle, six professeurs, tous membres du conseil de représentation de la faculté. « Des vieillards cacochymes coulés dans leur velours caca d'oie… » Avec son rang de perles et son tailleur crème, ils ne l'avaient pas vue venir. « Messieurs. Qui a enquêté dans votre chambre à coucher avant de vous nommer professeur des universités ? » Un grand maigre à lunettes s'était figé. Un autre, d'une fadeur d'endive, avait commencé à hoqueter. « Je ne vois pas votre objection » avait répliqué un troisième. Sur le tapis du salon, Mona imitait le pédant, mains longues et griffues qui tournaient dans le vide. « Comment ! je leur ai dit. Laisseriez-vous croire qu'on vous a jugé seulement sur vos connaissances, votre culture, votre sens de la pédagogie ? » Lucie donna un coup de coude à Tomas ; elle leur a vraiment dit ça, tu sais. Il leva le pouce en signe de respect. Mona se mit debout et gonfla le torse : « Bien sûr que oui, on vous a jugés sur ces qualités-là, et seulement sur ces qualités-là ! Alors je pose la question… Là, dit-elle en se tournant vers sa fille, j'ai fait comme tu m'as dit, j'ai laissé un blanc… » Raphaël riait aux larmes. Elle s'époumona : « Oui messieurs, je pose la question : comment prétendez-vous juger un jeune esprit autrement que sur les qualités mêmes qui sont raison de votre présence ici, dans ce haut lieu du savoir ? » Elle expira en se tenant les côtes tant elle riait. « Cette phrase-là, franchement, elle n'était pas facile… J'ai cru que j'allais m'emmêler les pinceaux. Ah ! Vous auriez vu leurs têtes… » Progressivement, les rires s'apaisèrent et Mona se rassit sur le tapis. « Après, j'ai mitraillé. ''Vous voudriez bannir Raphaël Sire parce qu'il est homosexuel ! Mais son homosexualité ne vous a pas empêchés, avant que de l'apprendre, de lui attribuer les meilleures notes qui soient !'', etc., etc. » Raphaël s'enfonça dans le canapé et Lucie soupira. « Ils ont accepté comme ça ? » voulut savoir Tomas. « Non, répondit l'intéressé. Mona a dû batailler encore. Et puis ils se sont concertés et ont rendu le verdict que vous connaissez. Dans le fond, ils voulaient juste se débarrasser de moi. » Lucie posa la tête contre son épaule. « Tu leur montreras un jour combien ils avaient tort. » Un sourire. « Et combien maman avait raison. »

Écrire me semble en ce moment l'activité la plus décourageante du monde. Comment peut-on voir défiler les scènes si clairement dans son esprit sans parvenir à les restituer sur une page ? C'est désespérant. La voix d'Évelyne me revient : « Je n'arrive absolument pas à ''romancer''. » Dans mon langage, romancer signifie rendre romanesque ; pas romantique. Mais Évelyne était capable de planter une assemblée d'universitaires émérites pour suivre le dernier épisode des *Feux de l'amour*, alors « romantique » pourquoi pas, si c'est rester à l'écoute des émotions, et mieux, des sensations. Je l'ai toujours dit de mon travail d'éditrice, cela me semble encore plus vrai du travail d'écriture : la raison n'y a que peu de place. C'est l'animal en vous qui sait où aller. Encore faut-il que la bête soit debout sur ses pattes, l'œil vif, le poil soyeux – prête à l'attaque.

Octobre 1962. Depuis le début du mois, des tensions très vives traversaient Cuba. La photo de Ben Bella, à la tête du premier gouvernement de l'Algérie indépendante, et de Fidel Castro sur le tarmac de l'aéroport de La Havane, à bord d'une décapotable, un collier de fleurs autour du cou, appartenait déjà au passé. Depuis que Kennedy avait décrété l'embargo de l'île, Khrouchtchev menaçait de déployer sur place des missiles et des sous-marins. Les Américains n'avaient pas reculé mais leur message était clair : ils ne toléreraient jamais un tel danger à leur porte. Mona arriva aux assurances du Soleil avec *L'Huma*, acheté spécialement pour suivre l'affaire.

Comme tous les jours depuis six ans, elle salua la détestable Barbara, déposa ses affaires, ajouta un sucre dans le café du patron, commença à éplucher la pile du courrier. Ses gestes mécaniques l'ennuyaient elle-même, rien n'était intéressant dans ce travail hormis le petit salaire qui tombait à date fixe. Cioto déposait une pochette de documents sur son bureau quand il surprit *L'Huma*. « Madame Magalas ! D'où vient ce torchon ? Ce n'est pas vous, tout de même, qui achetez ça… »

Elle n'avait jamais imaginé son patron de gauche mais la remarque avait quelque chose d'aigrelet qui lui déplut souverainement. « Si, c'est moi. » Cioto se mit à hoqueter. Son employée... *L'Huma*... Elle crut qu'il allait faire une attaque lorsque son visage devint mauve comme une figue. « Monsieur Cioto, ça va ? » Barbara, qui avait entendu les cris, accourut. « Oh ! » Elle se précipita vers lui avec des mines de *mater dolorosa*. « Une rouge, une sale rouge ! » balbutiait-il en tendant le doigt. Barbara poussa un cri horrifié. Mona se leva. Le monde allait peut-être sombrer dans le chaos atomique, mais aux assurances du Soleil, croiser une lectrice de *L'Huma* pouvait vous tuer. Elle se trouva ridicule avec ses petites ballerines, son tailleur chic et ses boucles d'oreilles dorées. Sa vie à Nice n'avait rien d'excitant, un travail absurde, des journées trop longues, des amants qu'elle ne voyait jamais plus de deux fois d'affilée. Elle ramassa son sac sous les injures et sortit.

De retour chez elle, elle trouva Lucie en train d'enlacer un jeune homme sur le canapé. « Maman ! – Pardon, pardon... Faites comme si je n'étais pas là ! » Avant que sa fille ait pu dire quoi que ce soit elle refermait la porte de sa chambre. Elle tira un bloc de papier de son secrétaire et glissa une feuille dans son Hermès Ambassador, rédigea sa lettre de démission. En y mettant le point final, elle se sentit soulagée, libérée. Une excitation de gamine s'empara d'elle. Adieu Nice. C'était décidé. Ils iraient vivre à Paris. Depuis toutes ces années qu'elle en rêvait, le moment était venu. Elle saurait rebondir, trouver un nouveau travail. Et les assurances du Soleil, terminé.

Mentir pour vivre son rêve. Telle était la pensée de Lucie qui venait de s'inscrire avec Tomas au siège de l'Union des étudiants communistes, place Paul-Painlevé. Dès son arrivée à Paris en 1963 et son inscription à la Sorbonne, elle avait continué à militer en faveur des libérations nationales. Quand elle avait appris que l'UEC préparait un voyage à Cuba pour l'été 1964, elle avait appelé son ami. Il ne pouvait pas manquer ça ; peu importe les conditions : partir à Cuba représentait tellement pour eux. Tomas n'avait pas hésité. Il avait quitté Nice et retrouvé Lucie avec joie. « Tu sais, l'UEC est en froid avec le PCF quand même… Le stalinisme ne les envoûte pas. Ils soutiennent Tito en Yougoslavie… » Lucie justifiait de son mieux leur changement de pied. L'UEC soutenait des figures du non-alignement ; elle n'était pas totalement infréquentable.

À la tête du mouvement se trouvaient deux ou trois jeunes hommes à l'éloquence remarquable, dont un certain Victor. Cheveux clairs, regard bleu, étudiant en médecine. Il expliqua les objectifs du séjour lors de la réunion de présentation : découvrir l'île bien sûr, s'inspirer du modèle révolutionnaire, obtenir une interview de Fidel Castro pour leur journal, *Clarté*, et venir en aide, par des travaux des champs, aux coupeurs de canne.

Heureuse pour eux, mais également inquiète, sa mère leur acheta des chemises « antimoustiques » et des lunettes de soleil. « Tu mettras de la crème sur ta cicatrice, Tomas. Sinon ça va laisser des traces », et elle lui colla dans les mains un tube neuf. Pierre, âgé désormais de quatorze ans, demanda qu'on lui rapporte une casquette pareille à celle du Che. Raphaël, qui depuis qu'il était parisien avait pris ses distances avec la politique, n'avait pas souhaité se joindre au groupe. « Lancelot à Cuba..., ironisa-t-il lui-même. Non, désolé, tout ça, c'est fini pour moi. Mais tenez, ça pourra vous être utile. » Lucie découvrit une boîte de pastilles. « Si vous avez un doute sur la qualité de l'eau, une pastille désinfectante et vous êtes tranquilles. – Ne t'inquiète pas, avait-elle rétorqué, nous sommes des aventuriers ! » Tomas et elle se tenaient prêts. Le départ pouvait survenir d'un jour à l'autre, dès que le gouvernement français autoriserait l'avion cubain à se poser à Orly. Hélas les autorités bloquaient. L'UEC trouva une solution : ils louèrent deux autocars jusqu'en Hollande, où l'avion avait reçu le droit d'atterrir, et de là, embarquèrent aussitôt.

Une haleine chaude et humide. Des cocotiers immenses. À peine sortis de l'avion, surtout, cette banderole géante : *« Bienvenidos al primer territorio libre de América. »* Lucie goûta l'instant. L'aéroport de La Havane était à l'image de ce qu'elle attendait de Cuba : un endroit brut, excitant. Le groupe patienta dans une salle de transit car un petit coucou devait les emmener immédiatement à Santiago. Le lendemain, 26 juillet 1964, le Comandante en jefe ferait un grand discours en souvenir de l'attaque de la caserne de la Moncada, où la révolution cubaine était née. Lucie tremblait rien qu'à l'idée de voir Fidel Castro, et pour un discours qui ferait écho à celui si célèbre de 1953, lorsqu'il était passé devant le tribunal pro-Batista : « Condamnez-moi, cela n'a aucune importance. L'histoire m'acquittera. »

Dans la salle de transit, des musiciens approchèrent avec leurs guitares. Leurs voix chaudes se mêlèrent pour chanter : *« Cuba... Qué linda es Cuba... Quién la defiende la quiere más... »* Puis ce fut l'heure d'embarquer pour Santiago où des miliciens les attendaient.

Ils furent répartis en six groupes de dix et accueillis dans des maisons spécialement aménagées : lits superposés dans les chambres, salon transformé en réfectoire. On leur servit un repas à base de brochettes de poulet, de bananes plantain et de riz blanc. Après dîner, ils chantèrent encore un peu et filèrent se coucher ; tous voulaient être en forme pour le lendemain.

[illegible] les premières manifestations [illegible]

[illegible] de la révolution [illegible]

[illegible]

[illegible]

Vers sept heures du matin, alors qu'un soleil sans nuages illuminait l'île, Lucie se réveilla. Dans le réfectoire, certains de ses camarades étaient déjà debout. Elle avala une tartine sur le pouce qu'elle fit passer avec un bol de café, puis fit la queue pour la salle de bains, ses affaires à la main. Il n'y avait qu'une douche et la règle était claire : pas plus de cinq minutes par personne. Son tour arriva. Elle ôta son pyjama et ouvrit le robinet : plus d'eau. « Allez » pria-t-elle pour elle-même en secouant le pommeau. Rien. « On se dépêche ! » cria quelqu'un derrière la porte. Un maigre goutte-à-goutte lui répondit. Elle recueillit le filet d'eau dans ses paumes et se frotta énergiquement. Tant pis pour le savon. « On avait dit pas plus de cinq minutes ! » s'agaçait la voix dehors. Elle sortit de la « douche », se frictionna avec l'eau de Cologne qu'elle avait heureusement glissée dans sa trousse, enfila sa robe jaune en coton. « Tu exagères, tu es restée dix minutes ! » pesta Victor en tapotant sa montre. Elle ne répondit rien et courut jusqu'à sa chambre pieds nus. « À huit heures on part. »

Elle refermait la porte quand elle l'entendit crier : « J'y crois pas, elle a pris toute l'eau ! »

Dans la pièce qu'elle partageait avec trois filles, Nina, Audrey et Brigitte, Lucie brossa ses longs cheveux blonds qu'elle attacha en queue de cheval, sortit un petit miroir de son sac et souligna ses yeux au crayon. Sous l'effet de la chaleur, la cire noire avait légèrement fondu, charbonnant ses yeux d'une touche orientale. « Tu me le prêterais ? » demanda Nina. « Et comment, camarade ! » Elle lui tendit le maquillage. Brigitte proposa de son huile solaire. Audrey de son rouge à lèvres. Les rires fusaient. Concours de bouches fraîches et de peaux satinées – des petites Françaises en vacances, se préparant pour une boum.

Dans la rue, deux bus affrétés par le régime attendaient. Lucie sentit l'excitation l'envahir : au bout de ce bus, au bout de la route, il y aurait Fidel Castro, le peuple, la liberté. Autour d'elle, une poussière grasse s'élevait de la terre, se glissant sur ses vêtements et sous la semelle de ses sandalettes. À l'avant du bus, sa liste à la main, Victor faisait l'appel. Quand elle grimpa à son tour, il appuya son regard sur elle sans un mot. Amusée, elle s'assit au fond à côté de Tomas, grisée comme une gamine. Le bus démarra.

La Plaza de la Revolución était déjà noire de monde. Une foule compacte, vibrionnante, noyait l'espace. Certains s'étaient même installés au sommet des cocotiers pour mieux voir l'estrade. Lucie descendit du bus avec Tomas. Enfants, vieillards, jeunes femmes ou grands-mères, coupeurs de canne aux chapeaux de palme, hommes en veston, hommes en treillis, adolescents au sourire large et blanc, nourrissons : le peuple entier s'était donné rendez-vous à Santiago. C'étaient des cris joyeux, des chants, des pas de deux improvisés, une ferveur éclatante. Trompettes et percussions leur parvinrent aux oreilles. Une voix claire perça. *« Chiquita mía ! »* Aussitôt, la musique se fit plus forte. Nina se tourna vers Lucie, commença à se déhancher et rouler des épaules, moulinant l'air de ses bras – sa manière à elle de danser –, tout en suivant le groupe. Lucie l'imita en riant. *« Chiquita, chiquita... »* Tomas s'époumona : *« Viva Cuba ! »* et leva les bras lui aussi. Ensemble, ils se frayèrent un chemin dans la marée humaine, guidés par les autorités qui les conduisaient sous la tribune officielle en bois.

Quelques silhouettes vert olive avaient déjà pris place sur les bancs. Il n'était pas encore dix heures, et Fidel prendrait la parole seulement en début d'après-midi, mais les vagues révolutionnaires se déversaient en continu, grossissant la foule. « Tomas ! » Lucie agrippa la manche de son ami. Ses yeux brillaient. Sur l'estrade, debout côte à côte, se trouvaient Raúl Castro et sa femme Vilma. Autour d'eux flottaient les drapeaux cubains. Vilma avait un béret posé de biais sur la tête, elle souriait au peuple. Raúl, si jeune encore, lui parlait à l'oreille. Lucie murmura : « Comme il l'aime… » Le couple agita la main, recueillant les vivats des Cubains, et puis s'éclipsa. Un ballet incessant animait la scène. Des guérilleros dont elle ne connaissait ni le nom ni le visage montaient et descendaient, s'avançaient à la tribune, prenaient le micro une ou deux minutes, puis tournaient le dos – et le soleil cognait.

Nina s'était enroulé le crâne dans un foulard pour se protéger du feu de midi. Lucie, qui avait oublié sa casquette, se sentait faiblir. Ses cheveux brûlaient. « J'ai tellement soif… » Tomas aussi se déshydratait. Il se hissa sur la pointe des pieds, aperçut un peu plus loin les responsables de l'UEC en pleine discussion avec des hommes en treillis. « Victor ! » cria-t-il. Mais dans le brouhaha leur chef n'entendait pas. Il cria plus fort, en vain. Lucie et Nina se joignirent à lui et cette fois, il tourna la tête. Il eut un mouvement qui signifiait : « Qu'est-ce qu'il y a encore ? » Tomas mima l'homme assoiffé, puis ouvrit les mains d'un air interrogateur. Victor eut un mouvement agacé et interrompit le révolutionnaire cubain. Il disparut une minute puis revint avec un pack d'eau. Il en distribua aux autres chefs de section et se faufila jusqu'à eux avec les bouteilles restantes. « On n'est pas en colonie de vacances » déclara-t-il d'un ton sec. « Vous auriez pu y penser avant. » Ses yeux brillaient, mais Lucie sentait qu'il s'agissait moins de colère que d'orgueil : sans lui, plus rien ne tournait rond, et il entendait bien le faire remarquer. Il tendit la première bouteille à Nina, la seconde à Tomas. « Partagez entre vous et économisez-la. Il n'y en a pas d'autre.
– Et toi ? » demanda Lucie, qu'il avait ostensiblement ignorée. Il haussa les épaules : « Comme tout à l'heure. Je saurai m'en passer. » Et il retourna auprès des dignitaires cubains, non sans lui jeter un sourire espiègle.

L'attente au soleil les plongea dans une forme d'hébétude. Face à eux, la foule, qui semblait habituée, s'en accommodait. Certains croquaient dans des pains fourrés, d'autres continuaient à chanter et danser. Les plus jeunes faisaient la sieste dans les bras des parents. Lucie se protégeait en cherchant l'ombre de Tomas ; sa peau rosissait déjà. Ses paupières se chargeaient de sommeil. Soudain, une clameur la tira de sa torpeur. Le peuple s'était relevé, des cris, des applaudissements battirent l'air. Lucie se retourna et serra la main de Tomas. Des larmes d'émotion lui montèrent aux yeux. Au-dessus d'eux, sur l'estrade en bois, se dressait le Che. Immense, galvanisant. Pareil aux images qu'elle collectionnait de lui depuis Nice : cigare à la bouche, casquette sur le crâne, l'allure ténébreuse, beau comme Jésus. Raúl et Vilma suivaient derrière. La foule hurlait : « Che Guevara ! Che Guevara ! » Lucie croisa ses mains sur ses lèvres, tremblante. Le Che s'approcha de la scène et lança un fabuleux : *« Hasta siempre la victoria ! »* que tout le peuple répéta en chœur. La chaleur dénudait les corps, les femmes avaient remonté leur jupe, découvert leurs épaules. Les hommes ôtaient leur chemise. C'était une vague géante, un mouvement puissant qui montait du fond de la foule et se rapprochait, se rapprochait. *« Adelante ! Adelante ! »* Le Che regardait la foule sans sourire. Il ferma les yeux et leva le poing gauche. « Fidel va arriver » s'écria Nina. Le peuple hurla. Fidel ! Fidel ! Fidel ! Mais Fidel n'était pas encore visible. Lucie se fit bousculer, on lui marcha sur les pieds, elle si minuscule, *pequeñísima.* Elle avait tellement peur de manquer l'entrée du héros. « Tomas, je ne vois rien. » Lui faisait de son mieux pour résister à la marée humaine, « attends, j'ai l'impression que c'est lui… non… pas encore… », puis, sur une impulsion, il attrapa Lucie et la hissa sur ses épaules. Elle en cria de joie. Des protestations éclatèrent dans leur dos qu'ils feignirent de ne pas entendre. Fidel ! Fidel ! continuait à scander le peuple pendant que Che Guevara et Raúl discutaient d'un air grave. Soudain, ce fut une déferlante, un spasme général, violent, sacré. Il était là. Dieu était là, avec sa barbe, sa tenue de guérillero, sa carrure imposante. Il salua ses lieutenants d'un *abrazo*, cette accolade virile et franche, et s'avança vers Cuba. Fidel ! l'acclama le pays tout entier. Lucie tremblait. Devant ses yeux se tenait le héros de la révolution, *son* héros. Absolu et magnétique. Elle ne pouvait y croire. Fidel ! Fidel ! Victor, un peu plus loin, le corps tendu vers Dieu, applaudissait à tout rompre. Fidel ! Fidel ! Fidel ! Le Líder Máximo leva ses deux bras en direction de la foule qui se tut aussitôt, comme par magie. Dans l'air saturé d'amour, cuivres et tambours éclatèrent et l'hymne national retentit : *« Al combate, corred, Bayameses / Que la Patria os contempla orgullosa / No temáis una muerte gloriosa / Que morir por la Patria es vivir. »* « Au combat, courez, Bayamais / Que la patrie pleine de fierté vous contemple / Ne craignez pas une mort glorieuse / Car mourir pour la patrie c'est vivre. » Sous les vivats de la foule, le héros s'approcha du micro posé sur le pupitre de bois. Lucie avait les mains moites. Quand la voix éclata, ce fut un coup de poing dans son ventre.

Au commencement était le Verbe, et Fidel était le Verbe. Lucie ne pouvait détacher ses yeux de lui. Pendant des heures, le Comandante dévida son discours, intarissable ; le peuple devait se battre contre la menace que le monde faisait peser sur lui, il fallait s'opposer au requin impérialiste, à la cupidité des grands, à l'ignominie colonialiste. La voix de Castro, assez claire, presque aiguë, était rythmée par des silences, des accélérations brutales, des pauses ironiques. Régulièrement, la foule scandait avec lui les slogans révolutionnaires, *« Patria o muerte »*, *« El pueblo, unido, jamás será vencido »*, et les soixante étudiants français criaient eux aussi, poing levé, en rythme, enfiévrés. C'était la communion de toute une foule, l'extase d'un peuple qui voulait y croire. Tomas finit par descendre Lucie de ses épaules. Il la serra fort contre lui. À Santiago, la réalité s'était laissé inventer par le rêve.

Le lendemain, les étudiants visitèrent la ville, le Castillo del Morro, la Casa de la Trova et, dans l'après-midi, une fabrique de cigares. Partout, ils furent accueillis chaleureusement par des Cubains ravis qu'ils aient traversé l'océan pour assister au discours du Jefe. Lucie avait passé une nuit agitée la veille, la chaleur, le soleil emmagasiné, l'émotion surtout l'avaient empêchée de dormir. Quand tomba le crépuscule et qu'ils furent conduits dans un restaurant près de leurs dortoirs, elle hésita à aller se coucher immédiatement. « Ah non, tu viens avec nous » ordonna Nina. Le restaurant était un local très simple, les murs peints en bleu, décorés de portraits du Che et de Fidel. De grandes tables s'alignaient en parallèle. À peine installés, deux miliciens pénétrèrent dans la salle en demandant à parler aux responsables. Victor s'avança. Les hommes lui glissèrent un mot à l'oreille et repartirent aussitôt.

On posa devant chacun une assiette de ragoût de porc, accompagné de riz et de haricots rouges. Lucie n'avait pas faim, mais par égard pour ses hôtes, elle remercia et commença à manger. Au même moment, les lumières s'éteignirent brusquement. Un murmure s'éleva. Victor cria d'un ton mal assuré : « Personne ne bouge ! Tout va bien, pas de panique ! » Lucie discerna à l'extérieur trois voitures qui se garèrent. Les portes claquèrent. « J'ai peur… » murmura Nina. Un bruit de porcelaine cassée envahit l'obscurité. Lucie sursauta. « C'est mon assiette » chuchota Tomas, qui venait de la faire tomber. Au même instant, la lumière revint et quelques hommes barbus, armés, foncèrent dans la pièce en groupe serré. Leur mine patibulaire n'inspirait pas confiance. Nina répéta, presque un murmure : « J'ai peur. » Un milicien referma la porte à clé et se dressa devant – un barrage. Lucie cherchait Victor du regard mais celui-ci était pétrifié. Lorsque le groupe armé se desserra enfin, la stupéfaction fut totale. Vêtu de son éternel treillis vert olive, le visage tranquille, Fidel Castro en personne leur faisait face. Les étudiants poussèrent un cri dans lequel perçait autant d'admiration que de soulagement. Lucie avait la gorge nouée.

Le héros les salua, content, disait-il, de rencontrer des étudiants français et de pouvoir parler de la révolution avec eux. Il ne perdit pas une seconde : « Qui veut poser une question ? » Pétrifiés, tous restèrent muets. Il les aida. *« Que pensáis de las cerillas cubanas ? »* « Que pensez-vous des allumettes cubaines ? » Silence. Jusqu'à ce qu'une petite voix timide s'élève du fond de la pièce. « Ça dépend des boîtes…, balbutia Lucie. Et même dans les boîtes, de chaque allumette… » Le Jefe se planta devant elle. « Tu as raison. Bravo. Mais tu dois savoir qu'à Cuba nous n'avons plus le droit d'importer les allumettes. Pas plus que nous ne pouvons importer la viande, le lait, les moteurs ou l'essence. Alors nous développons nos produits. Nous les améliorons. Et un jour – sa voix se fit plus forte –, comme la révolution, nous les exporterons ! » Les applaudissements fusèrent et elle, pleine de fièvre et d'émerveillement, croisa le regard brillant de Fidel.

Le lendemain, l'UEC fut invitée à un grand match de *pelota* ; Castro était le joueur principal. Tomas n'en revenait pas. Le Líder Máximo ne craignait ni le ridicule ni les attentats. Victor chassa les inquiétudes d'un revers de la main. « Ils le laisseront gagner, tu te doutes bien. Et puis il est protégé par le pays. » Lucie fronça les sourcils : « Par le pays, d'accord. Mais la CIA ? » L'Amérique restait l'ennemie jurée de Cuba. On pouvait s'attendre à tout de leur part.

Dans l'arène, la foule était aussi compacte que sur la Plaza de la Revolución le 26 juillet. Lucie, avantagée par sa petite taille, hérita d'une place au premier rang, juste à côté de Victor qui lui donna une tape espiègle sur la visière de sa casquette. « Alors, la révolutionnaire... » souffla-t-il d'un air amusé. « Laisse-moi ! » Dans les tribunes, le peuple scandait : *« Caballo ! Caballo ! »* et Fidel apparut dans une clameur immense. Il avait revêtu une tenue de sport qui dessinait sa silhouette massive. Il s'échauffa brièvement puis commença à taper dans la balle avec sa batte. Les hommes couraient comme des fous puis s'arrêtaient soudainement sur un angle du terrain. D'autres se jetaient dans le ciel pour récupérer la balle à l'aide d'un gant énorme. « Je ne comprends rien... » soupira Lucie. Victor se pencha vers elle : « C'est comme au base-ball. – Oui, merci. Si tu crois que ça m'aide. » Malgré la chaleur, Fidel ne semblait pas faiblir. Il cognait avec puissance et ne manquait jamais sa course. Le peuple se soulevait à chaque point marqué et très vite, la partie fut pliée. « Je t'avais dit qu'ils le laisseraient gagner… C'est le héros quand même. » La foule entama une ovation qui dura dix minutes. Pendant ce temps, le Comandante fit un tour rapide de l'arène avant de s'approcher de leur tribune. Lucie se hissa sur la pointe des pieds et applaudit à tout rompre. Cela ne dura qu'une seconde, mais elle en aurait mis sa main au feu. Fidel lui avait souri.

Pendant que Lucie s'exaltait dans l'arène de Santiago, à Paris, clapotant dans l'étuve estivale, Mona sillonnait les papeteries et tabacs afin de présenter les derniers modèles de cartes de vœux réalisés par GraphicStudio, son employeur : Père Noël et Nativités, cartes d'anniversaire ou de condoléances, remerciements, félicitations, Pâques et Nouvel An, tout y passait. Elle commençait sa tournée par la rive droite, la plus opposée à son domicile, puis revenait rive gauche, du 7e au 5e, puis du 13e au 15e arrondissement, notant chaque fois les commandes des clients, forçant son amabilité pour les convaincre d'en prendre un peu plus, « vous allez voir, ces modèles-là partiront comme des petits pains », avant de faire remonter les informations à la centrale d'achats. Elle était payée 700 francs par mois, de quoi payer le loyer, les factures, les courses – pas beaucoup plus. Elle termina sa première tournée fin juillet, au moment où les Parisiens filaient vers la côte – ils se retrouveraient tous sur un bout de plage de Méditerranée, ou alors en Bretagne, peut-être en Aquitaine, et elle, elle resterait là, dans une ville déserte aux allures de cimetière.

Elle retira ses chaussures dès la porte d'entrée. Avec la chaleur, ses pieds avaient gonflé et des ampoules lui cisaillaient la peau. Elle se passa un peu d'eau fraîche sur le visage et la nuque ; dans la glace, vit une femme fatiguée, les traits marqués, des rides sous les yeux au maquillage coulé. Quarante et un ans. Bientôt vieille. Et seule. Pierre passait l'été à Nice pour veiller sur Guillemette dont la santé déclinait. Lucie découvrait la liberté à Cuba. Elle, elle était là, dans son appartement du 15e, avec ses petites cartes de vœux, ses pieds abîmés, ses rides et sa solitude.

André l'aurait trouvée laide. Sa peau se relâchait sous les bras, le menton fripait, les yeux avaient perdu leur fraîcheur. Un sentiment d'injustice immense l'envahit. Elle n'était plus la fée en soie verte du Cercle sportif de Saigon. Elle n'était plus la femme désirée sur la plage de l'anse Vata. De loin, que voyait-on ? Une mère de famille élégante, au charme bourgeois. Et de près ? Une combattante fatiguée au cheveu amolli. Elle savait qu'elle valait mieux que ça, elle se connaissait, ne doutait pas de ses forces. Mais ce jour-là, une mélancolie indicible lui grignotait le cœur.

Elle avait beau savoir que la vie était ainsi faite, que l'envol des enfants était la marque d'une éducation réussie, l'absence de Lucie, et ce que cette absence laissait présager de l'avenir surtout, l'accablait. Un jour, elle n'aurait plus sa fille pour elle. En la perdant, elle perdrait une complice, une alliée, une confidente, un modèle aussi, tant il est vrai qu'on peut s'inspirer de ceux qui nous suivent comme de ceux qui nous précèdent. Bien sûr, Pierre serait là encore un peu – mais c'était un garçon, et il passait du temps avec son père, revenu travailler à Paris sur ordre du ministère. Mona contempla son reflet. Elle se sentit inutile.

Je crois que les mères mentent. Qu'il n'y a rien de plus triste que cette seconde où l'enfant s'en va – pour ses études, pour se marier, pour vivre sa vie. Elles se félicitent, bien sûr, ont rempli leur part du contrat, l'enfant est autonome et peut affronter l'existence, mais quoi ? La solitude, la nostalgie ? Ce ne sont pas des cadeaux. Les mères sont égoïstes, et les enfants encore plus. Chacun prend à l'autre quelque chose qu'il ne lui rendra pas. Et toujours revient, lancinante, cette question d'un amour trop grand pour que l'on puisse y vivre.

Minuit, avenue Gran Piedra. « On » l'attendrait… À mesure que l'heure approchait, Lucie se sentait de plus en plus nerveuse. Un milicien lui avait remis un message dans la matinée. Minuit, avenue Gran Piedra. Une obsession battante. Et un nom qu'elle modelait de tous ses rêves, de toutes ses craintes. Qu'attendrait-*on* d'elle ? Mais *on* viendrait-il seulement ? Dès que le dîner du groupe fut terminé, elle fit mine d'avoir sommeil et quitta la table, passa aux toilettes pour vérifier sa coiffure et s'en alla discrètement. Malgré la nuit chaude, dans sa robe longue à fleurs, Lucie frissonnait. Personne ne viendrait. C'était une plaisanterie, un piège sans doute. Elle n'aurait jamais dû accepter. L'obscurité fut coupée par des lumières de phares. Trois voitures à nouveau. Un homme lui fit signe de monter dans celle du milieu. La portière s'ouvrit. C'était lui.

Elle s'assit à côté, tremblante ; il ne la regarda pas ; profil martial, les yeux droits devant lui. Lorsqu'elle découvrit que ses pieds reposaient sur une montagne de mitraillettes elle n'osa plus bouger. La voiture démarra. Alors seulement Fidel se tourna vers elle, la salua d'un sourire et lui prit la main. *« Cómo te llamas linda ? »* Elle murmura : « Lucie. – *Pues, Lucía, qué te parece Cuba ?* » Et il déposa un baiser sur sa main. Elle fit appel à tous ses souvenirs d'espagnol pour décrire sa journée, ses visites, et alimenter la conversation – tout pour retarder le moment fatidique. Il n'attendit pas qu'elle ait terminé, approcha ses lèvres des siennes. Sa bouche avait un goût de tabac et de café, elle était chaude, douce malgré la barbe autour. Il s'écarta un peu pour la regarder et lui caresser les cheveux. « Tout va trop vite » murmura-t-elle, perdue. Il hocha la tête. « Tout va trop vite pour moi aussi, tu sais. » Il l'embrassa de nouveau, avec plus d'avidité. Elle ne contrôla rien. Fidel Castro la tenait dans ses bras. C'était son héros, le Dieu vivant de toute une génération. Elle ferma les yeux et s'abandonna à lui. Une nuit pour l'éternité.

Le programme du lendemain, fixé depuis Paris, enthousiasmait le groupe : travail dans les champs de canne sur la route de Bayamo. Rentrée au petit matin, encore étourdie, Lucie monta à l'heure fixée dans la *guagua*, l'autobus. Nina lui donna un coup de coude. « T'étais où, cette nuit ? » Elle ne répondit rien. Tomas lui jeta un regard étonné mais ne fit aucun commentaire. À huit heures et demie, le bus était toujours garé devant leurs maisons-dortoirs. Victor, à côté du chauffeur, finit par annoncer, gêné, que le plan était changé. « La coupe des cannes est annulée. On part pour La Havane. » Dans la *guagua*, le mécontentement fut immédiat. Une fille cria : « Qu'est-ce que tu fous, Victor ? » Un autre renchérit : « Tu ne leur as pas dit qu'on était là pour aider les paysans ? » Il leva une main pour les calmer. Les ordres venaient d'en haut. L'Institut du tourisme craignait des attentats, ils devaient quitter Santiago, c'est tout. Lucie ne put ravaler un sourire que Tomas surprit. « Ça t'amuse, toi ? » Elle lui fit un clin d'œil.

Après des heures de trajet et de nombreuses étapes dans des villages où leur étaient présentés les centres d'alphabétisation mais aussi de rééducation des prostituées dont les bordels avaient fermé, le groupe arriva enfin à La Havane. Ils longèrent le Malecón que baignait une lumière orangée. Face à la mer, la ville rongée par le sel mêlait un décor fin de siècle aux portraits contemporains de Fidel, du Che et de Camilo Cienfuegos. Du linge pendait aux fenêtres, qui devait sentir le gasoil et l'iode. Les immeubles en lambeaux avaient un charme inexplicable. La *guagua* s'enfonça dans une rue perpendiculaire puis déboucha près d'une place sur un grand bâtiment blanc, dont la netteté contrastait avec le reste des lieux. « Mais c'est du grand luxe ! protesta Victor. On n'est pas là pour crécher dans du trois étoiles, non ! » Tomas abonda dans son sens et se tourna vers la poignée de miliciens qui les accueillaient : « Nous ne voulons pas de ce gratte-ciel pour touristes. Nous sommes des militants, nous voulons dormir dans les dortoirs du peuple ! » Encore une fois, Lucie ne put retenir un sourire. Elle rougit.

Dans l'hôtel luxueux – où le groupe avait bien été contraint de poser ses valises –, les chambres étaient individuelles. Chacun dut regagner la sienne après le dîner, ordre général. À peine Lucie eut-elle refermé la porte que toutes les lumières s'éteignirent brutalement. On frappa deux coups sur l'huis. Elle ouvrit ; dans la pénombre, discerna trois miliciens. Ils lui demandèrent de laisser sa chambre entrouverte. La minute d'après, Fidel entrait et verrouillait la porte derrière lui. Il n'attendit pas une seconde, la salua à peine et se jeta sur elle pour la déshabiller. Son corps massif était animé d'une urgence animale. Ils firent l'amour sur le lit, vite, intensément, protégés par les guérilleros au-dehors, et retombèrent sur les draps, comme ébahis. Fidel eut un sourire et lui caressa la joue, « tu es tellement jolie », avant de se rhabiller et de disparaître. Ce fut aussi bref qu'une scène de rêve – aussi inquiétant et fou.

Le soleil illuminait la terrasse du petit déjeuner. Devant eux, une immense piscine les invitait à la détente. Tomas fit une bise à Lucie et s'installa face à elle, un café à la main. « Bien dormi ? » Elle hocha la tête en riant aux éclats sans qu'il comprenne. Après avoir savouré leur café, les étudiants partirent à la découverte de La Havane. L'ancien palais présidentiel où avait siégé Batista avait été reconverti en musée de la Révolution. Avec sa façade de style baroque, sa pierre blanche dentelée, l'édifice brillait au soleil comme un miroir. À l'intérieur, les étudiants découvrirent les armes des rebelles, des drapeaux, des photos, des maquettes et, surtout, un yacht long de dix-huit mètres qu'ils reconnurent immédiatement : le *Granma*, ce bateau sur lequel Fidel, le Che et quatre-vingts autres guérilleros avaient quitté le Mexique pour Cuba en 1956. En sortant, ils se dirigèrent vers la mer pour admirer le Castillo de San Salvador de la Punta puis cassèrent la croûte dans une gargote du Malecón, observant le ballet pétaradant des Cadillac des années cinquante, roses, bleues, jaunes. Pendant trois jours, Lucie et ses camarades profitèrent de la ville, se promenèrent, discutèrent avec les habitants, allèrent écouter des concerts et danser, s'imprégnant de l'atmosphère chaude, poisseuse et musicale du front de mer. Tous les soirs, Lucie guettait Fidel, mais depuis leur arrivée à La Havane, il n'avait plus frappé à sa porte. Ainsi sont les héros, imprévisibles et secrets.

Une après-midi qu'elle se baignait dans la piscine de l'hôtel, un haut-parleur se déclencha. À la stupeur de tous, une voix masculine appela : *« Señorita Lucía Dessforrett ! »* De son transat, Victor lâcha : « Mais qu'est-ce qu'ils te veulent ? » Elle rassura discrètement Tomas qui s'inquiétait lui aussi puis sortit de l'eau et se précipita vers le téléphone du hall. On l'attendait à minuit, à l'arrière de l'hôtel.

À l'heure dite, elle aperçut les trois voitures, monta sans hésiter dans celle du milieu et se jeta dans les bras du Jefe, se moquant des mitraillettes qui piquaient ses pieds. Ils s'enlacèrent et commencèrent à s'embrasser fougueusement lorsqu'un barrage les arrêta. Saisie, Lucie se détacha vivement de Fidel, scrutant ceux qui avaient donné l'ordre de s'arrêter. « *Qué te pasa ?* – Je te protège. » Lucie avait prononcé ces mots à toute allure, sans respirer. Bien sûr, les miliciens du barrage s'inclinèrent et laissèrent passer le Líder Máximo dans la seconde. Ce dernier marqua une pause puis serra à nouveau Lucie contre lui. Dans ses yeux, elle découvrit une tendresse folle. *« Amada mía... »*

Il lui offrait la douceur que ses combats étouffaient au quotidien. Il pouvait être si drôle, si rassurant. Sa peau était granuleuse comme du papier canson. Elle aimait picorer sa nuque de baisers légers, « c'est la petite bête qui monte, qui monte… », lui apprenait des mots français qui le faisaient rire. À elle, il réservait le plus lumineux, le plus sensible. Ses yeux noirs se faisaient enveloppants. Et finalement elle ne savait plus si elle s'abandonnait à lui parce qu'il était qui il était ou tout simplement par amour. Dès qu'il enlevait son ceinturon et ses armes, Lucie oubliait Castro et ne voyait plus que Fidel.

Très engagée en faveur des droits des homosexuels, Évelyne a trouvé à Cuba une terre de défi. Les rumeurs commençaient à courir : le régime castriste ne tolérait pas les *« maricones »*, ces « pédés » si éloignés des valeurs mâles et latines. Pour ne pas les voir, on les enfermait volontiers dans des camps. Lorsqu'Évelyne, dès 1964, l'interroge à ce sujet, Fidel avoue sans sourciller : les homosexuels ne sont pas les bienvenus sur l'île, c'est un fait. Contrariée, elle décide d'organiser la rébellion.

Dans ce bel hôtel où le Comandante vient si régulièrement la voir au rythme de pannes d'électricité minutieusement programmées, elle invitera un soir une dizaine d'artistes homosexuels notoirement connus. Une provocation terrible, que les miliciens s'empressent de rapporter à Castro. Évelyne attend.

« Tu n'as pas eu peur ? » lui demandé-je. « Si, bien sûr. Mais en même temps pas tant que ça. »

Castro débarque, l'interroge sur ce dîner. Elle prétend avoir voulu mettre en avant des artistes. « Tu ne les as pas invités pour leur art. » Elle sourit et il saisit son menton entre ses doigts : *« Eres muy impertinente. »*

Puis il l'embrasse, ravi de cette petite Française qui ose le défier avec autant de charme. Manuel Piñeiro Losada, le chef de la Sécurité, sera moins charmé. Le lendemain de la fête, il débarque dans un état de rage noire et lui fait subir un interrogatoire, pour sa chance devant Fidel. Parce qu'Évelyne est protégée, il ne peut aller plus loin. Néanmoins, il l'engage d'une voix dure à œuvrer véritablement à la révolution et à passer au plus vite dans la guérilla. Les images de la Sierra Maestra défilent dans sa tête, la jungle épaisse, les bêtes invisibles, la chaleur. La terreur l'envahit. Lorsqu'elle refuse, Piñeiro ironise. Pourquoi donc ? Sa voix se perd. « J'ai peur des moustiques. » Fidel éclate de rire, et elle se meurt de honte.

Yvon mourut d'un infarctus durant l'été 1964. Il partit dans son sommeil, très doucement. Lucie était toujours à Cuba, Pierre à Nice avec sa grand-mère. Mona obtint de son nouvel employeur trois jours de congés et gagna le Sud au plus vite. Guillemette avait beaucoup pleuré aux obsèques, pourtant, elle ne semblait pas comprendre vraiment, son esprit flottant au-dessus du monde terrestre.

Le soleil filtrait à travers les persiennes et Mona s'éveilla de sa sieste. L'enterrement la veille l'avait laissée dans un état de fatigue et de tristesse infinies. L'horloge indiquait trois heures – elle se fit violence pour se lever. À cette heure, généralement, sa mère végétait devant un feuilleton idiot, mais elle ne vit personne dans le salon. « Maman ? » Elle passa la tête dans la cuisine. Personne. Elle l'appela encore sans obtenir la moindre réponse. Guillemette n'était ni dans la chambre, ni dans la buanderie, ni dans la salle de bains. « Pierre, tu es là ? » Elle le trouva au fond du jardin, en train de lire dans un hamac. « Tu as vu ta grand-mère ? » Non plus. Ensemble ils firent le tour de la maison. Jusqu'à ce que Mona découvre le portillon ouvert.

Dans la rue, personne ne put les renseigner. Les maisons se protégeaient du soleil estival en gardant les volets clos, ils ne croisèrent qu'un chat qui se sauva devant eux. Pierre criait, les mains en coupe autour de la bouche : « Mamie ! » Elle, de son côté, cherchait la petite tête blanche, la silhouette fragile, mais rien, personne. La rue descendait vers la ville ou montait vers le maquis, ils n'hésitèrent pas, descendirent immédiatement. Ils passèrent devant la boulangerie, demandèrent s'ils n'avaient pas vu une petite dame isolée. Hélas. « Mamie ! » criait toujours Pierre. Plus ils avançaient, plus l'angoisse leur dévorait le ventre. Une heure, ils marchèrent, finissant par arriver dans Nice. « Toi tu vas par-là, et moi par-là, d'accord ? On se donne rendez-vous ici dans une heure au pire. » Mona marcha encore, les pieds brûlés par les ampoules et le frottement de sa peau en sueur contre le plastique de la semelle. Elle allait se résoudre à appeler la police lorsqu'elle eut une illumination. Elle rassembla ses souvenirs et partit vers l'est, accéléra le pas malgré la fatigue. Les rues devenaient de plus en plus laides, le béton partout, ça puait la sortie de ville, la rocade, tout ce petit monde urbain sans âme ni couleurs. Puis elle la vit. Là, perchée sur ce rond-point hideux qui vantait la prochaine fête à la socca. Sa mère avait la main en visière et regardait le paysage.

La vie sur l'île comblait ses appétits de soleil et de liberté, d'amour et de politique, et Lucie goûtait chaque moment. Un dimanche, Fidel organisa une grande tournée en mer de pêche à la langouste. « Invite ton chef, Victor, et une partie du groupe. » Lucie n'en revenait pas. Fidel Castro proposait un pique-nique ? Ils prirent la direction de Varadero en chantant. Victor, heureux d'avoir obtenu l'avant-veille l'interview du Jefe pour le journal *Clarté*, se réjouissait d'autant de participer à cette promenade privilégiée. Un bateau escorté par deux vedettes de la marine nationale les attendait. Fidel, torse nu, avait revêtu un caleçon de bain et prenait le soleil avec bonheur. Un homme au regard rieur et à la barbe en tout point semblable à la sienne se tenait auprès de lui. « Vous connaissez René Vallejo ? Mon ami et mon médecin, ou l'inverse ! » Ce dernier répondit au sourire de Lucie par un clin d'œil, sachant qui elle était, avant d'inviter les étudiants à embarquer. L'ancre fut levée et ils partirent, naviguant jusqu'à un point précis connu du matelot. Là, quelques Cubains plongèrent pour capturer à main nue les crustacés belliqueux, qu'ils jetaient ensuite dans des casiers. Lorsque la chaleur devenait étouffante, Lucie, Tomas et les autres sautaient du bateau pour se rafraîchir dans le cobalt de la mer. Fidel demanda à Lucie de rester près de lui pour jouer le rôle d'interprète, ce qui n'échappa à personne. Mais la décontraction régnait, il n'y avait plus le moindre protocole : Qu'est-ce que tu étudies toi ? Et toi ? Quelle est ta vision de Cuba ? René Vallejo expliquait combien la santé avait progressé à Cuba depuis la révolution. Les enfants étaient mieux soignés, les vaccins étaient gratuits. Était-ce la même chose en France ? La plupart du temps, c'était surtout Fidel qui posait les questions, quand il ne se lançait pas dans de longues tirades argumentées, notamment sur les erreurs de Staline. L'une des plus graves, selon lui, avait été d'inclure l'annexion des pays Baltes dans le pacte germano-soviétique. « Personne n'a le droit de toucher à la souveraineté nationale, même à celle de petits pays. » Tomas explosa de joie et de reconnaissance. Nina posa des questions sur l'impérialisme américain, Victor voulut revenir sur la crise des missiles et les liens avec l'URSS. Soudain le Comandante s'interrompit et regarda Lucie. « L'interprète a bien travaillé. Elle mérite un tour de plongée sous-marine. » Tomas, qui était au courant maintenant de la relation, lui fit un sourire complice. Les joues rosies, elle s'enfonça avec le héros dans la mer des Caraïbes, sous les yeux ébahis de tous.

Ce fut une journée merveilleuse. Lucie ne s'était jamais sentie aussi bien. Le soir venu, assis sur le pont du bateau, ils dégustèrent les langoustes dont le Comandante en personne avait surveillé la cuisson.

L'atmosphère était douce, joyeuse. Mais il fallait rentrer. Quand ils approchèrent de la côte, Fidel leur demanda de chanter *La Marseillaise*. Beaucoup protestèrent : *L'Internationale*, plutôt ! Fidel insista, *La Marseillaise*, et entonna lui-même l'hymne français qu'il connaissait par cœur.

Les semaines passèrent. Lorsque vint l'heure de refaire les bagages, Fidel proposa à Lucie de rester à La Havane. Au moins quelque temps. Elle n'hésita pas une seconde. Un deuxième groupe de l'UEC viendrait au mois d'août ; elle repartirait avec eux début septembre. Elle demanda à envoyer un télégramme à sa mère, ce qu'il accepta aussitôt.

Maman. Séjour incroyable. Suis heureuse. Vais rester encore un mois. T'espère en forme. Baisers à toi et Pierrot. Lucie

Une tristesse légère l'effleura après l'envoi du télégramme. Depuis qu'elle avait posé le pied à Cuba, elle n'avait pensé à sa mère que de loin en loin, il lui fallait bien l'admettre. Tout ici allait tellement vite, elle avait vu tant de choses, vécu tant de vies en quelques jours… Avec la France, la communication passait mal, il n'y avait qu'à espérer que tout aille pour le mieux là-bas.

Ses amis de l'UEC quittaient l'île le lendemain. En leur honneur, une soirée dansante fut donnée dans une grande salle de La Havane, à laquelle Fidel promit de passer. Tomas avait pris le pli et dansait à présent comme un Cubain. Lucie, moins douée, se contentait de bouger et tourner en rythme. Au détour d'un mouvement, Victor saisit sa main au vol et la tira vers lui. Elle se laissa faire, grisée par l'ambiance et les rires. Il était beau, indéniablement, brillant, courageux aussi. Ennuyeux comme un chevalier servant. Personne ne rivalisait avec Fidel en termes de charisme. Elle dansa avec lui pour s'amuser, gardant toujours un œil sur la porte d'entrée. En fin de soirée, Fidel déboula sur la piste et lui fit signe. *« Lucía ! »* Victor feignit de n'avoir rien entendu et d'un tour de poignet la fit pirouetter. Quand elle retrouva son souffle, elle surprit une lueur mauvaise dans les yeux de Fidel. Elle voulut lâcher la main de Victor mais celui-ci la tenait fermement. Bravache, il lui colla même une main sur la taille et se rapprocha d'elle. Fidel se contenta de redresser le menton. Il n'attendrait pas une minute de plus. « Arrête, Victor ! » Elle se dégagea de ses bras pour se rapprocher du treillis olive. Son cavalier serrait les poings, vexé. Fidel fendit la foule sans un regard pour lui et ils s'enfoncèrent dans la nuit cubaine. Lucie n'eut même pas le temps de souhaiter à Tomas et Nina un bon retour à Paris.

Ses amis partis, elle se retrouva seule et régla sa vie à l'heure cubaine. Elle arpentait la vieille ville tôt le matin, jouait aux dominos avec des vieux sur des tables en plastique poisseuses d'alcool, buvait des mojitos. Un jour qu'elle voulait acheter des fruits au marché, elle se rendit compte qu'elle n'avait plus d'argent pour la suite de son séjour. Comment faire ? Elle se refusait à appeler sa mère. Et en parler à

Fidel eût été tellement gênant… Elle rentra précipitamment dans sa chambre d'hôtel et étala sur son lit tous les vêtements, les chaussures, les sacs, les boîtes de maquillage dont elle n'avait pas strictement besoin. Ce chandail beige ! Ce bâton de rouge à lèvres… Elle hésita avec son eau de Cologne ; se ravisa. Ce serait son unique coquetterie. Puis elle descendit dans la rue. En un quart d'heure, six Cubaines défilèrent dans sa chambre pour acheter ces choses qu'elles ne trouvaient plus sur l'île depuis l'embargo – un peu de féminité contre de quoi prolonger son séjour, le troc parfait.

Prévenu par les miliciens de l'hôtel, le chef de la Sécurité, Piñeiro, accourut aussitôt en la menaçant d'expulsion pour cause de « marché noir ». Elle tenta de se défendre. Elle rendait service, c'est tout, et se rendait aussi service à elle-même. C'était Fidel qui lui avait proposé de rester, mais sans argent, hein ?… Piñeiro ravala sa fureur tout en la menaçant, le doigt pointé vers elle : sans la protection du Jefe, elle aurait été expulsée *manu militari*. Cuba n'était pas la France. On ne faisait pas n'importe quoi sur l'île.

Elle s'ouvrit de la scène à René Vallejo, avec qui elle avait sympathisé au fil des jours. Il soupira. Piñeiro faisait son devoir, mais… Mais ? « Je ne l'aime pas beaucoup. » Elle allait poser des questions quand il la coupa : « Attention. Fidel lui est très attaché. » La conversation s'arrêta là.

Lucie passa le mois suivant à explorer le pays, savourer le jus frais de la canne pressée, lire, rêver – le héros n'était jamais loin. Le soir de son départ, elle n'avait plus le moindre doute : elle était amoureuse de Fidel. Lui ne comprenait pas pourquoi elle devait à tout prix rentrer en France. L'importance des études, sa mère, son frère, elle lui expliqua tout et il acquiesça. Pour leur dernière nuit, ils se retrouvèrent dans le cocon de l'hôtel, protégés par une panne électrique plus longue encore que d'ordinaire.

Toutes ces scènes à Cuba sont vraies. Enfin, c'est ainsi que les contait Évelyne, et les preuves sont assez nombreuses pour les attester : lettres de Fidel sous couverture de Vallejo, photos, témoignage de Bernard Kouchner que n'importe qui pourra lire sur Internet : « Fidel Castro et moi-même étions jaloux l'un de l'autre. Un soir que je dansais avec Évelyne Pisier [...], il avait voulu l'emmener avec lui. Je m'y étais opposé, mais il avait fini par l'emporter ! » Sans l'UEC, elle retournera à Cuba l'année suivante, à l'été 1965, retrouvant un Fidel plus amoureux que jamais.

Quand elle me parlait de lui, Évelyne redevenait la jeune femme de la couverture du livre. Ses yeux s'élargissaient, devenaient brillants. Dans le fond, elle n'en revenait toujours pas qu'il l'ait choisie elle. Élection divine. C'était d'ailleurs le sens du premier titre de son manuscrit : *Le Doigt de Dieu*. Nous avions alors reproduit en exergue la phrase de Sartre qui dit : « Un élu, c'est un homme que le doigt de Dieu coince contre un mur », qu'on trouve dans *Le Diable et le*

Bon Dieu. Mais rappeler Dieu du passé quand on a renoncé à Lui à l'âge de onze ans ne nous semblait pas très raisonnable. Et puis, Fidel n'était-il pas plutôt le doigt du diable ?

« SOLIDARITÉ AVEC RÉGIS DEBRAY »

En ce mois de septembre 1967, les tracts de l'UEC étaient imprimés par centaines. Lucie et Mona les distribuaient aux abords de Sciences-Po, dans leur quartier de la Croix-Nivert, près des ministères. Dès qu'elle avait appris que les étudiants se mobilisaient pour la libération du jeune homme, parti en Bolivie faire la guérilla avec le Che et prisonnier depuis six mois, sa mère avait apporté son soutien. « Contre l'État bolivien qui torture et muselle ! Contre le silence complice du gouvernement français ! » Une cagnotte était tendue aux passants. « Des francs pour la liberté ! » criait Lucie. À la demande insistante de sa mère, pour qui les études primaient sur tout, elle avait renoncé à retourner à Cuba après l'été 1965 et considérablement espacé sa correspondance avec le Comandante. Mais ce qui se passait était trop grave. Elle écrivit à Fidel. Dans sa lettre, elle parla de François Maspero, le libraire de La Joie de lire et l'éditeur qui avait mandaté Debray pour enquêter dans la région. Il revenait lui-même de Bolivie où il avait subi de longs interrogatoires en présence d'un membre de la CIA et faisait son maximum pour libérer le jeune guérillero, condamné à trente ans de réclusion. « Je t'en prie, sauve-le » avait-elle écrit à Fidel. Avant d'ajouter : « Tu me manques tant. »

Dans la frénésie ambiante, Lucie renoua avec Victor. Ils s'étaient croisés dans les couloirs de l'UEC. « Tiens ! Ma révolutionnaire préférée ! » Il avait foncé sur elle, un grand sourire aux lèvres. « Comment vas-tu ? » Une bise. Elle fut charmée par ses grands yeux clairs, comme si elle les remarquait pour la première fois. Jolie bouche, menton volontaire. Lorsqu'il l'invita à prendre un verre, elle ne dit pas non.

Victor avait réussi son concours de médecine et tout juste entamé son internat. « C'était dur, j'en ai bavé. Content d'arriver au bout. » On disait tant de choses sur les amphithéâtres de médecine… « C'est une ambiance particulière, je te le confirme. Mais moi, ce qui m'intéresse, c'est l'humanitaire. » Elle voulut en savoir plus.

« J'aimerais aider les gens en Afrique, en Asie, là où la médecine n'en est qu'à ses balbutiements. Créer des hôpitaux mobiles, avec des spécialistes venus du monde entier.

— Et comment tu feras ?

— Je ne sais pas encore. Il faudrait monter une association, un truc solide, tu vois. J'y réfléchis. »

À mesure que la nuit descendait sur la ville, Lucie goûtait la compagnie de Victor. Son projet humanitaire la touchait. Finalement, il se révélait plus profond qu'il ne le laissait paraître à Cuba – plus séduisant aussi. C'est comme si, tout ce temps, éclipsé par la présence de Fidel, il n'avait pu se montrer tel qu'il était.

Comme l'heure avançait, il l'invita à dîner. Là encore, elle accepta. Ils rirent autour d'une pizza en échangeant leurs vues sur Cuba. Le rapprochement toujours plus clair avec l'URSS les inquiétait tous deux. Le communisme n'était peut-être pas la solution… « Tu veux un dessert ? » lui demanda-t-il alors que le serveur ôtait les assiettes. Son sourire était charmeur, et le terrain glissant. « D'accord. » Ils partagèrent une glace au café d'un air faussement dégagé. Vers onze heures, il la raccompagna jusqu'au métro. L'air de septembre soufflait une douceur déjà chargée d'automne. Victor referma sa main sur la sienne, murmura : « Tu es belle », avant de l'attirer à lui. Lorsqu'il approcha ses lèvres, elle tourna la tête au dernier moment, « À bientôt, peut-être ! », puis dévala les marches du métro.

Octobre marqua pour eux la désolation. Ernesto Che Guevara venait d'être fusillé par les Boliviens sur ordre de la CIA. Mona cria, Lucie s'effondra. Ce n'était pas possible. Les héros ne meurent pas… On avait assassiné un symbole. Malgré la mauvaise communication, Lucie réussit à joindre Tomas à La Havane. Son ami s'y était installé un an plus tôt pour se lancer dans l'élevage porcin – sa manière à lui de contribuer à la révolution. Tous deux pleurèrent au bout du fil, anéantis. « J'ai l'impression d'avoir perdu mon grand frère… » Et il lui raconta les rues en larmes, le deuil national, les drapeaux en berne, le noir des vitrines, la tristesse du peuple. « S'il te plaît, demanda Lucie, écris pour moi à qui tu sais, par l'intermédiaire de René. » Elle lui dicta le message. Trois mots : *« Pienso en tí. »*

Le soir même, elle revit Victor à une session extraordinaire de l'UEC. Le portrait du Che était posé sur la table. La nouvelle les avait tous meurtris, fragilisés. Victor lui-même avait les yeux humides. Lucie se rapprocha de lui et sanglota dans ses bras. Cette nuit-là, elle ne résista pas lorsqu'il se pencha pour l'embrasser.

Été 1964, été 1965, puis le vide. Les voyages s'arrêtent. Évelyne, malgré sa tristesse, se range à l'avis de sa mère qui l'a convaincue de finir ses études et de ne pas retourner à Cuba. Fidel continue d'envoyer des lettres.

17 de abril de 1967
Año del Vietnam heroico

Mi cielo :

[...] Me parece bien lo de pasarte dos semanas en la clínica y creo que te estará bien pues pienso que sobre todo podrás hacer un buen reposo mental y leer mucho. [...] No me gusta cómo dices : « De imaginar a mi propio futuro de manera menos pesimista » pues creo que lo debías decir : « VOY A PENSAR EN MI FUTURO EN LA UNICA FORMA QUE VOY A TENERLO : LLENA DE OPTIMISMO, DE VIDA, DE ALEGRÍA, DE FE ! » Tu tienes todo un porvenir por delante de tí que te aseguro es brillante pues con tu honradez, tu inteligencia, tu capacidad de trabajo y de estudio, es algo que no puede fallar. Además, te queremos y te esperamos siempre en Cuba. [...]

Te dejo ahora provisionalmente pues quiero ésta te llegue pronto ; recibe el más amoroso de los besos de quién jamás te olvida.

17 avril 1967
Année du Viêtnam héroïque

Mon ciel :

[...] Je crois que c'est une bonne chose que tu passes deux semaines dans cette clinique, cela te fera du bien et surtout, tu pourras bien te vider la tête et prendre le temps de lire. [...] Je n'aime pas quand tu parles de « penser au futur de manière moins pessimiste », tu devrais me semble-t-il formuler ça autrement : « JE VAIS PENSER À MON FUTUR DE LA MANIÈRE MÊME DONT JE VAIS LE VIVRE : PLEIN D'OPTIMISME, DE VIE, DE JOIE, D'ESPÉRANCE ! » Tu as un avenir devant toi qui sera brillant, crois-moi, car ta fierté, ton intelligence, ta force de travail et ta capacité à étudier, tout cela est indestructible. De plus nous t'aimons et t'attendons toujours ici à Cuba. [...]

Je te laisse là pour le moment, en espérant que cette lettre te parvienne vite ; reçois le plus amoureux des baisers de celui qui jamais ne t'oublie.

Pour tromper son mal-être, sa nostalgie, Évelyne s'inscrit en doctorat à Sciences-Po et fait alors la connaissance d'un professeur qui changera sa vie : Georges Lavau, son directeur de thèse. Juriste de formation, agrégé et cacique de la promotion 48, esprit libre et cœur chaleureux, Évelyne tombe immédiatement sous son charme. « Georges, finalement, a été le seul à comprendre mon désarroi au retour de Cuba.

Je m'enfonçais dans les idées noires, rêvais de Fidel. Il m'a vraiment sauvée, à cette époque. » Sous sa direction, Évelyne travaillera sur la notion de service public dans l'œuvre de Léon Duguit. Au fil du temps, Georges deviendra un ami.

Quand *Mona* le rencontre quelques années plus tard, elle le trouve brillant, séduisant, plein d'humour. Elle glisse à sa fille : « Vraiment, quel homme remarquable. Je me demande comment il a fait pour réussir.
– Ma foi, agrég, doctorat, professeur à l'université de Grenoble… » Sa mère fronce les sourcils. Ce n'est pas ça. « Tu n'avais pas remarqué ? Georges Lavau est métis. »

« Il se passe quelque chose, Lucie, crois-moi. » Mona suivait le journal télévisé avec gourmandise. Le 22 mars 1968, menés par un jeune homme aux cheveux rouges qui s'appelait Cohn-Bendit, des étudiants avaient occupé la tour administrative de la faculté de Nanterre. Au mois d'avril, des lycées et de nombreuses universités françaises commencèrent à s'enflammer. Au printemps, l'appartement de la Croix-Nivert se transforma en laboratoire révolutionnaire. Sur le parquet, Mona s'appliquait à recopier des slogans féministes sur des banderoles de trois mètres : « Les femmes, c'est comme les pavés. À force de marcher dessus on les prend sur la gueule ! » Lucie lui avait proposé : « Soyez réalistes, demandez l'impossible », et avait accroché l'étendard au balcon de sa chambre. Même Pierre participait à l'atelier, entre deux séances de révision du bac.

« Demain, manifestation contre la guerre du Viêtnam. On y va, hein ! » Mona ne manquait jamais un de ces moments avec sa fille ; leurs voix mêlées dans la foule, les banderoles, elle adorait ça. « Et sans soutien-gorge ! » Vers trois heures de l'après-midi, une masse compacte se trouvait déjà place de la République, surveillée par des rangées de CRS. Elle sortit deux grands foulards de son sac, en tendit un à sa fille, puis un flacon de vinaigre et du citron, dont elle imbiba le tissu. « Donc, tu prépares une vinaigrette ? » se moqua gentiment Lucie. « Une vinaigrette antiflics ! Tu verras, tu me remercieras tout à l'heure quand ils nous lanceront les gaz lacrymo. » Au milieu des sifflets et des chars diffusant Bob Dylan et Joan Baez, le cortège s'élança. Le visage protégé par leurs foulards vinaigrés, elles commencèrent à crier leurs slogans contre la guerre du Viêtnam. Certains avançaient le poing levé. « Faites l'amour, pas la guerre ! » Et les mégaphones amplifiaient les sons, répandant sur Paris la colère d'une génération. « Non, non, non… à la colonisation ! » La manifestation s'engagea sur le boulevard Voltaire. Il y eut soudain une brève seconde de silence percée par une voix féminine : « Mon corps n'appartient qu'à moi ! » Aussitôt, toutes les mères, les filles et les sœurs reprirent en chœur le chant de guerre – et le Viêtnam se retrouva à porter la cause des femmes. Mona sentait l'exaltation monter en elle. Ses pieds avançaient tout seuls, elle n'était plus que ce cri immense répété en boucle. « Mon corps est à moi ! Les hommes ne l'auront pas ! » Qui donna le premier coup ? Qui rompit l'ordre ? Elle ne le saurait jamais. Un groupe d'étudiants affrontait une dizaine de CRS dont les matraques s'abaissaient régulièrement sur les dos, les jambes, les têtes. « CRS, SS ! » La colère enfla d'un coup et d'autres manifestants vinrent aider leurs amis. Les bombes lacrymo les firent tousser, et Mona ferma les yeux, malgré son foulard. Lorsqu'elle les rouvrit, Lucie n'était plus là.

Elle tenta de l'appeler, mais sa gorge piquait, c'était âcre, désagréable. Elle se rapprocha des policiers, en vit un au sol, inerte, à côté d'un jeune homme ensanglanté ; plus loin, un CRS tirait par les pieds une fille qui se débattait rageusement, « laissez-la ! » cria Mona, mais ce ne fut qu'un murmure ; et Lucie, mon Dieu, Lucie, où était-elle ?, les sirènes de police déchiraient l'air, des jeunes étaient jetés à l'intérieur des véhicules, elle crut voir une mèche blonde dans l'un d'eux, mais quoi, comment être sûre dans ce chaos ? Bang. Un coup de feu en l'air et elle se sentit poussée par la foule, ça courait, dérapait, elle en vit un chuter tête la première sur les pavés, attention, mais le mouvement continuait, un bras lui atterrit sur le plexus solaire, pardon, désolé, et elle : de l'air, de l'air, elle s'arrêta une seconde, mais non, trop de foule, trop de cris, Lucie…, et Lucie n'était pas là, disparue, sa fille mon Dieu, et sa gorge qui brûlait maintenant, les yeux humides, la tête sur le point d'exploser.

Elle se réfugia dans une boutique du boulevard, par chance ouverte malgré la pagaille. Elle toussait, toussait, demanda de l'eau entre deux quintes de toux, incapable de voir à qui elle s'adressait tant ses yeux coulaient. On finit par lui tendre un verre. L'eau calma le feu et après s'être essuyé les yeux, elle découvrit un vieux monsieur chauve à la moustache étonnée. Partout autour d'elle, des semelles, des chaussures, des machines. Un cordonnier. Elle remercia l'homme, qui remplit son verre à nouveau. D'un œil effaré, il regardait le cortège se dissoudre dans les sirènes et les cris. « Je ne comprends pas, madame. Je ne comprends rien à ce qui se passe dans le pays. » Elle s'éclaircit la gorge et tenta d'expliquer : « La société change. »

Le vieux fronça les sourcils, agacé. « De mon temps, on respectait les pères. On travaillait. » Il avait l'air sincèrement perdu. « Vous voulez que je vous dise ? C'est une génération d'enfants gâtés. » Mona fit la moue. « Parfaitement ! D'enfants gâtés ! J'ai fait la guerre, moi, madame. » Il s'en retourna derrière son comptoir en grognant puis lui demanda : « Ça va aller, vous êtes sûre ? » Elle le remercia, posa le verre et s'en alla.

Lucie n'était pas à l'appartement. Pierre commençait à s'inquiéter lui aussi. « Tu veux que j'essaie de la chercher ? » Il n'en était pas question ; si les flics continuaient leur ronde, elle ne voulait pas qu'ils lui prennent son fils également. Elle avala de nouveau un grand verre d'eau glacée et se mit à faire les cent pas. Elle ne supportait pas de savoir sa fille en danger. S'ils la touchaient, elle n'hésiterait pas à… On frappa à la porte. Pierre courut ouvrir. C'était Lucie. Elle avait une bosse sur le haut du front mais souriait.

« Ils m'ont soulevée et jetée dans le panier à salade » raconta-t-elle en se tamponnant le front avec une compresse d'arnica. « On s'est retrouvés à sept au poste. » Mona se redressa : « Dis-moi qu'ils ne t'ont pas fait de mal. – Ils ne m'ont pas frappée, au moins. Par contre… » Elle soupira. « Par contre ils m'ont demandé avec combien de *bicots* et de *bougnoules* j'avais couché. » Pierre s'énerva : « Quelle bande de cons. – Je leur ai crié : l'Algérie est indépendante ! Ils n'ont pas apprécié. » Dans leurs bureaux ça sentait la sueur et le renfermé. Le moisi. Elle l'avait dit. Bien haut et bien fort. Un policier l'avait menacée de sa matraque. Qu'elle n'ait pas eu peur l'avait rendu fou. Il s'était mis à l'insulter. « Et vous savez ce qu'il m'a sorti à la fin, ce type ? *C'est à cause de merdeuses dans ton genre que les Arabes envahissent la France !* J'allais répondre et puis non… Je me suis calmée et je lui ai fait mon plus beau sourire. »

De Gaulle avait tapé du poing sur la table et les élections lui avaient donné raison. On se mit à nettoyer les rues à grandes eaux. Effacer les graffitis. Les femmes avaient droit à la pilule à présent, l'avortement, on verrait plus tard. À la fenêtre, les mots « Soyez réalistes, demandez l'impossible » avaient commencé à couler – couleurs fades, passées, la fin d'un rêve. Lucie ne pouvait se résoudre à ce que tout s'achève ainsi. Le retour à l'ordre, mais quel ordre, lui semblait une hérésie. Pour la troisième fois, elle repartit à Cuba et reçut via l'ambassade un billet d'avion et un visa – cette fois-là, elle emmena aussi sa mère.

Elles furent accueillies à l'aéroport par Tomas, dont la peau claire avait bruni, tannée par le travail avec les bêtes. Il était accompagné d'une jeune femme ravissante au teint cannelle, les yeux rieurs. Ils se tombèrent dans les bras et s'embrassèrent. « Comme c'est bon de te revoir ! » disait Lucie. Il la décoiffa gentiment. « Tu n'es pas bien grosse… Il faut te remplumer ! Anita te fera à manger. » Il passa un bras sur les épaules de la jolie Cubaine : « Au fait, elle et moi, on va bientôt se marier… » Lucie sauta de joie. Mona haussa les sourcils, « faut-il vraiment se marier ? », les félicitant quand même. Tout lui semblait nouveau, intéressant, jusqu'aux banderoles qui décoraient le tarmac de l'aéroport. Elles passèrent les deux premiers jours du voyage dans la ferme de Guanajay que tenait Tomas. Une vingtaine de cochons et porcelets grattaient la terre dans leur enclos. « Le mois dernier, il y a eu une mauvaise maladie, les bêtes ne mangeaient plus. On en a perdu quatre ou cinq. » Tomas était devenu un véritable éleveur, habile et intuitif. « Anita m'aide beaucoup. » La jeune femme avait toujours des attentions pour ses invitées, des fleurs cueillies au jardin, des gâteaux maison à base de maïs… Et elle faisait leurs lits tous les matins. « J'ai honte, Tomas… Anita n'est pas obligée, tu sais. – Ne t'inquiète pas. Je l'ai prévenue. Elle sait que tu es incapable de deux choses : préparer à manger et tendre un drap ! » Lucie éclata de rire en donnant un coup de coude à Mona. « Tu te plaindras à ma mère, hein, c'est sa faute… – J'assume parfaitement ! » répliqua celle-ci hilare.

Le troisième jour, Lucie reçut un message de René Vallejo. On l'attendait le soir même sur l'avenue de l'Independencia. « C'est notre code… » souffla-t-elle à sa mère. Elle la laissa avec ses amis et grimpa dans un taxi qui la déposa au lieu dit. À minuit, elle vit approcher les trois voitures avec une émotion nouvelle. Fidel, enfin ! Cela faisait si longtemps qu'elle n'avait pas senti son corps contre le sien. Il portait sa tenue des grands jours, la casquette vissée au crâne. Et toujours cette force qui se dégageait de lui. Leurs bouches se cherchèrent avec une urgence qu'elle n'avait encore jamais ressentie, peau contre peau, mains agitées, et dans son cou le parfum de tabac reconnaissable entre mille.

Le lendemain, comme prévu, Lucie présenta sa mère à Fidel. Mona entra dans une pièce réservée pour l'occasion, très féminine, sûre d'elle. « Alors c'est vous, la personne que *Lucía* aime le plus au monde… Même plus que moi ! » dit-il en espagnol. Elle se tourna vers Lucie, flattée : « Tu as dit ça ? » Fidel lui sourit et l'invita à s'asseoir. Pendant une heure, il l'écouta parler de ses combats féministes, de la création du Planning familial, de la lutte pour les droits des homosexuels. De son côté, il lui parla de la révolution, de la bataille incessante qu'il lui fallait mener contre les Yankees… quitte à avantager l'URSS. Mona comprit que ce sujet était délicat et n'insista pas. Par ailleurs, Fidel était curieux d'en savoir plus sur ce fameux Mai 68 et la rébellion de la jeunesse française. Lucie raconta le soulèvement des étudiants, s'amusant à croquer le portrait de Dany le Rouge et d'Alain Krivine, elle lui parla de la lutte en faveur du Viêtnam, de la manifestation qui avait dégénéré, de ce souffle nouveau qui traversait la France. Fidel acquiesçait mais dans son œil elle perçut une sorte de tristesse, une lassitude peut-être. La mort du Che lui pesait, reconnut-il, et surtout, il se savait désormais « prisonnier » des Soviétiques… « C'est une défaite. » Contrarié par son aveu, il se ressaisit aussitôt : « Oubliez ça, je continue de défendre ma révolution, pas celle de Lénine ! » Il jeta un œil au milicien qui gardait la porte et prit aussitôt congé d'elles.

Lucie ne parvenait pas à l'expliquer, mais elle trouvait l'ambiance différente, moins légère, moins joviale. Le mois d'août 1968 acheva de l'accabler. Les chars soviétiques venaient de mater le printemps de Prague dans le sang. Tomas était fou de rage. L'URSS, une fois de plus, semait la mort et la terreur dans un pays satellite. Anita tentait de le calmer, en vain. C'était tout le drame de sa Lituanie bien-aimée qui lui revenait à la face. Fidel devait faire une allocution à ce sujet. Tous se tinrent devant le poste de radio à l'heure dite. La voix du Comandante s'éleva, et Lucie comprit pourquoi Fidel avait parlé de défaite : « Nous acceptons, déclara-t-il, la dure nécessité qui a exigé l'envoi de ces forces en Tchécoslovaquie... » Tomas blêmit, lissa de ses doigts le trait mauve qui lui cisaillerait toujours le nez. « Mais les divisions du pacte de Varsovie seront-elles envoyées à Cuba si les impérialistes yankees attaquent notre pays et que nous sollicitons cette aide ? » La peur des Américains, éternellement, ferait que Cuba mangerait dans la main soviétique. Tomas tapa son poing contre sa cuisse. *« Mi amor... »* le consola Anita de son mieux. Lucie restait assommée, Mona écœurée. Devant eux, dans l'enclos, les porcs continuaient de gratter la terre.

Malgré la tristesse provoquée par l'allocution de Fidel, Lucie goûtait chaque seconde passée près de lui. Elle se moquait qu'il voie d'autres femmes ; il se moquait qu'elle voie d'autres hommes. Leur relation était tendre, faite de confiance et de rêves partagés. Le reste n'importait guère, et plus la date du retour approchait, moins elle avait envie de rentrer. À Paris, elle aurait à finir sa thèse, demander un poste d'enseignante, elle sombrerait dans une vie monotone, plus lente que l'ennui, quand tout, à Cuba, était si lumineux, si vivant.

« J'aimerais bien profiter de la mer… » demanda un jour sa mère. Les plages de Varadero lui avaient été vantées depuis tant d'années… Sable immaculé comme une banquise, eau transparente et chaude. Lucie passa un coup de fil à René Vallejo. Deux heures plus tard, elle recevait l'adresse d'un hôtel sur la côte où Mona était attendue ; un chauffeur viendrait la chercher dans une demi-heure. « Et voilà le travail ! » annonça-t-elle fièrement. « Mademoiselle est traitée comme une reine » répondit Mona amusée. « Mais tu n'es pas n'importe qui après tout.

— Parce que je suis ta fille ?

— Parce que je suis ta mère. »

Elle prépara son sac en riant et monta dans l'auto avec une excitation d'enfant. « Tu viens me retrouver là-bas, alors ? – Oui, dans trois jours ! » La voiture disparut sur le chemin en soulevant un peu de poudre d'or.

Le soir même, Lucie avait rendez-vous avec le Comandante dans un immeuble qu'elle ne connaissait pas. Elle croisa dans le hall quelques officiels du régime, qui la saluèrent poliment tout en lui jetant des regards appuyés ; elle patienta en faisant mine de s'intéresser aux misérables croûtes pendues aux murs, embarrassée par l'absence de Fidel. Un milicien la fit monter peu après dans une chambre, vide elle aussi. « Tout va bien ? » se risqua-t-elle à demander. L'homme eut une moue qui pouvait dire oui, non ou toute autre chose. Elle en resta là. La chambre respirait la fatigue. Un lit au matelas maigrelet, dont l'armature en fer était constellée de taches de rouille. Un mur rongé par l'humidité qui cloquait de toutes parts. Même le Che éternel dans son cadre en bois paraissait épuisé. Elle s'assit sur une chaise et attendit. Elle reconnut sur les lattes du parquet le bruit familier des cafards, tic-tac, tic-tac, aux petites pattes affreusement pressées. Et Fidel qui n'arrivait pas. Il avait dû se passer quelque chose. L'inquiétude commença son travail de sape.

Une heure après, enfin, la porte s'ouvrit et se referma aussitôt. Il jeta sa casquette sur la chaise et la serra dans ses bras violemment. Dans ses yeux, une lumière nouvelle s'était allumée. Quand il relâcha Lucie, il n'eut qu'un mot, presque un soupir : « La CIA. » Une fois de plus, il venait d'échapper à un attentat. Elle poussa un cri. Il la rassura. « *No te preocupes, mi amor.* Je suis habitué. Ils ne m'auront pas. » Elle crut entendre un bruit de fusils au-dehors. Mais non, seulement quelques pétards, sans doute des enfants qui jouaient. « Je ne supporterais pas qu'il t'arrive quelque chose… » murmura-t-elle en regardant par la fenêtre.

Fidel avait repris ses esprits. Il lui fit un signe et elle vint se blottir contre son torse. Il déposa un baiser très tendre sur son front : « Et si tu t'installais ici pour toujours ? » Elle s'écarta de lui pour mieux le regarder. Il plaisantait ? Sur son visage, pourtant, elle ne décela aucune trace de moquerie ou de dérision. Comme s'il avait deviné ses doutes, il renchérit : « Je suis sérieux. » À ces mots, son cœur s'affola. L'idée de vivre sur l'île la tentait depuis longtemps. D'autant plus maintenant que Tomas s'y était installé. Une vie palpitante, au cœur de la révolution, de la liberté, de l'amour… Mais tout de même, ses études, et puis sa mère… Lucie devint muette et Fidel enchaîna : elle restait ici, et lui, il lui faisait un enfant. « Quoi ? » Le cri lui échappa. *« Si. Un Francesito precioso de Cuba… »* Abasourdie, elle ne sut que répondre. Fidel l'aimait au point de lui faire un enfant… « Prends quelques jours, réfléchis et dis-moi oui. » Il lui caressa la joue d'un air entendu, se rhabilla et les lumières de l'hôtel s'éteignirent à nouveau.

Lucie n'attendit pas trois jours pour se rendre à Varadero. Grâce à René Vallejo, une fois de plus, elle bénéficia d'un chauffeur qui la conduisit sur la côte dès le lendemain. Sa tête était sur le point d'exploser. Vivre à Cuba ! Avec Fidel ! Et un enfant !

En arrivant à l'hôtel, elle fonça sur la plage où elle trouva sa mère, moulée dans un maillot une pièce, allongée sur un transat. Elle l'embrassa, lui demanda de regagner le bâtiment, dans sa chambre – elle avait quelque chose d'important à lui dire.

« Cette aventure ne te mènera nulle part ! Renonce, je t'en prie. Tu ne pourras pas construire ta vie ici. » Lucie sanglotait. Elle aimait Fidel. Comment feraitelle sans lui ? Sa mère l'avait rencontré, elle avait vu quel homme il était, elle pouvait comprendre que... « Il a cent maîtresses ! » Lucie haussa les épaules. « Moi aussi, j'ai cent amants. Il le sait. On n'est pas jaloux. – Sauf que sa première maîtresse s'appelle Cuba. Contre elle, tu ne pourras rien. Qu'est-ce que tu ferais ici ? La bonniche ? La révolutionnaire ? Mais toi-même tu as dit que tu étais incapable de faire la guérilla ! » C'était vrai. La migraine montait, prenait en étau ses tempes et cognait, cognait. Sa mère avait raison. Fidel était entièrement dévoué à son île. Rien d'autre ne compterait jamais, elle devait l'admettre. Un enfant de lui, pourtant... « Tu vas rater ta vie, Lucie ! Tu donneras tout à un homme, comme moi j'ai commencé par tout donner à André. Tu le regretteras. » Était-ce ainsi qu'elle jouait les féministes ? En choisissant de se faire passer après un homme, si fascinant soit-il ? Fidel faisait des « cadeaux » aux femmes comme André en son temps. Ce n'était pas ainsi qu'on devenait parent. « Ne me déçois pas. » Lucie pleurait. La vérité se tenait nue devant elle :

ce destin cubain ne serait pas le sien. Elle ne voulait pas gâcher sa vie. Aucune femme ne devait vouloir ça. Sa mère avait su trouver les mots.

Elles rentrèrent ensemble à La Havane quelques jours plus tard. Poussée par sa mère, Lucie prit son courage à deux mains et demanda à voir Fidel. On lui donna une adresse secrète pour le soir. « Non. Un rendez-vous en journée. C'est important. » Surpris mais conciliant, Vallejo transmit la requête au Jefe qui lui accorda un entretien l'après-midi même. Il portait un simple polo à manches longues, pas d'armes, pas de casquette. Elle se sentit vaciller – comme s'il avait deviné ses intentions, il s'était habillé en homme. Pas en soldat, pas en Comandante, pas en héros. Simplement en homme. Elle le trouva beau. « Alors, *mi querida* ? » Elle se jeta à l'eau. Elle avait pris sa décision. C'était non. Il fut extrêmement surpris et crut d'abord à une mauvaise plaisanterie. « Tu veux un bel appartement, c'est ça ? Tu l'auras. » Elle se moquait de l'appartement. Un travail, alors ? Des servantes ? Une piscine ? Lucie prit une grande inspiration : « Je ne serai pas la courtisane française installée à Cuba. » Le visage de Castro se figea. Ses lèvres se contractèrent en une moue glaciale. On eût dit que son corps se chargeait à nouveau du treillis, de la casquette et des armes. Toute tendresse avait disparu. Il se leva, lui jeta un dernier regard, et dans ses yeux emplis d'une violence contenue, elle vit passer un reflet gris acier, pareil à celui d'un homme autrefois adoré et qu'elle ne connaissait que trop.

Les jours qui suivirent furent éprouvants. Les hommes de la Sécurité les suivaient, elle et sa mère.

Elles n'étaient plus les bienvenues et restaient le plus clair du temps dans la ferme de Tomas. Hasard ou non, Lucie reçut peu après un télégramme de Victor qui lui annonçait son départ imminent pour l'Afrique – il avait réussi son pari, partait à vingt-huit ans comme médecin de la Croix-Rouge aider les populations locales. Elle lui écrivit : « Attends-moi. Je rentre à Paris au plus vite. Pour te voir au moins une dernière fois. » Elle n'ajouta pas que son histoire avec Fidel était finie ni que sa mère l'avait empêchée de faire peut-être la plus grosse erreur de sa vie.

Samedi 26 novembre 2016, je prépare le petit déjeuner en écoutant France Inter. Fidel Castro est mort hier à La Havane, à quatre-vingt-dix ans. J'augmente le volume. Après quarante-neuf ans de règne sans partage sur l'île, voilà que le Líder Máximo quitte Cuba pour toujours. Tout de suite, j'écris un message à Évelyne, de ceux que j'aurais pu envoyer pour la perte d'un être aimé jamais rencontré mais dont on m'aurait souvent parlé. Il s'agit cette fois de Fidel Castro, une figure historique, une page des manuels scolaires, mêlant rêve, dictature et désillusion.

Le lendemain dans la soirée, Évelyne m'appelle. « Tu as lu ? » Elle a publié une tribune dans le *Huffington Post* dans laquelle elle retrace brièvement sa rencontre avec Fidel, l'espoir qu'il suscitait à l'époque, tout en nuançant le propos : « Même si je sais que l'homosexualité est le seul sujet sur lequel Fidel Castro ait fait une autocritique, et que désormais Cuba est en avance sur bien d'autres États dans le monde, je ne me reconnais plus alors dans cette "île de Lumière" que j'ai tant aimée et dans cette libération nationale que j'ai tant admirée. »

Elle conclut néanmoins : « Pour moi, Castro n'efface pas Fidel. »

Je pense aux familles meurtries par la dictature, aux exilés. À Zoé Valdés par exemple, qui a dû fuir l'île après la publication du *Néant quotidien*. À Régis Debray. Pour tous ces gens-là, Fidel n'effacera pas Castro. Mais ce qu'Évelyne a vu du Líder Máximo, et que nous ne verrons jamais, c'est l'homme. L'amoureux qui écrivait des lettres enflammées, le compagnon qui s'inquiétait des études de son petit frère, l'ami qui retirait du feu les langoustes cuites à point. L'homme quotidien, sans drame, qui avait fini par trouver en elle un peu plus qu'une maîtresse.

À Paris, deux semaines après avoir quitté définitivement La Havane et ses espoirs d'une vie différente, Lucie retrouva Victor, plus beau qu'elle ne l'avait laissé. Son départ imminent pour l'Afrique en guerre lui conférait une profondeur, une sorte d'inquiétude qui donnait envie de se lover contre lui – après tout, il pouvait ne jamais revenir. Ils passèrent trois jours collés l'un à l'autre, ivres de leurs peaux, de leurs bouches, toujours enlacés. Tous les moyens étaient bons pour oublier Fidel et Victor aussi savait se montrer tendre et enveloppant. Lorsque le jour du départ approcha, elle lui chuchota : « Si tu reviens, on fait un enfant. » Il l'avait serrée plus fort, embrassée encore et encore, puis était parti pour l'aéroport, son sac sur l'épaule.

Les mois avaient passé, Victor était revenu. Il n'avait pas oublié les paroles de Lucie. Elle lui avait souri. « Un enfant de toi. »

Mona était furieuse. « Tu n'as même pas fini ta thèse, tu te rends compte ! » Sa fille avait beau avoir vingt-neuf ans, faire un bébé dans ces circonstances était une folie, d'autant que son cher Victor était déjà reparti sillonner le monde. Depuis quelques mois, on ne parlait que de son association humanitaire – noble projet évidemment, mais en attendant, Lucie se trouvait seule. Par chance, Pierre avait réussi le concours de Polytechnique, ce qui faisait un souci de moins, toutefois son aînée l'inquiétait. Si elle ratait sa thèse, elle ne pourrait jamais enseigner à haut niveau. Elle deviendrait la femme de, et en tant que femme de retomberait dans une vie molle, triste, sans panache. « En plus, tu milites moins qu'avant au Planning » lui reprocha-t-elle. Lucie ne changea pas d'avis.

Lorsque Victor rentrait de mission, ils déjeunaient tous ensemble chez Mona. « Je veux que vous preniez soin de ma fille. Attention. – Arrête maman » soufflait Lucie dont le ventre s'arrondissait. Victor l'embrassait, « ne soyez pas inquiète, belle-maman ». Inquiète, elle le restait pourtant. « Et qu'a dit ton directeur de thèse ? – Que j'ai raison de vouloir tout à la fois. Le doctorat et le bébé ! » Elle ajouta moins fière : « Et puis que Victor et moi on devait se marier. » Mona claqua des mains, scandalisée. On ne se mariait plus, Mai 68 était passé par là, non ? « ''Une femme ne saurait soutenir sa thèse enceinte si elle n'est pas mariée.'' C'est ce que Georges Lavau m'a dit. Lui-même s'en fout mais il a raison : la fac ne me fera pas de cadeaux. » Sa fille allait épouser un homme… Elle n'en revenait pas. Pendant des années, elle n'avait cessé de lui répéter le même laïus : pas de mariage, pas d'alliance. Merveille de la convention bourgeoise ! Voilà que sa réussite universitaire en dépendait… 1970 serait donc l'année des sacrifices. Elle enrageait.

Quelques mois plus tard, mariée et enceinte de sept mois, Lucie se présenta devant le tribunal du jury. Jusqu'à la dernière seconde elle douta de leur réaction ; sa joie n'en fut que plus grande lorsqu'elle les entendit la nommer docteur en droit, et avec les félicitations. Son directeur l'embrassa, ému, et Mona aussi versa quelques larmes – c'était une telle fierté, une telle victoire. Elle qui n'avait pu devenir médecin avait à présent une fille docteur de la faculté. Les applaudissements destinés à Lucie la touchaient comme s'ils étaient pour elle. N'en déplaise à André, sa fille était bel et bien devenue « une intellectuelle ».

Les deux derniers mois de grossesse furent difficiles. Lucie souffrait du dos et ne trouvait plus de position pour dormir. Victor était reparti dès le lendemain du mariage et multipliait les allers-retours entre Paris et le reste du monde. « Je veux que tu sois là le jour de l'accouchement » avait-elle ordonné. Victor avait promis. Pour le reste, sa mère demeurait auprès d'elle et veillait à ce qu'elle ne manque de rien.

Un matin de décembre, elle sentit son ventre se contracter violemment. Elle s'assit au pied du sapin chargé de guirlandes, la tête bourdonnante. « Victor… » La douleur lui coupa le souffle. Il accourut aussitôt, l'aida à se relever. « Tout va bien, c'est normal » la rassura-t-il. « J'ai mal. » Il déposa un baiser sur son front déjà perlé de sueur. Elle perdit les eaux quelques minutes plus tard. « Préviens maman… » murmura-t-elle avant qu'il l'emmène à la clinique.

C'était un grand bâtiment blanc, aux sols brillants de javel, dans lequel les infirmières et les médecins se déplaçaient d'un pas vif. Des femmes hurlaient et leurs cris résonnaient dans les couloirs, concert de chair et de vie. Lucie soufflait, inspirait, expirait, comme on le lui avait appris, mais son corps entier n'était qu'une boule de douleur. Elle n'y arriverait jamais. Ses entrailles déchirées, cet être grandi en elle, tout cela lui paraissait fou, comment ferait-elle, comment faisaient les femmes depuis la nuit des temps ?

Dans le couloir, Mona attendait sur une chaise en plexiglas. Du bruit, partout du bruit, un cocon de bruit, avec des hurlements de bête, des chariots métalliques aux roues qui bloquent et couinent sinistrement, des médecins à la voix grave, des enfants qui pleurent. Elle ne se souvenait plus : était-ce aussi bruyant à Hanoi, ce jour d'octobre 1941 ? Sans doute, sans doute oui, mon Dieu, comment pouvait-elle avoir oublié ? Ses cris à elle recouvraient tout. Elle était seule.

« Tout va bien, madame, le travail est commencé, c'est très bien. » La sage-femme avait une voix calme, apaisante, des rondeurs semblables à celles de Rosalie. Lucie s'abandonna à la douceur de la femme – remarqua à peine l'arrivée de l'obstétricien. Il fallait se concentrer sur le bonheur à venir, oublier tout le reste. Victor lui serra la main et l'encouragea.

Une enfant adorable, si jolie ! Lucie, un prénom de lumière… C'était elle qui l'avait choisi. Elle aimait poser sa joue contre les cheveux blonds, en sentir la soie, se perdre des heures dans le regard bleu d'amour.

Comment aurait-elle pu imaginer l'horreur à venir, le camp ? « Ramasse de l'herbe et mange-la ! » Sa fille, un tas d'os, petit squelette vivant pressé contre son ventre, et la maigreur qui agrandissait le cercle bleu de ses yeux, ébahi devant la folie des hommes.

« Allez, madame, c'est parti, on pousse... » Le travail commença. Toute une série de contractions qui lui vrillaient la chair. Victor lui tamponnait le front avec un linge frais. « Je ne vais pas y arriver, ce n'est pas possible... – Bien sûr que si, mon amour. » Des hurlements la traversaient, et les contractions reprenaient. « Poussez, madame ! » Elle ne savait plus ce qu'elle faisait. « Soufflez, soufflez... C'est très bien. Reposez-vous un peu et on y retourne. »

Mona se leva, fit un tour dans le couloir. Trois heures déjà qu'elle attendait. Au bout du couloir, sa fille écartelée, chair de sa chair, sang de son sang, la peau qui craque et se déchire. Elle aurait voulu partager ce moment. Avec qui ? André était-il avec elle à Hanoi ? Non ! Et à Nouméa pour Pierre ? Non plus ! Après la bataille, comme toujours ! Il lui fallait d'abord arrêter ce pauvre boy canaque et le jeter en prison... Et maintenant, la naissance du premier enfant de sa fille ! Avec qui partager ça ? Elle se rassit sur sa chaise trop dure. Mal à la tête. Vertèbres douloureuses. Sa toute-petite, bientôt maman... Elle se releva et sortit prendre l'air. Une cigarette.

« J'ai mal, je n'en peux plus, j'ai mal... » La sage-femme posa une main sur son front. « Je sais, mais c'est votre petit bébé qui arrive... Vous allez être si heureuse… Une grande inspiration, et c'est parti, poussez, poussez… » Les larmes coulaient sur ses joues, que Victor essuyait délicatement. « Courage mon amour, tu approches. » L'obstétricien releva la tête. « Elle y est presque, je vous confirme. Allez madame, encore un petit effort. » Inspirer. Expirer. Pour que vienne la vie.

Pourquoi tous les hôpitaux du monde doivent-ils être laids et froids ? Vilains tableaux aux murs, des couleurs criardes, ou alors fades, si tristes, et cette odeur de javel… Comme à Sydney ! Plus de javel, assez de javel, l'effluve de mort lui donnait la nausée. Elle sortit un mouchoir de son sac, le posa sur son nez comme un masque. Cinq heures d'attente, ça pouvait être long encore. « La personne que j'aime le plus au monde » avait dit Lucie à Castro. Elle parlait d'elle. Ça ne durerait pas.

« La tête sort, il arrive ! » cria la sage-femme. Elle poussa une dernière fois, à bout, son corps œuvrait en elle, sans elle, vraiment, elle ne savait plus. Et soudain, il n'y eut plus que ça. Le cri, aigu, déterminé, comme la plus belle des délivrances. Il était là… En vie ! La vie ! « Oh, le joli petit garçon que voilà… » Victor la serra dans ses bras, et laissa couler ses larmes au milieu des baisers. Son corps vidé n'était plus qu'un voile de brouillard, elle ne sentait plus rien. Mais la peau merveilleuse de son fils sur la sienne. L'amour. Elle trembla violemment.

Le temps infini de l'attente, le temps si bref de la vie. L'existence avait-elle passé si vite que déjà elle se trouvait grand-mère ? Quarante-sept ans. Mamie. Elle serait bientôt à la place de Guillemette, attachée sur un petit fauteuil et soignée à coups de décharges électriques. Une infirmière vint la chercher – l'enfant était là, magnifique, et la mère se portait bien. Elle se précipita dans la chambre, trouva la petite famille enlacée, Nativité moderne, au milieu des draps blancs tachetés de rouge, du lit métallique, du fauteuil en skaï rose. Elle éclata en sanglots. Elle approcha, embrassa sa fille et se pencha sur l'enfant. Il était parfait, avait la peau lisse des fruits à point, de petits doigts merveilleusement dessinés. Elle oublia toutes ses mauvaises pensées, savoura seulement l'instant. L'enfant resserra ses doigts minuscules sur les siens et esquissa un sourire. Lucie le regardait déjà avec un amour inaltérable. Un amour complet, infini, qu'elle ne connaissait que trop et qui soudain la terrassa. Non… C'était plus fort qu'elle, elle sentait que cette naissance changeait tout, bouleversait l'équilibre qui avait prévalu jusque-là… Elle aurait voulu seulement se réjouir, profiter de ce moment si rare et si beau, mais l'angoisse, la sale angoisse à gueule de bête, pointait déjà. Elle était de trop ; sa fille désirait rester avec son mari et son bébé, seule. Et elle ? Exclue. Idée intolérable. Lucie avait eu, avait encore, une telle place dans sa vie… Elle restait sa mère, non ? Sa voix se durcit malgré elle : « Maintenant que tu as ta thèse, tu devras passer l'agrégation. C'est un concours difficile, mais tu le passeras, n'est-ce pas ? » Sa fille tourna vers elle un regard absent. « Promets-moi, Lucie. L'agrég. Bébé te laissera faire, hein… » Une pichenette très douce sur le nez minuscule. Victor lâcha une grimace : « Vous croyez vraiment que c'est le moment ? » Épuisée, Lucie promit et reporta aussitôt l'attention sur son fils. Mona se mordit l'intérieur des joues – c'était fini, sa fille ne l'aimait plus. Elle avait quelqu'un d'autre, à présent.

La première année de son fils mêla de grandes joies et de cuisantes déceptions. Lucie voyait son petit grandir magnifiquement, ce qui la comblait de bonheur. Mais Victor n'était jamais là, son travail le conduisait sans cesse vers d'autres frontières, et elle avait de sérieux doutes sur sa fidélité. Lassée, elle décida de ne rien s'interdire non plus, choisit un amant avec qui elle partit en vacances, confia son enfant à sa belle-mère en lui expliquant les raisons du pourquoi. Lorsqu'elle rentra de son séjour, elle trouva son mari dans le salon, qui bondit dès qu'elle eut franchi le seuil. « Ma mère m'a tout dit ! Tu crois que je vais accepter ça ? – Parce que tu crois que de mon côté, je vais accepter ta conduite ? » Elle ôta ses chaussures, alla se changer. Victor la suivit, furieux. « C'est très simple, poursuivit-elle. Si tu veux qu'on divorce, on divorce. Mais si tu préfères, on reste ensemble. » Il en resta stupéfait. Lucie avait gagné une bataille. La guerre, comprit-elle, serait beaucoup plus longue, incertaine.

En 1972, soutenue par son directeur de thèse, elle se présenta à l'agrégation de droit public. Il n'était pas question d'échouer. « Tu me vengeras » avait encore insisté sa mère la veille. Lucie ne cherchait plus à argumenter : vengée, Mona l'était déjà, et depuis longtemps. Seulement, il s'agissait d'autre chose. Par ce concours et l'impératif de réussite, sa mère gardait un lien fort avec elle, la traitant toujours comme une petite fille. Le jour des résultats – Victor était encore en voyage –, Lucie se rendit, tremblante, à l'université. Dans le grand amphithéâtre, le président énuméra lentement les noms, commençant par le dernier reçu, au vingt-septième rang. Pas elle. Vingt-sixième, vingt-cinquième, pas elle non plus. Son cœur battait fort, elle aurait voulu se moquer de ce grand cirque mais n'y arrivait pas. Onzième, dixième, neuvième, huitième, pas elle. C'était fichu. Jamais elle ne serait admise. Lorsque son nom résonna dans la salle, elle crut à une erreur. Ce n'était pas une erreur. Elle était bien nommée à la septième place du concours. Grisée, elle courut vers le premier café du Panthéon et demanda le téléphone. « Je l'ai, maman ! Je l'ai ! » Au bout du fil, sa mère reniflait, « bravo, mille fois bravo, comme je suis contente… ». Et dans ces mots, Lucie entendit tout ce qu'elle lui criait en silence : son amour, sa reconnaissance – son besoin d'elle.

Quand j'ai appris que j'étais reçue à l'agrégation de lettres, comme Évelyne des années plus tôt, j'ai appelé ma mère. « Je l'ai, je l'ai ! » Explosion de joie, bien sûr, teintée aussi de chagrin – elle ne partagerait pas cette nouvelle avec l'homme qu'elle aimait, mon père. Surtout, elle répétait en boucle : « Et classée, en plus… C'est magnifique ! Classée… » Ce mot m'a marquée : « Classée. » Vingt-troisième sur quatre-vingts, d'accord, c'était un beau classement compte tenu du contexte. Je travaillais déjà dans l'édition, n'avais pas préparé l'agrégation à temps plein. Mais enfin, je n'étais pas major non plus. Or je sentais, chez ma mère, que ce *classement* signifiait quelque chose. Un adoubement. Une reconnaissance sociale. Étais-je moi aussi, sans l'avoir jamais formulé, en train de la « venger » ? Ce jour-là, j'ai reçu en cadeau six flûtes à champagne, étrennées le soir même. Ce que je n'ai pas reçu, et qui m'aurait follement amusée, c'est une lettre de félicitations comme celle écrite par Georges Lavau à sa petite protégée. Une merveille du genre. Évelyne m'avait confié : « Finalement, je crois que j'ai écrit le manuscrit simplement pour reproduire cette lettre. » La voici :

Chère Caulègue,

Si je comprends bien, ce jury, avec de mauvais motifs, a quand même rendu une bonne sentence, comme tous les jurys d'agrég.

Avez-vous bien mesuré toute l'étendue de votre félicité ? Reçue à votre premier concours, vous en aurez jusqu'à soixante-dix ans, sans plus rien d'autre à prouver, le crédit inépuisable. Vous n'aurez devant vous que six peigne-zozo qui pourront dire : « j'étais, je suis, serai meilleur », mais vous en aurez une vingtaine qui auront toujours envers vous d'insurmontables complexes (et qui, tout naturellement, vous placeront des peaux de bananes sous les pieds). Vous vous laisserez porter d'échelon en échelon jusqu'aux échelles-lettres sans avoir rien à faire, simplement parce que vos collègues du comité consultatif, même s'ils ne vous aiment pas beaucoup, sont bien obligés de reconnaître l'excellence de « leur » con-cours...

Bien sûr, les sadiques de mon espèce qui espéraient discrètement l'erreur judiciaire du siècle trouveront toujours que vous auriez eu beaucoup plus de génie en n'étant pas agrégée...

Guillemette était morte un matin à l'hôpital, peu avant le deuxième accouchement de Lucie, qui attendait des jumeaux. Mona était descendue seule à Nice pour les obsèques.

Après l'enterrement, sa peau avait éprouvé le besoin de la mer. Un soleil doux nimbait la promenade. La Méditerranée était d'un bleu sombre et profond. Elle avança vers la plage, retira sa veste. Le printemps tiédissait le rivage et elle décida de marcher seule, comme autrefois à l'anse Vata. Elle ôta ses chaussures. Le contact du sable sous ses pieds l'apaisa. Il était doux, frais. Elle approcha du bord, laissa l'eau froide lécher ses pieds. Sa vie aurait pu être si différente. Face à elle, invisible, se dressait l'Afrique. Cette Afrique qu'elle n'avait toujours pas vue, qu'elle ne verrait peut-être jamais. L'Amant y avait vécu. À quoi ressemblerait-il aujourd'hui ? Peut-être était-il au fond d'un trou, comme Marthe, comme Yvon, comme Guillemette – de son vrai nom Adèle. Pas d'Afrique, donc. Elle avait eu des rêves de liberté, en avait réalisé quelques-uns ; ce n'était pas si mal. Cinquante-deux ans. Trois petits-enfants.

Un corps fatigué malgré ses efforts. Elle fit rouler un coquillage sous ses pieds. Des larmes sans tristesse lui montèrent aux yeux. André aurait pu être là, à côté d'elle, si les choses avaient été différentes. Il restait son plus grand amour et son pire échec. Son plus bel élan. Ne lui devait-elle pas d'être devenue la femme qu'elle était ? Imparfaite, mais libre. Elle remonta sur le sable sec et s'assit face à la mer. André, un matin, avait avoué sa peur. Ses cheveux blanchis brillaient comme un linceul dans le soleil d'Indochine. « Il faudrait ne jamais vieillir, Mona. » Elle avait répondu : « Fixer la beauté. » La beauté, ce matin-là, tremblait dans les reflets de l'eau, elle était mobile, mouvante, suspendue au vent léger. Elle plongea ses mains dans le sable, le laissa filer entre ses doigts, grain par grain, recommença. Sa vie aurait pu être différente mais aurait-elle été plus belle, plus réussie que ce qu'elle était à ce moment-là, sous le printemps de la Méditerranée, face à la mer d'un calme rêvé ? Une forme de paix s'emparait d'elle. Le sentiment se déposait dans son cœur comme un galet roulé par la vague devenu lisse, soyeux. Elle saurait conduire sa vie. Elle laissait la peur aux autres. Tout irait bien. Lentement, elle se releva, regagna le bitume de la promenade. Elle marcha pieds nus jusqu'à l'entrée de la ville.

En 1986, le téléphone sonne chez *Mona*. Cette fois-ci, *André* ne s'est pas raté. Il s'est tiré une balle dans son fauteuil rouge. Il a tenu sa promesse. « Comme Drieu. » À côté du corps repose un livre : *Suicide, mode d'emploi*. *Mona* reconnaît que c'est elle qui le lui a envoyé des années plus tôt. Elle n'en avait plus besoin, le connaissant « par cœur ». Sur la table de chevet, un objet attire son attention. Elle s'approche. Dans un verre repose le dentier d'*André*, comme un ultime sourire goguenard.

Sa fille militait moins, ces derniers temps, tentait de faire passer son féminisme autrement, en aidant notamment les jeunes femmes qui suivaient ses cours à la Sorbonne, où elle avait fini par obtenir un poste. La loi Veil l'avait bien sûr enchantée, mais avec la naissance des jumeaux, le divorce d'avec Victor, les trois enfants à élever seule en parallèle de son travail, Lucie courait en permanence. Mona comprenait, cherchait à se rendre utile autrement. Elle s'était prise d'affection pour une fille-mère de quinze ans rencontrée au Planning familial qui avait quelques soucis de santé et devait passer la semaine à l'hôpital. Elle lui rendit visite un samedi, une boîte de chocolats dans son sac, ne resta pas longtemps. En quittant la chambre, elle tomba sur le couloir des soins palliatifs, buta contre une civière.

Au début, elle ne le reconnut pas. D'une maigreur affolante, il avait le teint blême, jaunâtre, les lèvres mauves de déshydratation. Sa voix n'était plus qu'un souffle. Mais son regard doré teinté de grâce restait le même. « Raphaël ? » Il demeura immobile. « Raphaël. » Elle hésita une seconde : « Lancelot ? »

Il tourna la tête. Un sourire horrible, une grimace de douleur plutôt, fit ressortir ses veines comme de petits serpents venimeux. « Qu'est-ce que… » Il referma les paupières. L'infirmière s'approcha : « Allez monsieur Sire, je vous raccompagne dans votre chambre, d'accord ? » Mona la regarda pousser la civière devant elle comme un cercueil. Lorsqu'elle sortit de la chambre, Mona l'interpella. « Pardonnez-moi, mais le jeune homme… Je le connais bien et… Enfin, est-ce que ses parents sont venus le voir ? » L'infirmière fit non de la tête d'un air désolé. « Ah. Et… Qu'est-ce qu'il a ? » chuchota-t-elle d'une voix étranglée. Les lèvres de la femme dessinèrent dans le vide deux syllabes : « Sida. »

Mona rentra chez elle, glacée. Raphaël avait l'âge de sa fille ; il mourrait dans quelques jours, au mieux quelques semaines, peut-être quelques heures. Elle avait suivi certains de ses succès en tant que jeune avocat, mais depuis trois, quatre ans, n'avait plus eu de nouvelles. Elle comprenait à présent. Le sida… Oui, elle en avait entendu parler. Une maladie terrible qui touchait les homosexuels. Cette pensée la meurtrit. Elle avait ressenti du dégoût pour eux autrefois ; c'était fini, c'était si loin. Raphaël allait mourir et un chagrin terrible lui rongeait le cœur, pareil à celui qui l'avait terrassée à la mort de Marthe. Le visage de son amie sortit de l'ombre, l'aveugla soudain. Une lumière venait de la traverser, un éclair plutôt. Dans la pelote de ses idées encore confuses, elle sentait qu'elle tenait un premier fil. Raphaël… Marthe… Quand elle comprit, elle se recroquevilla par terre et éclata en sanglots. Les images lui revenaient, nettes comme un dessin au trait. Comment avait-elle pu ne pas… ? Ses regards. Ses commentaires sur les hommes. La joie qui illuminait son visage quand elles se retrouvaient seules toutes les deux au creux de la bibliothèque Bernheim. Dire qu'elle n'avait rien voulu voir. Marthe aimait les femmes, bien sûr, Marthe l'avait aimée elle, d'un amour silencieux, douloureux. Elle avait fait semblant de ne rien remarquer parce que aborder le sujet aurait pu ruiner leur amitié, qui lui était si précieuse. Jamais plus elles n'auraient eu de discussions normales, le doute et les sentiments auraient tout rongé. Égoïstement, elle avait ignoré son amie – sa seule véritable amie. Tout s'éclairait, mais c'était une lumière noire, étouffante. Pour la première fois depuis des années, Mona se servit un verre de rhum qu'elle avala d'un coup, sans respirer.

Le couloir des Enfers – Mona ne voyait pas d'autre nom pour cette zone de l'hôpital qui ressemblait à un tableau de Jérôme Bosch. Par les portes entrebâillées, c'étaient des râles, des gémissements, des corps décharnés, blêmes, tordus, à bout. Elle frappa à la porte de Raphaël, entra sans attendre de réponse. Ses paupières étaient entrouvertes, laissant deviner une pupille blanche, opaque. Respiration quasi nulle. Mona posa sa main sur la sienne, entendit geindre son protégé faiblement, retira sa main. Même un contact aussi léger lui faisait mal. « Raphaël… » Il reconnut la voix, esquissa le même sourire d'horreur que la veille. « Lucie t'embrasse. Elle pense à toi, elle t'aime très fort. » Il cligna des cils pour dire qu'il avait entendu. Mona ravala ses larmes. C'était un mensonge ; sa fille n'était au courant de rien. Trop dur. Trop violent. Elle ne voulait pas lui infliger ça. Mais que Raphaël sache, puisque c'était malgré tout la vérité, que son amie des jours heureux ne l'oubliait pas. Il fit un effort terrible pour rouvrir les yeux. Elle se pencha au-dessus de lui. « Mo… Mo-na… » Ce fut tout.

Quelques heures plus tard, alors que le soleil commençait à poindre dans le ciel venteux d'après-midi, Raphaël s'éteignit dans une ultime convulsion. Mona fut prévenue par l'infirmière lorsqu'elle revint de la cafétéria. Elle était seulement partie s'acheter un en-cas. « Et ses parents qui ne sont pas venus… » murmura-t-elle, les yeux embués. Puis elle garda le silence. L'infirmière l'entoura de ses bras. Mona leva la tête, une résolution nouvelle sur le visage : « Je suis contente qu'il soit parti. Cette vie-là n'était plus une vie. »

Peu de temps après la mort de Raphaël, Mona apprit à sa fille qu'elle comptait militer activement à l'ADMD, l'Association pour le droit de mourir dans la dignité. « C'est nouveau, ça ? Et le Planning familial ?
– Mais je continue ! Seulement, j'ai compris que ce combat-là aussi est des plus importants. Et crois-moi, il reste du chemin. » Lucie haussa les épaules. Elle avait tant à faire de son côté, préparer ses cours, corriger les copies, élever ses enfants en gardant du temps pour eux. « Qu'est-ce qu'ils sont collés à toi, ces petits choux… De vrais chewing-gums pantalon ! » Lucie riait.

Tous les week-ends, Mona venait les voir et tendait à sa fille de très nombreuses lettres, plus désespérées les unes que les autres : « Je veux mourir, j'ai tout essayé, je n'y arrive pas, aidez-moi ! » Lucie n'avait pas très envie de les lire, mais Mona l'y contraignait. Elle passait des heures sur son courrier, répondait à chacun, multipliant les détails *pratiques*. Chaque fois qu'elle « réussissait », elle partageait avec sa fille les félicitations de l'association. « Grâce à vous, Mme Unetelle est en paix. Grâce à vous, M. Untel a trouvé le repos, etc., etc. »

Lucie était de moins en moins à l'aise avec cette démarche. En quelques mois, sa mère s'était résolue à courir à droite, à gauche au domicile des malades du sida pour leur proposer une mort « rapide et douce », « dans la dignité ». La plupart résistaient, déclarant vouloir vivre « encore un peu ». « Ce n'est pas parce que Raphaël a connu une fin abominable qu'il faut tuer les autres avant l'heure ! » s'écriait-elle, encore fâchée de n'avoir appris la mort de son ami que bien après coup.

Mona n'écoutait pas. Son engagement auprès de l'ADMD virait à l'obsession. En Hollande, en Suisse ou aux États-Unis, elle se mit en quête du produit miracle. Un jour le trouva. « Je vais en offrir une fiole à Guy Hocquenghem » martela-t-elle. Depuis la parution de son livre-manifeste, *Le Désir homosexuel*, publié en 1972, Mona n'avait plus que ce nom à la bouche. « Voilà un grand romancier, un intellectuel qui s'assume ! Il n'a pas eu peur de révéler qu'il avait le sida ! » Lucie en convenait, mais quoi ?, aller perturber cet homme en lui brandissant sa mort imminente sous le nez ? « Arrête, maman, c'est n'importe quoi. » Mona parvint malgré tout à entrer en contact avec l'écrivain et obtint un rendez-vous. Elle lui apporta son précieux cadeau. À sa grande stupeur, Hocquenghem le refusa. Elle en conçut une vive fureur et beaucoup de mépris ; remballa son philtre de mort qu'elle glissa dans son sac à main.

En mai 1988, deux ans après la mort d'*André*, alors qu'elle est guérie de son cancer du sein, *Mona* se suicide à la Pentecôte, quelques jours avant son anniversaire, à presque soixante-six ans. À côté d'elle se trouve une lettre. Les derniers mots disent : « Je ne souffre pas. » Le stylo a dû glisser sous elle. Elle aura écrit jusqu'à la fin.

Évelyne a cru qu'elle ne se remettrait jamais de ce drame. Elle ne mangeait plus, se laissait happer par le chagrin. Pourtant, progressivement, elle a retrouvé la vie, l'amour, les éclats de rire. La mort de sa sœur adorée, quelques années plus tard, ravive la plaie. Évelyne ne voulait pas que Marie-France soit un personnage du roman – trop douloureux, et « ce côté people » qu'elle détestait, elle si discrète. Mais dans son premier manuscrit il y a ces quelques lignes, magnifiques, portées par le conditionnel de l'enfance, qui doivent figurer ici – je le lui avais promis :

« Si j'avais une sœur et qu'elle soit actrice, je pleurerais chaque fois qu'elle mourrait dans un film.

Si j'avais une sœur, ce serait ma meilleure amie depuis l'enfance. Nous aurions partagé tant d'aventures. Par exemple le Monopoly, même si elle n'aimait pas perdre et que je devais lui expliquer qu'au jeu il n'y a pas de mérite, il n'y a que la chance, donc perdre ou gagner, peu importe. Nous serions restées solidaires face à la méchanceté des Calédoniens contre notre mère. Nous aurions partagé Mai 68 et notre admiration pour Dany. Nous aurions aimé tant de livres ensemble, même si je devais craindre un peu sa passion pour Virginia Woolf. »

Aujourd'hui les deux sœurs, les merveilleuses et inséparables, sont de nouveau réunies.

Ma chère Évelyne,

Il est trois heures et demie du matin si j'en crois ma montre, heure à laquelle, par temps d'insomnie quelques mois plus tôt, tu m'avais écrit pour me dire qu'ensemble nous ferions vraiment quelque chose de bien. Je ne sais pas si sans toi j'ai fait quelque chose de bien, je sais en revanche ce que tu as fait pour moi : de ta vie un destin, de ta force un modèle.

Des défauts, tu devais en avoir, tu en avais certainement. Je n'ai pas eu le temps de les connaître. Tu auras à peine entrevu les miens. Tant mieux ! Pour une fois, on ne cherchera pas la petite bête.

La première fois que l'on s'est vues, tu m'as parlé de Jean-Marc Roberts, ce fameux « JMR » à qui tu dédies le livre. Un éditeur et un romancier. Ton ami, mort un peu trop tôt lui aussi. Pas de hasard, jamais. Alors dis-moi, mais dis-le moi vraiment : est-ce que tu avais tout prévu depuis la première minute ? Tout orchestré en silence ? Ce serait bien toi. Sans t'avoir vue venir, j'avais compris que tu étais une fée.

Pas un bruit. Paris dort. Ma fenêtre est la dernière éclairée de la rue. Chacun des mots posés sur le papier est un mot pour toi. Un mot pour *eux* aussi. Je n'ai pas arrêté de penser à tes cinq enfants, à tes petits-enfants, à ton frère, à tes amis, à tous ceux qui comptent pour toi – à Olivier. Quelle sera leur opinion sur le roman ? T'y retrouveront-ils ? Je ne comprends toujours pas comment tout cela nous est arrivé mais je sais aussi que rien n'aurait pu être plus évident. Nous nous sommes rencontrées dans un livre.

« L'ineptie consiste à vouloir conclure. Nous sommes un fil et nous voulons savoir la trame » disait ce bon vieux Flaubert. Conclure, ce sera suspendre notre dialogue. L'arrêter peut-être. Je ne veux pas. Bien sûr, il y aura d'autres manières de bavarder ensemble, mais celle-là, conversation de texte à texte, de manuscrit à manuscrit, comme de peau à peau, me convenait bien. Je vais avoir un peu froid sans toi. Et l'été qui avance.

Je ne saurai pas finir. C'est la vie qui finit pour nous. Simplement, les derniers mots que tu m'as écrits, « Merci Caroline, amie chérie », je te les retourne avec gratitude, chagrin, joie, stupéfaction, je te les retourne avec un amour qui me dépasse mais que j'accepte et reçois pleinement.

Merci Évelyne, amie chérie.

C.

Elle contemple la tombe de sa mère puis s'éloigne lentement. L'aube, encore. Cette heure miraculeuse où la nature est un murmure. Elle marche, sans direction, sans but, sous la toile rose du ciel. Le long de la route dort un jardin sauvage. Des fleurs délicates y déposent des touches de couleurs, se mêlant aux herbes et aux graminées. Elle enjambe le petit fossé, avance. Son cœur palpite d'un sentiment neuf, à la fois calme et puissant. Les paroles d'Antigone à sa nounou reviennent la bercer : « C'est beau un jardin qui ne pense pas encore aux hommes. » Un petit monde où seule la sève décide. Le vent léger dans les cheveux. Lucie avance. Plus loin, elle découvre une pierre couverte de mousse et de lichen, cachée près d'un tronc. Sa main s'y arrête ; râpeux est le toucher, d'une fraîcheur agréable. Elle regarde autour d'elle, ferme les yeux quand un premier rai de lumière balaye son visage. C'est doux, ouaté. Et Lucie avance. Ici et là, quelques coquelicots dansent comme des demoiselles timides. Un criquet chante. Plus loin, une mésange peut-être. La nature de toute éternité. Lucie avance. Elle ne sait pas quoi, mais au fond de ce rectangle sauvage quelque chose l'appelle. Ses mains caressent les fleurs de carottes, ses mollets accueillent les griffures des chardons. Le soleil diffuse une douce clarté. Chaque chose est à sa place. Chaque être à sa place, enfin. C'est alors qu'elle le voit. Un peu à l'écart des autres, le tronc noueux, tressé. Les feuilles d'un vert argenté font une musique au vent, symphonie silencieuse et solitaire. Elle approche. Des arbres qui peuvent vivre mille ans, dit-on. Elle pose sa main sur l'olivier. Demeure immobile. Il n'y a rien d'autre que lui et elle dans le matin méditerranéen. Son écorce. Sa peau. Elle reste ainsi quelques instants. Puis reprend sa marche, sereine, toujours droit devant elle.

Remerciements

Pour tout ce qu'il sait et que je n'ai pas besoin de dire, merci à Olivier.

Merci à Vincent Barbare, grâce à qui j'ai rencontré Évelyne et sans lequel ce livre n'existerait pas – sa confiance a été déterminante dans l'élaboration du roman. Merci à Benjamin Loo pour sa lecture fine et sans complaisance. Merci aussi à toutes mes collègues des éditions Les Escales pour leur enthousiasme, leur implication et leur professionnalisme si précieux.

Un merci particulier à Valérie Kubiak pour son accompagnement formidable et son message de 01 h 08.

Merci aux libraires, qui ont porté et portent encore ce livre, d'avoir créé le lien avec tous les lecteurs.

Enfin, merci à Marc pour son soutien de chaque instant et à ma mère qui a accepté d'entrer, alors que rien ne l'y préparait, dans l'aventure folle de ce livre.

Composition et mise en pages
Nord Compo à Villeneuve-d'Ascq

Imprimé à Barcelone par:
BLACK PRINT
en juin 2018

S28250/01